感情類語辞典

増補改訂版

アンジェラ・アッカーマン+ベッカ・パグリッシ=著
滝本杏奈+新田享子=訳

THE EMOTION THESAURUS:
A Writer's Guide to Character Expression
Second Edition

Angela Ackerman & Becca Puglisi

FILM ART
フィルムアート社

THE EMOTION THESAURUS:
A Writer's Guide to Character Expression
by Angela Ackerman & Becca Puglisi

Published by special arrangement with 2 Seas Literary Agency and Tuttle-Mori Agency, Inc.

謝辞

まず誰よりも、私たちのウェブサイト「The Bookshelf Muse」及び「Writers Helping Writers」の読者たちによる支援、励まし、温かな言葉に感謝したい。彼らのおかげで『感情類語辞典』の書籍化が必要だと気づくことができたし、彼らが私たちのことを信じてくれたからこそ本書は実現した。

また、私たちの最初のクリティーク・グループの最重要メンバーたちにも感謝を述べたい：ヘレン（本の虫）、ロイ（おじいちゃん）、マデリン（狂犬）、ジョーン（誰のことかわかるでしょ）、ローラ（田舎者）。彼らのおかげで、私たちはこの類語リストの執筆、そしてそれぞれの作家としてのキャリアをはじめるにいたった。それから、一番必要なときに励ましてくれた、友人のシャロンにも深謝を。

ライターたちのコミュニティにも非常に感謝している。オンラインをはじめ、ライターの大会や対面の集い、また独自のコミュニティで出会ったライターは、いずれも惜しみない知識と楽観性で、私たちを作家として成長させてくれた。このグループの一員であれて幸せだ。

最後に、家族に最大の感謝を。先が見えなくても、悪戦苦闘する私たちを元気づけてくれて、不足していたビジネス面でのサポートも提供してくれたことに、とても感謝している。

AADとSDJへ、ありったけの愛を込めて

もくじ

『感情類語辞典［増補改訂版］』の刊行にあたって 8
感情のパワー 10
キャラクター調査：信憑性のある感情を描くために知っておくべきこと 13
会話を使って感情を書く 23
言外の意味：根底にあるものは何か 32
感情の新鮮な書き方をブレインストーミングしよう 39
非言語で表わされる感情を書くときの共通の問題 42
『感情類語辞典』の使い方 56

愛情 62
唖然 64
圧倒 66
あやふや 68
憐れみ 70
安堵 72
怒り 74
意気消沈 76
畏敬 78
いらだち 80
陰気 82
打ちのめされる 84
うぬぼれ 86
裏切られる 88
怖気づく 90
恐れ知らず 92
驚き 94
怯え 96
懐疑 98
懐古 100
確信 102
愕然 104

価値がある 106
価値がない 108
葛藤 110
悲しみ 112
感謝 114
感傷 116
感動 118
気がかり 120
危惧 122
疑心暗鬼 124
期待 126
気づかい 128
疑念 130
希望 132
きまり悪さ 134
共感 136
驚嘆 138
恐怖 140
拒絶 142
疑惑 144
緊張 146
苦痛 148
屈辱 150
屈服 152
苦悩 154
苦しみにもがく 156
軽蔑 158
激怒 160
決意 162
懸念 164
嫌悪 166
嫌疑が晴れる 168
謙虚 170
幻滅 172
後悔 174
好奇心 176
肯定 178
幸福 180
興奮 182
高揚感 184

孤独 186
混乱 188
罪悪感 190
自己嫌悪 192
自己憐憫 194
自信 196
自信喪失 198
自責 200
自尊心 202
嫉妬 204
失望 206
執拗 208
自暴自棄 210
弱体化 212
受容 214
衝撃 216
称賛 218
情欲 220
触発 222
心配 224
崇拝 226
脆弱 228
切なさ 230
切望 232
絶望 234
羨望 236
戦慄 238
多幸感 240
他人の不幸を喜ぶ 242
短気 244
つながり 246
同情 248
動揺 250
憎しみ 252
ネグレクト 254
熱心 256
根に持つ 258
敗北 260
恥 262
パニック 264

反感 266
反抗 268
ヒステリー 270
悲嘆 272
評価されない 274
不安 276
復讐 278
不信 280
不本意 282
不満 284
フラストレーション 286
平穏 288
防衛 290
ホームシック 292
満足 294
無関心 296
むら気 298
無力感 300
愉快 302
用心 304
欲望 306
喜び 308
落胆 310
立腹 312
旅行熱 314
冷笑 316
劣等感 318
狼狽 320

あとがき 322

日本語版刊行に際して

本書には原書出版国であるアメリカ合衆国特有の生活習慣・文化に基づいた表現を使用している箇所がありますが、原書を尊重し、日本の慣習に当てはめる調整は最小限に留めました。
また本書には一部、文化的・身体的・思想的な差異を強調するような表現・描写も認められますが、それらはいずれも原著者の差別的な意図を表わすものではなく、あくまでも表現行為における創作のバリエーションとして記されたものであり、本書の主題の性質上必要な記載であると考え、修正や調整は最小限に留めました。

『感情類語辞典［増補改訂版］』の刊行にあたって

『感情類語辞典』の初版が出たのは約7年前、不安に包まれての刊行だった。これは私たちにとって初のノンフィクション企画で、当初は自費出版について自分たちが知らないことを調べて書き、一冊の本にするはずだった。ところが、ストーリーを書くとき、読者の関心を引きつける書き方でキャラクターの感情を伝えるのは難しく、私たちも苦労していた。これは大きな問題なのだ。キャラクターの気持ちがはっきり伝わらないと、読者を面白がらせることなどできないからだ。キャラクターの感情が引き金となって、読者は自分の記憶を蘇らせ、キャラクターに共感を寄せる。そういう書き方をしてこそ、読者をぐっとストーリーに引き込めるのだ。そこで、ふと直感が働いて、きっとほかの書き手たちも同じ苦労をしているのではないか、ならば、その解決の糸口になるような本を作ろう――こうして『感情類語辞典』が生まれた。このときの直感が正しかったとわかったのは、初版が刊行され、その反響を知ってからだが、今もなおその反響には驚かされ、謙虚な気持ちにさせられている。

書き手は皆共通の悩みを持っていることがわかると、私たちはさらに研究を進めた。知識を深めると、読者と共有したいこともますます増えていく。そこで、『感情類語辞典』の増補改訂版を出そうと決意したわけだ。

本書冒頭では感情の書き方を紹介している。感情は読者に説明するのではなく言葉で再現しなければならないが、そのヒントをさらに加筆している。特に、会話を使ったキャラクターの感情の伝え方について、セクションが新たに加わった。自然な会話では言外に意味を込めることが多く、重要な役割を果たしている。この増補改訂版では、それがどういう役割なのか、心の奥に隠れた感情をどう表現するのかについても掘り下げている。また、キャラクターのパーソナリティは過去の出来事から大きな影響を受けて形成されている。彼らは過去にどんな心の傷を負ったのか、そのせいでどういう感情を抱いているのか――背景を決める上で、何を調べるべきなのかについても情報を加筆した。書き手は、こういう下準備をしておけば、キャラクターの感情に現実味や一貫性を持たせて書くことができる。

この増補改訂版では、さまざまな感情が130項目に分けられている。各項目に、身体的シグナル、思考、内的な感覚などの具体例が挙げられているので、それらをうまく組み合わせ、キャラクターにしっくりくる感情的な反応を作れるようになっている。さらに今回は、各感情に結びついた行動を描写しやすくする目的で、その感情を強く想起させる動詞のリストを新たに加えた。また、キャラクターの感情が今後どう移り変わっていくのかをわかりやすくするため、各感情が発展あるいは後退すると、どの感情に至るのかが参照できるようになっている。

初版同様、この増補改訂版でも、感情的な場面を新鮮で示唆に富んだ表現方法で書くヒントや、ブレインストーミングの道具を数多く提供している。さらに充実した『感情類語辞典［増補改訂版］』が皆さんの執筆のお役に立てることを願う。

感情のパワー

うまく書けている小説には、ジャンルを問わず、ひとつの共通点がある。それが感情だ。感情はすべてのキャラクターの意思決定、行動、言葉の核となり、それらが物語を引っ張っていく。感情がなければ、キャラクターの人生の旅路もつかみどころがない。面白みがなくなってしまうのだ。無味乾燥な出来事が連続するストーリーをわざわざ読もうとする読者はいない。それはなぜか。読者は、何よりもキャラクターに自分を重ね合わせ、その感情を体験したくて本を手に取るからだ。読者は、楽しませてくれるキャラクターと出会い、そのキャラクターが直面する数々の試練を疑似体験すれば、自分の人生にも役立つかもしれないと思って本を読む。

人間は感情の生き物であり、感情に衝き動かされて生きている。私たちが人生において何を選択し、誰と一緒に過ごすのか、どういう価値観を持つのかは、感情に左右される。また、私たちは感情に刺激されてコミュニケーションし、有意義な情報や信念を人と分かち合いたいと思っている。情報や感情は会話の中で言葉を通じて伝えられるものだと思われがちだが、多くの研究によれば、コミュニケーションは最大で93パーセント非言語によって行なわれている。たとえ感情を表に出さないようにしていても、ボディランゲージや口調で本心は伝わる。だから皆言葉を交わさなくても人の心を読むのがうまいのだ。

私たちは書き手として生まれ持っている観察力を活かし、文章で感情を表現しなければならない。読者の期待は高く、キャラクターの感情を書き手に説明されるのを嫌がる。自分自身でキャラクターの感じていることを経験したいのだ。そのためには、読者にも認識でき、読みたいと思わせるような形で、キャラクターの気持ちを描写しなければならない。ありがたいことに、人の感情伝達手段には柔軟性があり、各キャラクターに合わせて変えることができる。書き手が少し努力をすれば、独創性や信憑性のある反応を表現できるのだ。

● 感情表現の手段

会話：私たちは会話をしながら、自分のアイデア、考えや信念、欲求を言葉で言い表わす。何を伝えるかはすべて私たちの心の状態に左右されている。私たちは常に感情に衝き動かされているのだが、会話の中でその感情に直接言及することは稀である（怒っているとき、「私は怒っている」とはあまり言わない）。つまり会話は、キャラクターの感情を読者と共有するのに有効な手段であっても、それだけでは十分に伝えられない。うまく読者に伝えるには、非言語コミュニケーションも活用しなければならない。非言語コミュニケーションはさらに細かく、口調、ボディランゲージ、思考、本能的反応の四つに分類できる。

口調：声の変化を指し、話者の心の状態を知る貴重なヒントを読者に与える。会話中は、どう反応しようかと考える時間がいつもあるわけではない。言葉を慎重に選んで本心を隠そうとしても、声音が変わったり、言葉に詰まったりして簡単にはいかない。ためらい、声音や声のピッチの変化、思わず口に出る言葉などはささいでも、キャラクターの感情の変化を示す目安としてどれも大活躍する。

特に口調は、視点となるキャラクターの周囲にいるキャラクターたちの感情表現に役に立つ。視点となるキャラクターとは違い、彼らの直接的な考えは読者が推測するしかないからだ。

ボディランゲージ：感情を経験するときの体の反応のことで、感情が強ければ、体も強く反応する。つい動いてしまう体を意識的にコントロールしようとしても無理なのだ。キャラクターにはそれぞれ個性があり、感情の表わし方も個人によって違う。本書には、ある感情を経験したときの身体的反応や行動の具体例が多く挙げられている。これらの例とキャラクターの個性を組み合わせれば、ボディランゲージや行動を使った感情描写のアイデアは数限りなく見つかるはずだ。

思考：人はある感情を経験すると、その感情をどう扱ったらいいのか持て余す。キャラクターの心の呟きは理性的とは限らないし、考えることもコロコロと変わる。だが、そういう思考を利用して感情を描写すると、キャラクターの世界観をパワフルに伝えられる。また、視点となるキャラクターが人や場所、出来事からどんな影響を受けているのか、そのキャラクターの思考を描くことでストーリーに深みが増し、キャラクターの「声」を読者に届かせる一助にもなり得る。

本能的反応：非言語コミュニケーションの中でも特に強烈なので、できる限り慎重に使用すべきである。脈拍、めまい、アドレナリン放出など、体内の変化は自然な反応なので抑制がきかず、それがトリガーになって、闘うか、逃げるか、固まるかの反応を示す。誰もが経験することなので、読者もキャラクターの本能的反応を肌で感じとり、自分自身の体験と結びつけることができる。

このタイプの反応は本能的であるがゆえに、特に注意して使う必要がある。この手段に頼りすぎるとメロドラマになりかねない。また、本能的反応にはバラエティがないので、使い古された表現になる危険もある。本能的反応を利用する場合は、ちょっと使うだけでも十分な効果が得られることを肝に銘じておこう。

キャラクター調査：
信憑性のある感情を描くために知っておくべきこと

現実の世界に同じ人は二人といない。私たちの感情表現方法には個性があるのだ。自分の思っていることを素直に人に伝え、ほぼなんの抵抗もなく、自分の感情を人に見せられる人がいる一方で、それとは正反対の人もいる。感情を表に出さない人は、本心を人に明かすことを恐れ、自分がさらけ出されたような気持ちになるのを避ける。ほとんどの人はその中間のどこかに属している。どの程度人に感情を見せるかは、**感情の振り幅**と呼ばれ、どの感情を人に見せるのかはもちろんのこと、その感情がいつ、どのように表出するのかにも影響する。誰もがこの感情露出分布図のどこかに属していて、普段はその位置からさほどずれない感情の表わし方をしているのだが、なんらかの事情で気が高ぶると、いつもとは違った感情を示したり、その表わし方が変わったりする。

感情の表わし方には個人差がある一方で、人は皆誰でも過去の影響を受けている。育った環境、受けた教育レベル、人生経験、信念、そしてパーソナリティによって、各々の人となりが決まるし、人に感情を見せるか見せないかについても決まるのだ。

どこかに実在していそうなキャラクターを作り上げることが執筆の大きな目標のひとつなので、キャラクターがどのように感情を表わすのかを考えるときは、真に迫った個性を作り出す努力をしたい。そのためには、各キャラクターがどんな過去の出来事を経験しているのか、時間をとって掘り下げ、その過去のディテールが見え隠れするような反応をキャラクターにとらせるのが一番である。

キャラクターにどんな過去を背負わせるのか――そんなことを練るのはよくないと批判する声をよく聞く。こういういわれのない批判が起きるのは、書き手の中に間違った思い込みをする人がいるからだ。彼らは、あらゆる詳細を読者に知らせないと、キャラクターが人生の荒波に揉まれている理由は理解されないと思い込み、背景的な情報を一場面で説明しきってしまう。だが、背景情報は書き手のためにあって、読者のためではない。たとえば、初めて訪ねた町を移動して回るときにはGPSのようなナビゲーションツールが役に立つ。それと同じで、ストーリーがはじまる以前のキャラクターの過去について重要な点をいくつか知っておくと、キャラクターの人となりに合った行動や選択、判断を書きやすくなる。真実味に溢れたキャラクターを書けば、ストーリーの中でキャラクターを紹介するときに読者を引きつけられるし、読者の方もキャラクターに親しみを持つ。キャラクターの具体的な行動や心の動きを書き表わせば、読者はキャラクターの感情を直接的に感じとれるはずだ。

キャラクターごとに背景情報をどの程度練るべきかは、そのキャラクターのストーリー中の役割によって変わる。しかし誰もが過去を背負っているわけだから、どのキャラクターにも共通して検討すべき点が二つある。ひとつは、キャラクターの人生における**重要な人物**、もうひとつは、キャラクターの心に残っている**重要な過去の体験**である。

人間は社会的な生き物で、人生をどう生きるべきかを考えるとき、他人、特に身近な存在の人を参考にする傾向がある。参考にされた人々は、私たちの信念や価値観の形成に影響を与え、私たちがどうふるまうべきか、何を感じるべきかを教えてくれる。残念ながら、一番身近にいて影響力のある人が必ずしも、誰よりも自分を支えてくれる助言者として適任だとは限らない。つまり、人生経験は常にポジティブだとは限らないのだ。キャラクターの過去に、お手本として影響力のあった人は誰なのかを考える上で、この点は特に重要だ。「キャラクターが自分の感情とどう向き合っているのか、それに影響を及ぼした人物は誰なのか、その人物がキャラクターに教えたのは、社会の一員として生きていく上で必要な態度や行動だったかどうか」と自問してみよう。

たとえば、キャラクターがまだ幼い頃、泣くたびに叱りつける親がいたとする。そんな親のもとで育ったキャラクターは、感情は人に見せず隠した方がいい、と暗黙の教訓を学んでいる。泣くたびに泣くなと言われてきたキャラクターは、感情を表に出すと馬鹿にされ、弱虫だと決めつけられると思い込んでいる。だから感情は曖昧にしか示さないし、自分の気持ちを偽ることもある。

逆に、ポジティブな影響を与えた人物がいれば、その人から健全な感情の表わし方を学んでいるはずだ。たとえばキャラクターに、感情をすぐ声に出す兄がいたとする。兄がポジティブな感情を振りまいているときは、周りにもそれが伝染し、みんながポジティブになる。そんな兄を見て育ったキャラクターは、感情にはパワーがあって、人を変える起爆剤にもなることを学んだ。兄を慕っているならなおのこと。感情を人に見せれば、その人と心でつながれることを知っているから、兄と同じ態度をとり、同じようにふるまうだろう。

キャラクターが自分にとって重要な人物から感情の表わし方を学んだように、過去の経験もまたその人格形成に影響する。たとえば、洪水がキャラクターの住んでいる地域を襲ったとしよう。ようやく水が引くと、自宅は半壊、キャラクターはショックを受ける。近所の人々も同じような被害を受け、悲嘆に暮れている。それを見て、キャラクターは自分の無力さを感じる。そんなとき、テレビの取材班からマイクを突きつけられた。キャラクターは感情を抑えきれず、カメラの前で泣き崩れる。やがてその映像が流れると、町じゅうの人々から救援物資が殺到する。食料品を運び込んでくれる人、一時避難所を提供してくれる人、瓦礫撤去を申し出てくれる人、必需品を寄付してくれる人が現われた。人々から寄せられた同情や共感のおかげで、キャラクターの絶望感は少し和らぎ、あのとき泣き崩れて感情をあらわにしたからこそ、必要なものを手に入れることができたのだという考えが植え付けられる。こんな経験を味わった後なら、キャラクターは安心してオープンに感情を人に見せるようになる可能性が高い。

以上、キャラクターの背景を考える上で重要な二点を紹介したが、各キャラクターの感情をどう描写するか、その方法を絞り込む目的でブレインストーミングすべき点をほかにもいくつか紹介しよう。

● ベースラインとなる反応

ストーリーの中で対立や激変が起きたとき、キャラクターはその異変にどう反応するだろうか。それを把握するには、日常的な状況でキャラクターがどうふるまうのか、ベースラインを確立させる必要がある。ここで、スーパーのレジで待たされる場面を考えてみよう。キャラクターの前には6人の客が並んでいる。このレジは15点以内の買い物をした客専用だが、今勘定をしている人はそれ以上の買い物をしている上、レジ係にいちいち品物の値段を確認している。この状況で、キャラクターはどうふるまうだろうか。待たされるのは嫌だが文句を言うのも無駄だとわかっているので黙って待つか。それとも、買い物かごを床に置き、ほかのレジを開けろとレジ係を怒鳴りつけるか。

黙って待つ場合なら、キャラクターのベースラインは自ずと明らかである。数分ぐらい時間を無駄にしたところで、このキャラクターは激怒しない。だがレジ係を怒鳴りつけるのがベースラインだとしたら、キャラクターはほんのちょっとしたことで怒りを爆発させる。

このようにベースラインを決めておくと、ストーリーを通して一貫性を保ちやすくなる。普段とは違う感情を引き出したいなら、キャラクターを追い詰めて、限界を超えてしまう状況を作り出す。たとえば、いつものように一日がはじまるはずが、ちょっとしたハプニングが起きる場面を思い浮かべてみる。車のエンジンがかからない、遅刻しそう、朝目覚めたら体調が悪い、予定が突然キャンセルされるなど、このような場面でキャラクターはどうふるまうのか、想像する努力をしてみよう。

● 感情むき出し型か、控えめ型か

キャラクターの感情の振り幅を決めるとき、普段どの程度の感情を見せるのかを考えるのも重要である。控えめな人もいれば、感情をむき出しにする人もいて、その傾向によって、どういう感情を見せるのかが変わってくる。

キャラクターに大人に成長した子どもたちがいるとしよう。その子どもたちは普段海外で暮らしているが、ある日、クリスマスに帰郷するとの知らせが入る。控えめなキャラクター（母親）であれば、知らせを聞いて驚き、椅子に座り込み、満面の笑みを輝かせるかもしれない。その母親は、声を震わせながら何か言うかもしれないし、隣にいる夫に手を伸ばし、彼の手をぎゅっと握るかもしれない。一方、感情むき出し型のキャラクターなら、もっと元気いっぱいに反応を見せるはずだ。飛び上がって夫に抱きつくかもしれないし、嬉しい知らせを聞いて、両手を生き生きと動かしながら、思っていることを全部口に出して話すかもしれない。キャラクターの性格的な傾向を理解しておくと、ボディランゲージや言葉遣いをその性格に合わせて考えやすくなる。

● ほっと安心できる安全地帯

どんな状況でも安心して人に感情を見せられる人ばかりではない。キャラクターの感情の表わし方は、どういう状況で、誰と一緒にいるのかによって変わってくる。一般的に、プライベートな空間であれば、気持ちを隠すことはあまりないが、周りに人がいると、自意識にがんじがらめになってガードが固くなる。自分がさらけ出されていると感じたり、人に決めつけられるのを懸念したりする場合は、感情を抑えるだろうし、信頼している人や、同じ気持ちを経験した人たちに囲まれている場合は、もっと安心して自分の気持ちを表わすだろう。一般論だが、キャラクターは、自分の気持ちを見せても安全だと思っていれば感情を見せるし、安全だと思わなければ見せない。これを念頭に置いて場面を練ろう。

キャラクターが安全地帯にいるかどうかは、会話にも影響を及ぼすことを忘れずに。その場に居合わせた人たちの口が堅ければ、自分の気持ちをもっと話してもいいと思う人もいるだろうし、一部の人になら、自分をさらけ出しても構わないと考える人もいる。つまり、キャラクターが周囲の人たちとどういう人間関係を結んでいるのかによって、会話の中で感情を共有する程度は変わってくる。会話を通じて隠れた感情を伝える方法を考えている場合は、「言外の意味：根底にあるものは何か」（p. 32）を参照のこと。

● 刺激 VS. 反応

どのキャラクターも同じ関心や恐怖心、信念を持っているわけではないから、ある場面で何をどう感じるかは個人によって違うし、反応も違う。たとえば、三人の女性が同じテーブルで一緒に昼食をとっているとしよう。店からテイクアウトしたサンドイッチの包み紙や塩の小袋の間を蜘蛛が這っている。それを最初に見つけたのはカーラだ。ハッと息をのんで、後ろに飛び退いたので、椅子がギギィーッと不快音を立てた。次に異変に気づいたのはダイアンだ。彼女はのけ反って、自分を抱きしめる仕草をした。最後はテレスだ。ところがテレスは微笑んで、テーブルの上に捨ててあったストローの包み紙をつかみ、それで蜘蛛を誰もいない方向へと追い払う。

場面と刺激は同じだが、三人の反応はばらばらだ。これが自然というものである。カーラは蜘蛛を怖がった。ダイアンは用心深い仕草をし、蜘蛛が自分に近寄ってこないよう身を守りつつ、その蜘蛛が危険かどうか様子を見た。テレスはまったく怖がらなかったどころか、カーラとダイアンが（おそらくカーラの方だろう）殺してと言いだす前に、蜘蛛をテーブルから追い払った。

人の境遇はさまざまで、どのキャラクターも同じ反応や感情を示すとは限らない。人生経験や性格が違えば、同じ刺激を受けても反応の出方は違ってくる。もしキャラクターたちが同じ状況を各自の視点で見ているストーリーなら、話は複雑になるかもしれないが、その視点の違いは書き手にはプラスになり得る。感情に動かされ、各自別々の行動に出たキャラクターたちを描くチャンスになるからだ。

● 心の繊細さと不安

最後に、キャラクターの感情の振り幅を決めるには、キャラクターが内面にどんな不安を抱えているのか、どんな繊細な心の持ち主なのかを理解することも重要だ。どのキャラクターにも弱みや避けたい感情はいくつかあって、その感情を感じると気まずくなったり、自信を失ったりする。そんな感情のひとつがある場面で不意に頭をもたげようものなら、キャラクターは精神的に追い詰められ、とっさに闘うか、逃げるか、固まるかの反応を示すだろう。

このように本能的にパッと示す反応はパワフルなので、キャラクターの心の深部を見せるのにうってつけで、しかも読者にキャラクターの**心の傷**を垣間見せるチャンスでもある。キャラクターは過去につらい出来事を経験していて、今もそれを引きずっている。嵐の中を荒波に揉まれながらも錨を下ろした船のように、前進できずにいるのだ。古いトラウマは人間関係に摩擦を生み、幸せを感じられず、何も達成できずにいる状態を作り出す。もし書き手が変化アークでストーリーを書いているなら、心の傷のせいでキャラクターが人生から脱落することもあり得る。その場合、ストーリーが終わるまでに、キャラクターは自分を見つめ、心の傷を克服していかなければならない。繊細な心にはパワーがある。それをストーリーの中でどう使うか、次の例から考えてみよう。

結婚式が終わって、参列者たちの歓談する声が庭じゅうに響きわたっている。リンダはマグノリアのブーケの香りを嗅いで、式の後も解けない緊張を吹き消すかのように息を吐いた。結婚式は完璧だった。風は穏やかで、参列者用の椅子が足りないと騒ぐこともなかった。花嫁花婿とその介添人たちが芝生の上を歩いて入場するときも誰も転ばなかったし、ドレスの裾を踏んづけるハプニングもなかった。リンダはようやく緊張を緩めることができた。

花嫁のサラは芝生の真ん中に立って、何人かの参列者と話している。太陽の光がサラの頬骨を輝かせ、ドレスとベールに散りばめられたクリスタルも陽光にきらめいている。本当にきれいな花嫁姿だ。ここ数年はサラにとってつらい時期だった。母親を失い、流産も何度か経験して、苦しみを乗り越えてきた。そんなサラが、今日、トムと理想を絵に描いたような結婚式を挙げられたのも当然のことだった。

リンダは、古い樫の木のそばで記念撮影の準備をしているカメラマンに進み具合を確認した。メイド・オブ・オナーなのだから花嫁の介添はもちろんのこと、進行予定にそってみんなを動かさなくてはならない。まもなく記念撮影をはじめられると判断したリンダは、そろそろ花嫁を呼んでこなくてはと、サラのところへ向かった。

手前まで来ると、突然、サラが品のいい紫のドレスを着た年配女性に向かって走り出し、その女性をがっしりと抱きしめた。「おばあちゃん、間に合ってよかった！」

おばあちゃん。その言葉はリンダの心にぐさりと突き刺さり、思わず立ち止まってしまった。

「馬鹿な子ね。飛行機が遅れたぐらいで、私はあなたの特別な日を逃したりしませんよ」。その女性は抱擁を解いて、両手でサラの顔を包んだ。「すごくきれいよ」

サラが皺だらけの祖母の両手を取った。「おばあちゃんがここに来てくれることが私にとってどんなに大切なことか知っているでしょう。おばあちゃんはいつも私の面倒を見てくれたし、それに――」

「アイラブユー、ガール。この気持ちは絶対に変わらないの。あなたのお母さんのこともあなたのことも、両方愛してるんだもの」

リンダの目が熱くなっている。なのに胸は冷たい重りでぐしゃぐしゃに潰されている。この瞬間、この美しい瞬間に打ちのめされていた。

「やめてよ、おばあちゃん。私のメイド・オブ・オナーを探してくる。おばあちゃんに紹介したいから。彼女はね、私にとってはお姉さんみたいな存在で、今こうしてまともでいられるのも彼女のおかげなの」

リンダは慌てて、近くの参列者たちの後ろに逃げ込んだ。人々の話し声に、自分の名を呼ぶサラの声がかき消され、リンダはテラスから屋内に通じるフレンチドアへと急いだ。外の光はまぶしすぎるし、薔薇の咲き誇る庭にはねっとり甘い香りが充満している。リンダは息ができなかった。親友のサラに、彼女の祖母に会うのは自分にとってこの上なくつらいことだとも言えなかった。

この例では、リンダの過去に明らかにサラの祖母が絡んでいる。何があったのかはわからないが、その古傷はあまりにも深く、リンダは、愛情溢れた祖母に親友が支えられている姿を見るに耐えかね、その場を去る。

この場面は、リンダの繊細な心にスポットライトを当てているだけでなく、彼女が耳にするサラと祖母の会話、周囲の雰囲気、リンダの行動をスマートに描写して、リンダの過去を垣間見せている。読者はこの先を知りたくなり、過去に何があったのか、はっきりとわかるまで読み続けようとする。しかも読者はリンダを応援し、彼女が傷つけば自分たちも傷つくし、彼女がつらい過去から解放され、幸せを見つけるときが来ることを願う。

キャラクターの心の繊細さを確立したら、今度はそれを利用して、力強い感情を喚起する場面を書こう。場面を設定しさえすれば、これは簡単だ。**トリガー**（この例だとサラの祖母がトリガー）を場面の中に埋め込んでおけば、そのトリガーによって、視点となるキャラクターの心に不安が呼び覚まされ、あるいは心の古傷がうずいて、キャラクターの感情を表出させることができる。それに、なぜキャラクターがいつもとは違うおかしな反応を示すのか、その原因が読者にもわかりやすくなる。

会話を使って感情を書く

キャラクターの人となりがわかったら、その感情の表わし方は自ずと明らかになる。そこでやっとストーリーを書きはじめられる。前にも触れたが、人は言語と非言語の両方でコミュニケーションをとる。書き手はその両方をうまく活用し、キャラクターの心の状態を書き表わす必要がある。ではまず、言語によるコミュニケーションからはじめてみよう。

人とコミュニケーションをとるとき、人は主に会話をして考えや情報を伝える。人とのつながりを求めるのも会話の大きな目的だ。より親密な関係を築きたいから、友人とコーヒーを飲みに行き、配偶者とデートし、子どもに小うるさいことを言ってはどんな一日を過ごしたのか話させる。人とのつながりを深めたいと思っているなら、お互いの気持ちを伝え合うのが一番確実だ。自分の感情を人に見せるには弱さも見せなくてはならないからである。弱さを見せるということは、心の硬い殻を割って、脆い内面をさらけ出すことにほかならない。そうすれば、ほぼ確実に人間関係は深まる。

キャラクターの感情を自然に明かす方法のひとつとして、別のキャラクターと会話させることが挙げられる。読者は実生活で言葉のやりとりの重要さを痛感しているので、書き手は会話をうまく書くことが重要だ。キャラクターたちの気持ちが読者にもわかる会話、読者に真実のように聞こえる会話を書きたいなら、次のヒントに留意してもらいたい。

● パーソナリティと背景情報を活用

前節でキャラクター調査についてあれほど説明したのには理由がある。キャラクターがどういう人なのかによって、キャラクターが自分の境遇に対しどう感情的に反応するのかが決まるからである。たとえば、上司と気詰まりな会話をしなければならないキャラクターがいたとしよう。上司とのやりとりがいかに進むかは、そのキャラクターの性格によってほぼ決まる。臆病者、もしくはあやふやなものの言い方をする人なら、会話はこんなふうに進むだろう。

　ジェイソンはドアをためらいがちにノックした。気性の激しい上司は顔も上げず、営業報告書の数字にペンでひたすら印をつけている。
「あのぅ、ミセス・スワンソン？」
　なんの返答もない。
　ジェイソンは足をもじもじさせながら、どうしようかと悩んだ。ヘマは許されなかった。クリスティーナの試合の応援にまた行ってやれないなど許されなかった。
　上司のオフィスに足を引きずって半歩踏み入れた。「あのぅ……今週末の件なんですが。週末は出勤するようにとメールをいただいてはいるのですが……実は、既にちょっと予定が入っていまして——」
「キャンセルして」と上司は思いやりの「お」の字もなく答えた。
　何も返事しないでいると、上司が顔を上げた。ジェイソンは床の絨毯に視線を落とした。

　ジェイソンのような性格のキャラクターなら、この会話は成り立つ。しかし、自信があって上司との直接対決も恐れないキャラクターなら、会話の進み方は違う。

　ドミニクはトントンとノックしてからドアを開けた。
「ヘイ、ミセス・スワンソン」
　無言が返ってきた。
　ドミニクは咳払いをして、ドアノブを握りしめた。「今週末は働けません。予定がありますから」
「キャンセルして」と上司は言った。顔を上げようともしない。
　体がカッと熱くなるのを感じ、ドミニクは背筋をぐいっと伸ばした。「ぎりぎりになって週末に働けと言われても無理です」。声が大きくなったが、そんなことは気にもならなかった。「月曜日なら残業しても構いませんが、今週末は無理です。これが精一杯です」
　上司が顔を上げた。いつもの睨みをきかせながらこちらを見ている。ドミニクも速攻睨み返した。上司が睨み合いで勝てると思っているなら、とんだ間違いだ。ドミニクの12歳になる娘を知っていれば、脅したって勝てるはずがない。

　ジェイソンもドミニクも緊張しながらこの場面ははじまる。しかしその後は各々の性格に基づいて違った感情が表われる。だからこそ、ストーリーを書きはじめる前にキャラクターの背景を考えておくのが非常に重要なのだ。思わぬ展開になったとき、キャラクターの性格がどう傾くのか、どんな反応を示すのかがわかるからだ。

● 言葉と非言語要素を織り交ぜる

会話は話し言葉と同じではないかと思うのが普通だ。しかし会話は話されている言葉だけで成り立っているわけではない。言葉を交わすときのボディランゲージも会話の一部である。だからボディランゲージを省いて会話を書くと不自然になり、読者がストーリーへの興味を失ってしまう。先ほどのジェイソンと上司の会話場面から、会話の部分だけ抜き取ってみよう。

「あのぅ、ミセス・スワンソン？」
「あのぅ……今週末の件なんですが。週末は出勤するようにとメールをいただいてはいるのですが……実は、既にちょっと予定が入っていまして——」
「キャンセルして」

これでジェイソンの緊張ぶりは伝わるが、彼の性格はほとんどわからない。それにこれだけではぎこちなく読めてしまうので、会話というテクニックが効いていない。人は喋りながら体のあちこちを動かし、場所を移動し、気持ちを落ち着かせるためにものをいじることもある。こうした動作は、感情を強調するのに重要だし、キャラクターの性格を形づけることもできる。その場面に深みを与えられて一石二鳥なのだ。

会話中に人が見せるこういうちょっとした動作を「ビート（beat）」と言う。小説家を目指す人にお勧めの一冊『Self-Editing For Fiction Writers（小説家のためのセルフ編集）』の著者、レンニ・ブラウンとデイヴ・キングがその名付け親である。ビートはさまざまな役割を果たすが、キャラクターが自分の会話をどう思っているのかを表わすのもそのひとつなのだ。ジェイソンのビート（頼りないドアノック、足をもじもじと動かす、上司の視線に耐えられず目をそらす）は、彼が明らかに緊張していることを表わしている。こういうちょっとした動作を重ねて書くと、キャラクターの感情だけでなく性格もよく表われる。

口調（声や言葉遣いの変化）からも、キャラクターが感情的になっているときがはっきりとわかる。ジェイソンのためらいぶりや、ドミニクの声が大きくなるときがそうだ。

会話を書くときは、キャラクターの話す言葉を慎重に選ぶ。しかし同時に、キャラクターの感情が声にどのように表われるのかも考える。さらにビートも書き含めて、きっとキャラクターはこんな気持ちでいるのだろうと想像しながら読んでいる読者を納得させ、キャラクターの性格も少しわかるようにしよう。

● 会話文の後に付け加える動詞はシンプルに

会話の中に含める文章について説明してきたので、ついでに、会話文の後に付け足す動詞についても少し触れておこう。「〜と彼が言った」「〜と彼女はブツブツ呟いた」「〜と彼らは叫んだ」などの表現は、誰が話者なのかを伝えるためのものだ。選択肢は数多く、その中には感情を伝える動詞もある。誰かに向かって投げつけられた言葉や、ぼそぼそとした呟き、叫び声や歌声は皆、明らかな感情を伝える。しかし、感情を含んだ動詞をしばらく使っていると、その動詞が目立って気になりだし、書いた文章にやりすぎた感じやメロドラマチックな感じを与えてしまいかねない。

シンプルな動詞「〜と言った」を使うと、そういったことはあまり起きない。あまりにも普通すぎて、書かれていても気づかないからだ。かといって使いすぎるのはよくないが、これならどのキャラクターにも使えるし、繰り返し使っても気にならない。会話文の最後に感情を含んだ動詞を付け足すなら、一般論だが、重要場面や気が高ぶった瞬間のみに限るとよい。たまに使うだけなら、ストーリーの邪魔にならないし、むしろ有効に作用するだろう。

さらに一言加えると、会話文の最後に必ずしもこういう動詞を付け足す必要はない。話者が誰なのか読者が混乱するのではないかと心配するなら、ビートをうまく書いて、それを使おう。前出のジェイソンとドミニクの例に戻ると、多くの言葉が交わされているが、どちらの例でも話者を明確にするための動詞はひとつしか使われていない。にもかかわらず、会話をしている人の動きを表現したビートが散りばめられているので、誰が何を話しているのかがわかりやすくなっている。

● 口調を使って感情の変化を表現

前にも説明したが、キャラクターの声そのものも心の状態を描く道具になり得る。声は強い感情を感じたときに真っ先に変化するもののひとつだ。突然変わってしまうので、それを隠すのは至難の業である。声のコントロールを失ったその瞬間をうまく文章で捉えられれば、読者にキャラクターの感情が変化していることをはっきりと示せる。次の声の要素を利用していろいろと試してみてはどうか。

声のピッチ：声が甲高く、あるいは低いうなり声になっていないか。

声量：穏やかな声が叫び声に近い音量になっていないか。あるいは、ささやき声のように静かになっていないか。普通の音量を保つのに必死になっている様子がはっきり出ているか。

声音：気が高ぶって、明瞭だった声が息の荒い声、もしくはしゃがれ声になっていないか。キャラクターが泣きそうになり、声が裏返ったり、かすれたりしていないか。怒りのあまり感情が消え、抑揚のない声になっていないか。

話し方：口うるさかったキャラクターが急に黙り込んではいないか。おどおどして、口ごもってばかりの人が突然べらべらと喋りだしてはいないか。高い教育を受けたキャラクターなのに、ひどい文法で話してはいないか。どもりや舌足らずがますますひどくなってはいないか。

言葉の選択：キャラクターが感情的になると、普段は言わないような言葉が出たりする。口汚い言葉や中傷的な言葉を言ったりしないか。第一言語の単語やフレーズが出てきたりしないか。陳腐な言葉を並べ立ててはいないか。

キャラクターの普段の言葉遣いや口調のベースラインを確立しておけば、そこから逸脱した場合、感情の変化を読者に匂わせることができる。ただし、それは変化を匂わせるだけであって、複数の感情が入り混じっている可能性があるので気をつけること。声が震えている場合は、悲しみや恐れ、不安や怒り、あるいは緊張を示唆している可能性がある。もっと詳細を書き込まないと、どの感情をキャラクターが感じているのか、読者にはわからない。したがって口調は、思考（視点によるが）あるいはボディランゲージと織り交ぜて使った方がよい。また、場面の前後関係を明らかにすることで、読者に諸事情を明確にすることもできる。

● 会話をさらに働かせる

実生活での会話は複雑である。会話の目的は、情報交換や知識を得ることがほとんどだが、それだけではないからだ。にもかかわらず、読者もしくは別のキャラクターに情報を明かすためだけに会話が利用されることがよくある。こういう使い方をすると、書き手がストーリーの真ん中に背景的な情報や説明をドサッと放り込む格好になってしまう。情報が多すぎるとつまらなくなるし、ストーリーのペースが落ちるので、読者の関心が離れていく。必要以上に情報を盛り込むことはしない方がよい。

だからといって、会話が情報共有の手段として効果がないわけでもない。実際効果はある。ただ、情報共有だけが会話を利用する目的であってはならない。キャラクター同士に切れ味のいいやりとりをさせ、話者のさまざまな意図がうかがえるようにするには、「この会話からキャラクターたちは何を得たいのか」と自問してみるとよい。

人が互いにコミュニケーションする理由はさまざまである。人とのつながりを求める人もいれば、人に肯定されたくて（「わあ、アン、すごい洞察力だね」などと言ってもらいたい）コミュニケーションする人もいる。同僚との会話を独占して支配しようとする威圧的な人もいるだろうし、近所の人に興味津々の情報を教えて人の上に立ちたい人もいるだろう。例を挙げるときりがないぐらいだ。

キャラクターがどういう目的で会話をしているのかを知っていると、そのキャラクターが目的達成のために何をするのかがわかってくる。会話を一定の方向に持っていこうとしたり、相手を操作したり、ある話題を避けたり、急に会話から抜けていったりと、キャラクターの行動が見えてくる。それがわかれば、会話がどう転ぶのか、よりよいアイデアが浮かぶだろう。

また、会話に参加しているキャラクターたちが各々違うものを求めている可能性があることを知っておくのも大切だ。互いに正反対の目的を持って会話している場合は、片方が――あるいは両方の可能性もある――目的を達成できず、内面に葛藤が生じる可能性がある。たとえば、キャラクターAがキャラクターBに恋心を抱いているので、Bに話しかけるとしよう。BはAと親しくしておけば、欲しいもの（高い評価、仕事のコネ、アリバイなど）を手に入れられるだろうと、Aに返事をする。この場合だと、どちらかがいずれ挫折を味わうことになる。挫折の瞬間はすぐに訪れるかもしれないし、もっと後にやって来るかもしれないが、欲求がくじかれると、感情がどっと溢れ出るのが普通である。読者の関心をぐっと引きつける定番と言えよう。

読者や別のキャラクターに明かしたい情報があるなら、是非とも会話を活用すべきだが、ストーリーの流れとまったく無関係な形で使うのはよくない。各キャラクターの会話の目的を考え、会話の中にその目的に応じた感情を染み込ませ、会話を面白くさせよう。

言外の意味：
根底にあるものは何か

現実的で、感情を揺さぶる会話を書くのは簡単ではない。その構造の組み立てには技術を要するが、参考資料も豊富に揃っているので、練習を積み重ねれば習得できる。だが、会話を効果的に書くつもりなら留意すべきことがひとつある。人のコミュニケーションは単純なものではない――この一言に尽きる。ただ言葉をやりとりしているだけのように見えるが、もっとよく見てみると、会話はなかなか慎重に組み立てられている。私たちは、情報を出し控え、感情を隠し、本心をちらつかせ、ある話題を避け、短所も愛嬌のように言うかと思えば、長所をことさらに強調する。どれもこれも、包み隠しないとは言えない会話につながる。

したがって、キャラクター同士が率直な意見を交換し合う会話を書くと、面白くもなんともない会話が出来上がる。普通、人はお互いに正直に会話などしないからだ。会話には言外に込められた意味があり、それがコミュニケーションの大部分を占めている。言外の意味はなんらかの形で感情に結びついていることが多いので、キャラクター同士の会話にそれも含める必要がある。

簡単に定義すると、**言外の意味**とは発言の根底にある意味のことだ。会話には、表面的なことばかり――実際に話された言葉や「無難な」感情――が並んでいる。しかしその下には、キャラクターがあまり人に見せたがらない要素ばかりが隠れている。本音や本当に欲しいもの、恐れているもの、脆い感情などが潜んでいるのだ。これが「言外の意味」であり、それをキャラクターは隠しておきたいし、必死で隠そうとしている（無意識にそうすることが多い）。だから重要なのだ。表向き、キャラクターは本音とは違うことを伝えようとするので、言動が矛盾しているように見えるのである。

ここで、ティーンエージャーの娘とその父親の会話を例にとってみよう。

「で、パーティーはどうだったんだ？」

ディオンヌは作り笑顔を見せると、スマートフォンの画面にかじりついてインスタグラムを覗きはじめた。「よかったよ」

「そうか、そうだろうと思ったよ。で、誰が来てたんだ？」

口が渇いたけれど、ディオンヌは唾を飲み込もうとはしなかった。コーヒーマグを片手にこっちを見ている父親の前では、それはできない。早朝にもかかわらず、父親は目をきらきらさせながら、こちらの様子をうかがっている。二つ並んだヘッドライトがミルクコーヒー色の霧越しに照らしつけてくる。

「いつものメンバー。サラとアレグラとジョーダン」。ディオンヌは肩をすくめた。いろいろ訊いてきたって何もないんだから、あっちへ行って。

「トレイは来なかったのか？　昨日オフィスで彼のお母さんにばったり会ったが、トレイもパーティーに行くって言ってたぞ」

「そう言えば、トレイもいたかも」。画面をスクロールするスピードが速くなり、ぼやけた画像が目の前を通り過ぎていく。

「いいヤツみたいじゃないか。あの子のお母さんも一緒にうちへ夕飯に招待したらどうだ？」

胃が飛び出しそうになった。「どうかなぁ」。スマホを持つ手が震えた。慌ててスマホを放り投げ、両手を太ももの下に隠した。「付き合ってるグループが違うし」

「そうか」。父親はボウルからりんごを一個つかみ取ると立ち上がった。「まあ、考えといてくれ。交際範囲を広げて、新しい人と付き合ってみるのも悪くないし」

父親が足を階段に掛けた瞬間、ディオンヌは震える息を吐いた。仕事があんなにできる父親なのに、人のこととなるとどうしてこんなに馬鹿なのだろう。

明らかに、ディオンヌは父親に対して正直に本音を語っていない。口ではなんでもないと言っているが、表面下では違うストーリーが見える。パーティーで何かが起き、そこには異性が絡んでいて、その相手をディオンヌは避けている。そしてそれを父親には知られたくない。父親は何が起きているのかわかっていないが、読者はディオンヌの本当の気持ちを感じとっている。彼女は神経を尖らせ、恐れ、そしてたぶん罪悪感を抱いている。

これが、会話における言外の意味のいいところで、キャラクターが会話の相手には本心をごまかし続けているくせに、読者には本当の気持ちや真意をあらわにできるのだ。それに自然な形で緊張感や衝突も会話に加えられる。この場面は、言外に意味がないと、父娘が朝のお喋りをしているだけで非常につまらない。言外に意味があるから、読者は何かが起きているとわかる。ディオンヌは必死に隠しごとを貫こうとしているのに、それが次第に難しくなり、隠しごとをするのが不健全なほどになってきている。

では、読者を混乱させずに、キャラクター同士の会話に言外の意味を含めるにはどうしたらよいのだろうか。難しそうに思えるがその答えは実に単純である。前に説明した感情の書き方テクニック——会話、口調、ボディランゲージ、思考、本能的反応を組み合わせるだけなのだ。では実際に、これらがディオンヌの例でどのように使われているのかをよく見てみよう。

まずはディオンヌの会話だが、彼女が父親に話していることは信用できない。誰でも話しはじめるときは、ある程度の小さな嘘をつく。ディオンヌも例外ではない。彼女は口では、パーティーでは何も大したことは起きなかったし、特に何も感じていないようなことをうそぶいている。ところが彼女のボディランゲージ（作り笑顔、インスタグラムを凄まじい勢いでスクロールする動作、震える手)、本能的反応（口が渇く、胃が飛び出しそう）は、言っていることとは別の本音を伝えている。彼女の思考も本音そのもので、独りになりたいと思っている。感情表現手段としての思考はストーリーの中でこのようにして働くのだ。

非言語を使った感情表現手段は、うっとうしい弟や妹のようなもので、キャラクターが話をしている最中にキャラクターの本音をばらしてしまう。あらゆる非言語の手段を組み合わせると、キャラクターが口には出さない部分を埋められるので、読者は話の全体像が見えるようになる。

● 隠れた感情を表わすほかのテクニック

●大げさな反応と薄い反応

キャラクターの過去に何があったのか、背景的な情報を決めてしまえば、そのキャラクターがなんでもない刺激にどう反応するのかがわかるので、信頼できる反応が書ける。読者もキャラクターの感情の振り幅に慣れてくるので、期待すべきものがわかってくる。そうすると、キャラクターがある状況に意外な反応を示したときに、読者に「注目！　ここは重要」とアラートが届くようになる。

こういう注意の喚起は、キャラクターが大げさな反応を示すときに起きやすい。一見して普通の状況なのに、キャラクターは慌てふためく。何か異常事態が発生しているのだなと読者に伝わるだけでなく、キャラクターが自制心を失い、さらに問題が積み重なって状況の悪化を招く。

キャラクターが薄い反応を示す場合は、もっと静かで抑えられた反応なので、大した衝突は起きないが、大げさな反応の場合と同じように隠れた感情を表面化させる効果がある。たとえば、この状況ならキャラクターは唖然とするはず、もしくは動揺するはず、と読者がわかっている状況があるとする。ところが、その状況が訪れてもキャラクターは無反応……、あるいは明らかに感情を抑えている。キャラクターがこんなのは大したことじゃないとうそぶくのも、明らかに本心を見せるのを恐れているからで、人には言えない感情を抱いていることをほのめかすよい方法になる。

どのストーリーにも、キャラクターを動揺させ、いつもは見せない反応をさせる場面を含めるべきである。たいていは、トリガーがキャラクターの過去に結びついている。キャラクターの心の傷や心の繊細さについて下調べをしておけば、ストーリーの中でそのキャラクターを挑発するのに使えそうな場面や特定の人物が思い浮かぶはずだ。

●秘密がばれるような言動

どれほど本心を隠すのがうまくても、どのキャラクターも本心がばれるような言動をする。気づきにくく意図的でない癖が誰にもあって、何かごまかしているなとわかってしまうのだ。書き手はキャラクターたちのことを詳しく知っておくべきで、キャラクターをよく観察し、嘘をついているときにどんな仕草を見せるのかを考えておこう。

それは、口を手で覆う、結婚指輪をくるくる回す、唇を噛むといった身体的なシグナルや行為かもしれない。あるいは、前にも触れたが、口調のひとつかもしれない。チックと呼ばれる突発的な筋肉の痙攣や激しいまばたきなどの可能性もある。このキャラクターならこういう仕草をするだろうとあらかじめ考えておき、キャラクターが何かを隠しているときにそれを使ってみよう。読者がその仕草に気づけば、何かがおかしいと思うはずだ。

●闘争か逃避か、それとも固まるか

できるだけ一般的に言うと、闘争か逃避か、それとも固まるかの反応は、実際の脅威、もしくは脅威だと思われるものに対して、体が本能的に示す反応を指す。日常生活で人と関わるときにも、こうした本能的な反応は見られる。誰かに自分のパーソナルスペースを侵されると、その人は途中で手を止めたり、その場を文字通り逃げ出したりする。会話の中だと、もっと小さなスケールでそういうことが起きる。

どのキャラクターも何か根本的な目的を持って人と関わり合っていることを思い出してほしい。その目的が脅かされたり、キャラクターが危険を感じたりすると、そのキャラクターは反射的に闘うか、逃げるか、固まるかの反応を示す。キャラクターにどの傾向があるのかを知っておけば、これを大いに活かせるはずだ。

闘争反応は、その性質から言って対立的で、キャラクターは敵との直接対決に臨んだり、肩をいからせて自分を大きく見せたり、喧嘩を売るため相手を侮辱したりする。逃避反応を示す傾向にあるキャラクターなら、逃げることを念頭に置いた反応を示す。話題を変えたり、会話から抜けていったり、グループから抜け出すために後ずさったり、口実をつけ中座したりする。キャラクターの恐怖や不安がトリガーされた場合なら、ただ体が固まってしまう可能性もある。そうなると、外部から刺激を受け、体が再び自由に動くようになるまでは、状況を頭で整理できないし、言いたい言葉も見つからず、まったく行動できなくなる。

会話の中でキャラクターが闘争か逃避か、固まるかの反応を示すと、隠れた感情が明らかでなくても、読者はキャラクターが脅かされているのだと気づく。そうなると読者の共感を呼ぶのはもちろんだし、なぜキャラクターがこんな反応をしているのだろうとさらに注目するので、読者の好奇心をそそることも可能である。

●受動攻撃性の反応

受動攻撃は怒りを密かに表わす手段である。キャラクターが怒っていても、その怒りを人に見せたくないと思っている場合は、本心を出さずに相手に仕返しできる手段に頼りがちになる。皮肉を言う、あるいは冗談と見せかけて人を侮辱する、褒め殺しにする、本当は思ってもいないことを言う（「準備万端です」「すぐにその作業に取り掛かりますから」）など、キャラクターは陰険なやり方で自分の本心を表現するが、他人はそれに気づかなかったり、気づいてもどうしていいかわからなかったりする。

定義上、受動攻撃は真実を隠すものなので、このテクニックを使うときは注意が必要になる。しかし、キャラクターが独りでいるとき（特に受動攻撃的な態度を人に見せた後）の思考や身体的シグナル、相手がキャラクターから目を離しているときに見せる表情などを使って、真実を浮き上がらせることは可能だ。

感情の新鮮な書き方をブレインストーミングしよう

感情を書くには、考慮しなければならない点が実に多い。だから人の心を揺さぶるような書き方で感情を表現することが課題になる。読者をキャラクターの立場に立たせて共感させようと、新鮮ながらも意味が通じるような書き方をするのはなかなか難しい。そこで、本書の項目を利用して、キャラクターに合わせたユニークな感情表現方法をブレインストーミングしてみよう。それでも足りない場合は、補足的に次のテクニックを試してみよう。

● 記憶を掘り起こす

しばしキーボードを打つ手を休め、キャラクターがどんな感情を抱いているかを考えてみよう。複数の感情が浮かぶかもしれないが、その中のひとつがほかを引き起こしているはずである。それを特定できたら、自分が同じ思いを経験したときのことを思い出そう。心穏やかでいられるのであれば、頭の中で当時を再現し、その記憶に自分の体がどう反応するか様子を見る。たとえば、罪悪感を感じたときのことを思い出したとする。体に何か変化はあっただろうか。口の中がかすかに酸っぱく感じはしないか。胃が締めつけられてはいないか。喉が痛い、あるいは詰まったような感じはしないか。

立った方がよさそうなら、立って歩き回ってみる。過去の罪悪感を思い出している自分の体の動きに注意を払おう。お腹を腕で包み込むような仕草や猫背になってはいないか。目は閉じているか、それとも開いているか。痒いような、うずくような不快感を感じていないか。

自分の思考にも必ず注意を払おう。思考は心の覗き穴のような役目を果たし、キャラクターが何を感じ、なぜそういう反応を示しているのかを読者に正確に見せてくれる。あなたが今思い出している罪悪感には、関与している人がいるはずだが、その人（おそらくあなたが裏切った人）に固執していないだろうか。自分の秘密が人にばれたら最悪だと考えてはいないだろうか。もし今ここで、誰かがあなたの部屋に入ってきて、その人に何をしているのと訊かれたら、あなたはどういう態度に出るだろうか。

キャラクターにしっくりとくる表現や反応が見つかるまで、自分の記憶を掘り起こし、自分自身のあらゆる側面に目を注ぐ。いいアイデアが見つかったら、キャラクターの性格や感情の振り幅に合わせ、自分なりの方法でそれを書こう。

● 人間観察

人に気持ち悪い人だと思われたくないかもしれないが、アイデア探しに人間観察は最適である。ボディランゲージはもちろんだが、人の会話が聞こえる位置にいるなら会話も参考になる。日常生活の中で人間観察の機会を探そう。レストランで注文したものを待つ間、店で買い物をしているとき、バリスタがコーヒーを作るのをカウンターで待つ間などがチャンスだ。ただし、人の迷惑にならないようにすること。配慮はしつつも、人が気を高ぶらせやすい場所を敬遠しない。そういう場所は、動揺の色を隠せない人、見るからに興奮したり、イライラしたりしている人たちの宝庫で、多種多様な仕草を観察できるからだ。

もし人の会話を立ち聞きするチャンスを得たら、特に口調や言葉遣いに注意する。声のピッチの変化、ためらい、咳払いなど、感情を隠しているような、あるいは話者の本音がうかがえるような変化を発見する努力をしよう。

● 映像を見ながらメモをとる

テレビドラマや映画を注意して見るのも、人がさまざまな感情をどのように表現するのかを観察するのによい。俳優たちは、故意に視聴者との壁を破って話しかけないかぎり、演じているキャラクターの内面の声を視聴者に聞かせることはできない。つまり、俳優たちは行動や会話を通してキャラクターの感情を表現するしかないのだ。テレビドラマや映画を見るときはペンとノートを用意し、自分のストーリーに活かせそうな、よい表現を見かけたら書き留める。

映画はあまり見ないという人なら、小説を読みながらメモをとろう。ほかの作家たちがボディランゲージや表情、口調、内的な感覚や思考をどのように文章で表現しているのか見てみよう。一語一語全部真似して自分のストーリーに使い回すのはいけないが、強く心を動かされる表現方法を見つけてメモをとる習慣をつけると、巧みな表現方法の勉強になるし、自分なりの文章で表現するときに、そこからヒントを得られるようになる。

非言語で表わされる感情を書くときの共通の問題

ここまでの説明で、キャラクターの感情を伝えるには、言語、非言語両方によるコミュニケーションの描写が必要で、その両方を織り交ぜて使えることとは理解してもらえたはずだ。キャラクターが言葉で言い表わす感情の表現方法については既に詳しく説明したが、ここからは、非言語で表わされる感情を書くときの一般的な落とし穴と、それを避ける方法を説明する。

● 伝え方に気をつけよう

非言語で表わされる感情は、言葉で説明するのではなく、言葉で表現し直さなければならない。ところが、説明する方が簡単なので、その作業は難しくなる。次の例を見てみよう。

> ミスター・パクストンは悲しい目をして知らせを伝えた。「ジョアン、残念だが、我社での君のポストは今度切られることになってね」
> それを聞いた瞬間、ジョアンはかつてないほどの憤りを感じた。

こういう会話は非常に簡単に書けるが、読む方はつらい。読者は勘がいいから、自分たちで物事を想像できるし、状況説明を好まない。ところが書き手がキャラクターの感情を説明しだすと、読者の嫌がる状況説明がはじまる。しかも、説明をするような文章は読者とキャラクターの間に距離を作る。そういう距離はあまり歓迎されない。先ほどの例を振り返ってみよう。ミスター・パクストンができればジョアンに悪い知らせを伝えたくないと思っていることや、ジョアンがその知らせに憤慨しているのは読者に伝わっている。しかし、その場面で起きていることだけを読者に伝えるのではもの足りない。キャラクターがどんな感情を抱いているのか、読者になぞらせ、追体験してもらいたい。そのためには、キャラクターの気持ちをそのままストレートに書くのではなく、彼らの身体的な反応や内面の反応を言葉で表現する必要がある。

ジョアンは椅子に浅く腰掛け、新品の鉛筆みたいに背筋をピンと伸ばして、ミスター・パクストンの顔をじっと見つめた。この16年間を——たとえ自分や子どもたちの体調が優れない日でも——ジョアンは会社に捧げてきた。あの汗の臭いが充満した通勤バスに揺られ、幾度となく町を往復してきたのだ。それなのに今、ミスター・パクストンはジョアンの目を見ようともしない。所在なく彼女のファイルをいじったり、自分の机の上の置物を並べ替えたりしているだけだ。たぶんこんなことを知らせたくないのだろうが、そう簡単には済まさせない、とジョアンは思った。

ビニールの財布がきしむ音が聞こえ、ジョアンは拳を緩めた。子どもたちの写真がそこに入れてある。それをしわくちゃにしたくはなかった。

ミスター・パクストンが100回目の咳払いをした。「ジョアン……いや、ミセス・ベンソン……我社でのあなたのポストは今度から——」

ジョアンは急に立ち上がり、椅子がタイルの床を滑って後ろに吹っ飛んだ。椅子が壁にあたって大きな衝撃音を立てた。それを聞いて満足したジョアンはオフィスから飛び出した。

この描き方の方が、ジョアンの怒りが読者によく伝わる。中心になっている感情に呼応する細やかな感覚や仕草、それに思考が、うまく選んだ直喩や具体的な意味を持つ動詞を使って表現されていて、読者はジョアンの憤っている姿を文章から読み取れるだけでなく、その憤りが自分のことのように感じられる。ジョアンの背筋がまっすぐに伸びる様子、安物のビニールの財布を握りしめている感覚、立ち上がっただけで、椅子を部屋の端まで吹っ飛ばすだけの力を読者も感じるのだ。

この例のような文章ならば、キャラクターをもっと深く知ることもできる。ジョアンは裕福ではない。養わなくてはならない子どもたちもいる。この場面では憤慨しているが、意志が強く、家族を大切にし、誇り高い。こういう情報はジョアンというキャラクターを肉付け、読者もさらに自分をジョアンに重ねられる。

言葉で感情を表現する作業は説明よりも大変で、語数の多さからみてもそれがわかる。それでも読者の関心を引きつけ、キャラクターへの共感が生まれやすくなっているので、苦労の甲斐はある。ただし、ごく稀になら、キャラクターが何を感じているのか読者に説明しても許されることはある。さっと情報を伝えなければならないときや、雰囲気や視点の変化を短い一文で伝えたいときなどがそうだ。それ以外の99パーセントは、苦労をして文章をひねりださなければならない。しかし、それだけの成果は得られるのである。

● 型にはまった表現はやめよう

満面の笑み

潤んだ瞳から一粒の涙が頬を伝って流れた

膝がガクガクしてぶつかる

小説における陳腐な表現は、正当な理由があって非難される。新鮮な表現をひねりだすのはあまりにも難しいからと、型にはまった楽な表現に落ち着いているので、気を抜いて文章を書いていると思われるのだ。陳腐な表現をよく使ってしまうのは、言い古された表現であっても技術的には効果を得られるからである。疑いの余地もなく、にっこりとした微笑みは幸福を示し、震えてぶつかり合う膝は恐怖を示す。残念ながら、こういう表現は限られた感情しか想起させないので深みに欠ける。一粒の涙は、泣いている人が悲しんでいることを教えてくれるが、その人の動揺ぶりは、その涙だけではわからない。その悲しさは、すすり泣き程度なのか、それとも泣き叫ぶほどなのか。あるいは、倒れそうなほど動揺しているのか。この一粒の涙を流した後、5分間ずっと泣き続けるのだろうか。読者がキャラクターの感情をなぞるには、キャラクターが経験している感情の深さを知らねばならない。

ある感情を書くときは、それを感じているときの自分の体の反応を必ず考えよう。どんな感情であっても、それを感じるときの内的な変化や外的な変化は何十通りもある。それを言葉で表現できれば、キャラクターが何を感じているのかを読者に明かせる。この『感情類語辞典』には、感情を書くときのアイデアが豊富に詰まっているが、アイデア探しに、書き手本人が人を観察するのもよい。

それから、キャラクターをよく知っておこう。人は皆各々違った行動をとる。歯磨き、車の運転、食事の支度など、ありふれた行為ですら個人差がある。感情も同じだ。怒りを表わすときは、誰もが叫んだりものを投げたりするわけではない。静かな口調で話す人もいれば、黙り込んで何も言わない人もいる。

怒っているのに怒りを隠し、動揺などしていないそぶりを見せる人も多い。しかしその理由は十人十色である。キャラクターが何を感じようと、そのキャラクターに特化した書き方でその感情を描写すれば、ほぼ間違いなく、新鮮で人の心を揺り動かすような文章を書けるだろう。

● なんでもかんでもメロドラマにしない

どの感情も強弱が平均的であれば、描写は楽かもしれない。しかし感情には強弱の差がある。たとえば、恐れを例にとってみよう。恐れの程度は、胸騒ぎから不安、疑心暗鬼、恐怖までと幅があり、状況の深刻さによってその程度が変わる。極端な感情には極端な描写が必要だし、もっと繊細な感情であれば、それなりの描写をしなくてはならない。残念ながら、ハラハラドキドキのドラマチックな感情描写がよいと思い込む書き手は多く、悲しんでいる人は号泣し、喜んでいる人は飛び跳ねて歓声を上げる。ところが、そんな書き方をするとストーリーがメロドラマになり、読者は引いてしまう。読者は自分の経験から、感情がいつもそんなふうにむき出しになるわけではないことを知っている。

メロドラマ化を避けるには、どの感情にも強弱があり、穏やかなレベルから極端なレベルまで幅があることを忘れないでおこう。各場面で、キャラクターの感情の強弱がどの程度なのかを知り、それに合った描写を選ぶ。極端な感情は極端に、控えめな感情は控えめに描写する。そのどちらでもない中間なら、それなりの描写をする。

キャラクターの感情アークがなめらかになるようにストーリーを書くことが重要だ。たとえば次の例を考えてみよう。

マックは、左腕を窓からだらりと出し、右手の親指で車のハンドルを軽く叩いていた。ダナに向かって微笑んだが、彼女はただ座ったまま、指に髪を絡ませ、もてあそんでいた。
「面接のことが心配なのか？」とマックは尋ねた。
「ちょっとね。すごくいいチャンスなんだけど、タイミングが最悪。最近いろいろありすぎて」。ダナはため息をついた。「いろんなものを切っていこうかなって思ってるんだよね。すっきりと」
「いいと思う」。マックはラジオを聴きながら頷き、爆音を轟かせながら通り越していくハーレイの男に手を振った。
「よかった、賛成してくれて」。ダナはマックの方に顔を向けた。「私たち別れるべきだと思う」
マックの足がアクセルから滑り落ちた。空気が重くのしかかってきて、息苦しい。車体が中央車線に寄っていったが、マックは何もしなかった。生きようが死のうがどっちでも構わなかった。

わずか数秒の間にマックが平穏な気持ちから絶望に陥るのはおかしい。そうなるような心理的な理由があるのなら別だが。満ち足りた気持ちがショックへ、それから信じられない気持ちになり、最終的に悲嘆に変わる――そんなふうに徐々に移り変わっていく方が現実的ではないだろうか。よく考えて書けば、この感情アークは比較的少ない語数で表現できる。

「よかった、賛成してくれて」。ダナはマックの方に顔を向けた。「私たち別れるべきだと思う」
マックの足がアクセルから滑り落ちた。「なんの話だよ」
「マック。最近私たちがこういう方向に向かってたのは知ってるでしょ」
マックはハンドルを握りしめ、深呼吸した。確かに、この頃うまくいっていなかった。ダナは少し時間が欲しいとよく言っていたが、いつも機嫌を直していた。それに「別れる」なんて言葉をこれまで一度も口にしたことがなかった。
「なあ、ダナ――」
「お願い、やめて。今回は説得しようたって無理だから」。ダナはダッシュボードをじっと見つめた。「ごめん」
マックの心が締めつけられた。ダナの方をチラッと見たが、彼女は体を丸めて窓にもたれかかっていた。両手を膝の上にだらっと置いたまま……
二人の関係は紛れもなく終わりに向かっていた。

キャラクターの感情が現実的に移り変わっていくように心がけよう。場面の中で感情がどう変わっていくのかプランを立て、極端すぎてストーリーが成り立たないような反応を避ける。

実生活で急に極端な感情は生まれないと言っているのではない。出産や死、喪失や変化など、人生には、感情が急に高ぶるのが当たり前の出来事がいくつもあるし、その興奮状態がしばらく消えないこともある。信憑性を保とうとするあまり、人生の出来事がリアルタイムで繰り広げられているかのように再現する書き手がよくいるが、高ぶった感情が書かれた長い段落やページが続くとメロドラマになってしまう。実生活なら興奮状態がしばらく続いたまま暮らすこともあるかもしれないが、小説の世界では、読者が受け入れられないので、ほぼ不可能である。

キャラクターの気が高ぶっている場面がだらだらと長く続くような場合は、なるべく省略してメロドラマ化を避けよう。省略はほかの場面でもよく使われる。たとえば会話がそうで、ストーリーのペースを落とさないよう、無駄話は省かれる。また、あまり意味のない行動も端折られる。たとえば、ボブというキャラクターが洗車しながら悩みごとを考えているとする。ボブが少しずつ車一台を洗車する様子を読者が読む必要はない（あるいは読みたくない）。キャラクターが感情的になっている場面も、適切な情報が伝わるだけの長さがあれば十分で、読者を失うほど長くしてはいけない。無駄を省き、使うと決めた単語を最大限に活かし、感情をうまく書いて、読者から共感を引き出す。しかし一場面にいつまでも長居をするのは禁物だ。

● ボディランゲージに依存しすぎない

何度言っても言い足りないほど、ボディランゲージはキャラクターの感情を読者に伝えるのに非常に重要である。それがないと、会話は堅苦しくなって不自然に読めてしまうし、読者がキャラクターの心の状態を把握するには、キャラクターたちが話す言葉に頼るしかない。しかもキャラクターが口に出す言葉は常に信用できるとは限らない。

執筆作業においては、文脈ですべてが決まることがほとんどだ。感情を伝える場合もそれは変わらない。適切な文脈がないと、キャラクターがどの感情を抱いているのか読者にはわかり得ない。落ち着きのない指の動きは興奮のしるしなのか、それとも緊張、不安、焦燥なのか。ソワソワした指の動きを激しい鼓動と組み合わせて書いたとしても、その選択肢は狭まらない。それを読者に明確にするには、なぜキャラクターはそんな仕草をしているのか、その答えがわかるようにしなければならない。正しい文脈があれば、この問いの答えは決まってくる。しかもその答えはキャラクターの思考や会話からわかることが多い。

強烈な感情が押し寄せてきたとき、人はその感情をあまり考えない。興奮している人は自分のことを「私は興奮している！」とは思わないものなのだ。興奮しているのはわかっているから、むしろその人はなぜそんな気持ちになるのかを考える。愛する人が訪ねてくる日を指折り数えて待っているからなのかもしれないし、大学の入学事務局から最近かかってきた電話の内容を振り返っているからなのかもしれない。

身体的な反応は、どの感情がキャラクターの心の中にあるのかを表わし、思考は、なぜその感情がそこにあるのかを表わす。ストーリーを成り立たせるには、この両方を含めなければならない。

● 会話や思考に依存しすぎない

キャラクターが非言語で感情を伝える場面を書くのは、一晩でマスターできるものではない。それを避けて、思考や会話に頼ってキャラクターの気持ちを表現しようとする書き手が多いのも頷ける。だが、思考や会話に頼りすぎるのも問題になる。

「ほ、本当に？」と僕は尋ねた。

「間違いない。最後まで接戦だったが、勝ち抜いたのは君だ。おめでとう、ウィリアム！」とミスター・ベイカーが答えた。

「信じられない。卒業生代表だなんて！　とても嬉しいです！」と僕は言った。

感情表現には言葉の選択が重要だが、それだけでは不十分だ。いい言葉を選んでも、その後が続かず、キャラクターの気持ちをつい読者に説明し（「とても嬉しいです」）、拙い書き方をしてしまう。おまけに、強い喜びを表現するのに感嘆符を使いすぎだ。会話も短く切らないと堅く聞こえる。

一方で、思考だけで感情を伝えるのも問題だ。

僕の心拍は1分間に160くらいの速さでリズムを打っていた。やった！　卒業生代表だ！　絶対にネイサンが先頭に躍り出ると思っていた。彼は物理学研究室の天才で、ここ一カ月間ずっと教室には姿を見せず、図書館で寝起きしているのも同然だった。

僕はミスター・ベイカーに抱きついた。後になって思い出すと恥ずかしいが、このときは気にもしなかった。僕はやったぞ！　どうだ見たか、ネイサン・シャスターマン！

技術的には、この例文に問題はないし、身体的なシグナルにも内的なものと外的なものが両方含まれている。しかし、ウィリアムが興奮しているのは明らかでも、嘘っぽく聞こえる。それはなぜなのか。この独白部分には、会話文を入れた方がよい。この場面にはミスター・ベイカーもそばにいて、明らかにウィリアムに話しかけている。ウィリアムがこれほど興奮しているのに、ミスター・ベイカーと何も言葉を交わさないのは奇妙……に映る。

どのストーリーでも独白は重要な役割を果たすし、一段落あるいはそれ以上にわたって、キャラクターがひとり考え込んでいる場面はよく登場する。だが、この例はそれとは別次元だ。この場面はもちろんのこと、たいていの場合、会話や思考、口調、ボディランゲージを織り交ぜた方が、感情はもっと効果的に伝わる。

僕の心拍数は160のあたりを彷徨っていた。いや、僕は聞き間違えたんだ。体を酷使していたし、おまけに睡眠不足だったから、勝手に変な想像をしてしまっているのかもしれない。

「ほ……」僕は咳払いをした。「本当ですか？」

「最初から最後まで接戦だったが、勝ち抜いたのは君だ。おめでとう、ウィリアム」

思わず座り込んだ革張りの椅子がきしんだ。卒業生代表か。どうやってネイサンを打ち負かしたんだろう。ここ一カ月はずっと姿も見せず、図書館で寝起きしていたのも同然のネイサンに勝ったなんて。物理学でもAマイナスしか取れなかった僕なのに。

「でもやったんだ」と僕は呟いた。

ミスター・ベイカーが立ち上がり、僕に手を差し出した。思わず飛び上がってミスター・ベイカーをしっかりと抱きしめ、その体を持ち上げた。後になって思い出すと死ぬほど恥ずかしいが、このときは気にもしなかった。
「僕はやったぞ！　どうだ見たか、ネイサン・シャスターマン！」
「君にはその実力があると思っていたよ」とミスター・ベイカーが声を詰まらせて言った。

感情を書き表わすときは、さまざまな手法を取り混ぜよう。インパクトを最大限に引き出すには、言語と非言語を利用したテクニックを両方使おう。

● キャラクターの背景を描きすぎない

どのキャラクターも過去の出来事から大きな影響を受け、それぞれに違った個性を持っている。 だからキャラクターの人となりを読者に明かせば、確実に読者の共感を得られる。映画『ジョーズ』を例にとってみよう。鮫狩りのクイントは汚い爪で黒板を引っかいて登場する。親しみやすさはこれっぽちもないクイントに視聴者は好印象を持たない。ストーリーが進んで、彼の粗野なふるまいや若いミスター・フーパーを馬鹿にする姿を見て、視聴者の第一印象は嫌悪感に変わっていく。ところがクイントには、昔乗っていた巡洋艦インディアナポリス号が沈みかけ、何日も何夜も鮫と戦いながら海原を彷徨った経験があった。それを知った視聴者は、なぜクイントがこれほどまでに頑ななのか腑に落ちる。クイントの行動は相変わらずで、いけ好かないのだが、視聴者には彼への共感が生まれている。彼にはつらい過去があったけれど、これからはもっといい人生を歩んでほしいと願うようになる。

読者の共感を高めていく上で、背景的な出来事を伝えるのは重要だ。クイントの例はそのひとつにすぎない。私たちは過去の産物なのである。したがって書き手は、なぜキャラクターが今こんな人間になっているのかを知り、それを読者に伝えなければならない。

問題は、過去をどの程度読者と共有するかである。読者の共感を得ようとするあまり、過去を明かしすぎることはよくある。情報過多になると、ストーリーのペースが落ち、読者の興味が失せるかもしれない。そうなると、読者は面白いところまでページを飛ばしたくなるものだ。ほかにもいろいろ不幸が重なって、クイントが気難しく、気の狂った人間になったのは間違いないが、彼のほかの不幸話を読者に伝える必要はない。海を彷徨った経験が巧みに描かれているので、それだけで十分なのだ。

背景的な情報を明かしすぎないようにするには、キャラクターの過去のどの部分を読者に伝えるべきかを決め、それを少しずつ現在のストーリーに織り交ぜて明かし、ペースを落とさないようにする。ヒントが欲しい場合は、好きな小説のキャラクターを思い浮かべてみよう。嫌われ者のキャラクターでも構わない。その小説を読み返し、キャラクターの過去をうかがわせるのに、作者が何を読者に明かしているのか、それをどのように書いているのか、研究してみよう。

よく注意しないと背景的な出来事はうまく書けない。執筆作業は、すべてにおいてバランスが鍵なのである。

『感情類語辞典』の使い方

感情が場面を動かすこと、そして、感情をうまく書ければ、無関心だった読者もやがてはキャラクターに共感することをこれまで説明してきた。真実味に溢れた感情を書くのは簡単なことではないが、すば抜けた小説を作るには、新鮮な書き方でキャラクターの気持ちを表現する必要がある。

説得力のある感情は、言語と非言語のコミュニケーションを織り交ぜて使うと書ける。本書『感情類語辞典』は、読者の心に長く印象に残る感情を表現できるようにと、コミュニケーションに重要な非言語要素を紹介する一冊だ。最後になったが、本書を最大限に活用するためのヒントをいくつか紹介したい。

中心となる感情を特定する

たったひとつの感情が簡単に特定できる場面、というのも存在するが、多くの場合、人間は一度に複数の感情を抱いて葛藤する。この葛藤を読者にどう伝えたらいいのか悩んでいる場合は、手を休め、葛藤の根底にある感情を特定してみよう。キャラクターの心には、この感情が引き金になってほかの感情も生まれている。中心となる感情を特定できたら、この類語辞典で該当ページを開き、アイデアを探してみる。「**発展形**」には、キャラクターの感情が論理的にどうエスカレートしていくのか、また「**後退形**」には、キャラクターの問題が収束する過程で次にどんな感情を抱くのか、それぞれに選択肢が提案されている。中心となる感情を明確にできたら、ほかの感情で少しずつそれを包み込みながら、キャラクターの全体的な心の動きを緻密に書き上げていこう。

場面を活用する

場面設定がよければ、自然な感情を加えるきっかけが生まれる。だから場面はよく考えて選ぼう。どの場所でも同じだと思い込んで、場面設定に時間をかけない書き手は多いが、それでは短絡的だ。キャラクターの心に内在する感情や、過去に根差したつらい感情を喚起させる場所があるはずだから、そういう場所を選んではどうか。そこへ行けば、キャラクターは失望し、心の古傷がトリガーされ、不安に陥り、愚かなことをしてしまう可能性が高まる。ひいてはそれが、ストーリーに貢献してくれるはずだ。

場面設定は細かいレベルでも活用できる。場所自体に大きな意味はなくても、そこにあるものや、そこにいる人たちに意味があるかもしれない。あるいは、キャラクターの心情を強調するのに必要な道具を場面に含めるのも、ひとつのアイデアとして考えられる。たとえば、キッチンにいるキャラクターがカッとなってワイングラスをなぎ倒す、など。場面をオフィスに変えてもいいかもしれない。その場合は、カッとなっても怒りをある程度抑える必要があるだろうから、オフィスのドアを力任せに閉めたり、硬い姿勢でキーボードを激しく叩いたりして怒りを表わすのもいいだろう。この類語辞典の項目を参照するときは、自然で、キャラクターの個性が表われる感情的な反応を作り出せる場面を念頭に置いて使うとよい。

控えめがよい

感情の描写が長すぎるとストーリーのペースが落ち、読者の関心も薄れてしまう。中心となる感情を特定しないで、その周辺だけを書いているときや、弱い描写ばかりを書いているときに、こういうことが起きる。強いイメージがあれば、短い文章でもその場面を描けるはずだ。読者がキャラクターの心情を読み取れるように、その心情をよく表わすボディランゲージや口調を書くよう、常に努力しよう。キャラクターの感情が長々と綴られている部分は動きが鈍い。そんな箇所を見つけたら要注意だ。書き手は常に自分を一読者として考え、ページをどんどんとめくりたくなるような文章を心がけて書こう。

定型表現にひねりを加える

書き手は常に新鮮なアイデアを使ってキャラクターの感情を伝えるべきだ。しかしそうは言っても、定型表現にも効果的なものがあり、さまざまな作品に使い古された表現が繰り返し使われている。この類語辞典の各項目には、表現のアイデアが豊富に揃っている。「あきれ顔をする」「拳を握る」などお馴染みの表現は定型表現とみなされるので、まずそこにひねりを加えてみよう。

たとえば「震え」を例にとってみよう。一般的に、震えは恐れや不快感をほのめかす本能的反応だ。「背筋がゾッとする」「背筋に震えが走る」などは使い古された表現なので、読者の方もまたかとうんざりする可能性がある。震えの感覚自体はキャラクターの感情にしっくりくるとしても、もっと新しい言い方をしてみよう。たとえば「足の後ろから震え上がる」はどうだろうか。あるいは、枝先の葉を噛み切ってしまうアリが続々と枝を登ってくる様子に喩えて、震えを表現するのはどうだろう。それかいっそのこと「震え」という言葉は一切使わず、肌が引きつって、産毛が逆立つ様子を表現してみてはどうか。使い古された表現にひねりを加え、個性的な表現に変える方法はいろいろとある。

この辞典を感情表現の第一歩として使う

キャラクターの動作や行動、本能的感覚、そして思考には個性がある。『感情類語辞典』の各項目に挙げられるアイデアや選択肢は、あらゆるケースに当てはまるように考えられたものではない。むしろ、キャラクターの行動の特徴を書き手が考え、ストーリーに一番合った選択肢を選んで、キャラクターの感情を読者にも感じさせる表現に作り変えることを目的に用意されている。

キャラクターは各々違った背景を背負い、性格も違うので、この辞典の項目にある感情表現の選択肢がしっくりくることもあれば、そうでないこともある。また、キャラクターが人と一緒にいるときの安心感や不快感も、その度合いに応じてキャラクターの感情の表わし方に影響する。表現方法にはさまざまな可能性があることを念頭に置き、この辞典の項目をブレインストーミングの道具として利用し、新鮮で個性溢れる書き方でキャラクターの感情を表現すべく、次の一歩を踏み出してもらいたい。

関連する感情もチェック

キャラクターの心情にぴたっとくる身体的反応、本能的反応、あるいは思考がなかなか見つからない場合は、似たような感情の項目もチェックしよう。項目ごとに違う反応が挙げられているので、関連する感情の反応を研究すれば、何か新しいアイデアがひらめくかもしれない。

感情を増幅させる

書き手がキャラクターをイライラさせたいと思っても、キャラクターは勝手にイライラしてくれない。書き手が書きたい感情をキャラクターに感じさせるのは楽ではないのだ。そんなときは、感情をひと押しさせるものを考えてみよう。キャラクターの感情を刺激して揺り動かす**増幅効果のあるもの**には、空腹、退屈、苦痛、病気などがある。それをキャラクターに経験させると、キャラクターは我慢の糸が切れそうになるわ、ストレスを感じるわ、不安になるわで、判断力がかき乱される。キャラクターを揺さぶりたいときは、感情を増幅させる手段があることを忘れずに。

身体的サインとしての本能的反応

感情的になったときに人が見せる反応の中で、もっとも激しいものは本能的反応かもしれない。本能的反応は、体内で起きることがほとんどで、人に気づかれにくい。ストーリーが一人称の視点で書かれているなら自分の体内の変化を伝えることに問題はないが、視点が三人称の場合だと注意が必要だ。その場合は、キャラクターの身体に反応が表われているので第三者にも「見える」本能的反応を選ぶとよい。たとえば、発汗、紅潮、震えは、他人にも見える身体的反応だ。本能的反応であっても、身体に表われるシグナルを描写すると、三人称の視点を損なわずに済む。キャラクターが体内で感じる感覚を表に出すシグナルは、「**外的なシグナル**」として各項目に挙げられている。

終わりに

本書は、キャラクターの感情をより強く表現する方法をブレインストーミングしやすくする目的で作られている。各項目に挙げられている例は、アイデアの叩き台であって、カットアンドペーストして使うものではない。そのまま使ってしまうと、退屈で一本調子の文章にしかならず、せっかくのストーリーが台無しになる。人の心を掴んで離さない表現を考えるのは常に骨の折れる作業だが（キャラクターをよく掘り下げなければならないので）、努力するだけの価値はある。読者も必ずその努力に気づいてくれるだろう。

『感情類語辞典』があなたの執筆活動において頼もしい相棒となり、常にそばに置いていただける存在となったら、これほど嬉しいことはない。いざ、楽しい創作の世界へ！

感情
類語辞典

本書では130の感情について、その感情に由来するさまざまな反応（感情情報）を、人間の心理描写に活用可能な「類語」として紹介している。

外的なシグナル
感情に由来する反応が、身体や発言を通じて明確に表面化したもの。第三者も感じとることができる。

内的な感覚
感情に由来して人間の体の内側に起こる、本能的、もしくは生理的な感覚。

精神的な反応
感情に由来する人間の思考パターン。

一時的に強く、または長期的に表われる反応
その感情が非常に激しい場合、あるいは長きにわたって続いた場合に見られる、外的、内的、精神的な反応を示す。

隠れた感情を表わすサイン
キャラクターがその感情を周囲に隠そうとしている場合や、無自覚である場合に見られる、外的、内的、精神的な反応を示す。

この感情を想起させる動詞
各感情に結びついた行動や動作を描写しやすくするための動詞のリスト。

欄外の「発展形」では、その感情が高まる過程で抱きやすい類似の感情を、「後退形」では、その感情を引き起こす問題が収束する過程で次に抱きやすい感情を挙げた。

愛情

〔英 Love〕

【あいじょう】
相手に対する深い好意、愛着、情熱

あ

外的なシグナル

- 相手に近づく、または触れる
- 宙に向かって微笑む
- はじけるような笑顔、紅潮する頬
- ほとんどまばたきをせず、相手の目をじっと見る
- 人の一番よいところに注目する
- 大きく、深く、味わうように呼吸する
- 慕うような眼差し
- 無意識に唇を開く
- 軽く、跳ねるような足取り
- ふざけてニヤッと笑う
- 笑い声を上げる、ひっきりなしに喋る
- 互いに寄り添う
- 相手の膝に横たわる
- お互いだけが使うあだ名で呼んだり、愛情を示す言葉を言う
- 恋人の写真や、その人にちなんだものをうっとりと見つめる
- ラブソングを聴いて共感する
- 相手に好意を寄せていることが見え見えな口調で話す
- 緊張したふるまい（両手をもてあそぶ、唇を湿らすなど）
- 口ごもる
- 「愛してる」と伝える
- 体と足を愛する人の方に向ける
- ふざけて押す、掴む
- 秘密や望みを共有する
- 愛情を込めたボディタッチ（腕をなでる、手を握る、キスする、ハグするなど）
- 互いの足が触れるような距離で座る
- 相手の肩に腕を回す
- 趣味や興味を相手に合わせる
- 相手のベルトやポケットに手をかける
- 大切な人と過ごすために、ほかの友人たちを無視する、あるいは付き合いが悪くなる
- 相手にちょっとした手紙や詩を書く
- 時間、価値、心遣いといったものを提供する
- 特別な相手について友人に相談し、アドバイスを求める
- 恋人が電話をくれたか気になって、ひっきりなしに携帯電話をチェックする
- 頻繁にメールをやりとりする
- ハートや互いの名前を落書きする
- 毛を染めたり運動に励んだりして、なんとか外見を改善しようとする
- ロマンティックな映画を見る

発展形
崇拝→p. 226、平穏→p. 288、満足→p. 294、欲望→p. 306

内的な感覚

- ソワソワする、胃にぽっかり穴が空いたような感じ
- 鼓動が速くなる
- 心臓がドキドキする、破裂しそうな感覚、もしくは何かが直撃したような感覚
- 全身が敏感になる
- 膝や足がガクガクする
- ふとしたボディタッチで体がうずく、電流が流れたような感覚

精神的な反応

- ボディタッチやそばにいることで高揚感、幸福を感じる
- 世界とこの世のすべてに感謝する
- 相手といると時間の感覚がなくなる
- 心がぼんやりする、気が散る、空想に耽る
- 恋愛の対象がそばにいると、周りが見えなくなる
- 恋人に誇らしい気持ちを抱いてもらえるような方法を探す
- 連絡がないまま時が経ちすぎて不安になる
- 独占欲、嫉妬の感情
- 相手と一緒にいると、安心して満たされる
- 恋愛の対象がそばにいないときでも、相手が喜びそうなものに気づく

一時的に強く、または長期的に表われる反応

- 身の回りの品を交換する（服、アクセサリー、鍵など）
- 恋人の友人のことも、自分の友人のように抱きしめる
- 貯金やその他の所持品を共有する
- 恋人といるため、もしくは恋人を喜ばせるために困難にも耐える
- 相手のニーズや欲求を優先する
- 相手と親密になる
- 夢や希望を分かち合う、感情的に傷つきやすくなる
- 恋人を中心にして将来を考える
- 真面目な関係になる（同棲、結婚など）

隠れた感情を表わすサイン

- 肌が赤くなる
- 甲高い声
- はにかんだ笑み、クスクス笑う
- 近くに立つが、触れることはしない
- チラッと見る
- 適度な距離をとってじっと見つめる
- 相手の私生活に強い興味を抱くようになる
- 相手と何もないことを強調する：「ただの友だちだよ」
- 相手が部屋に入ってくると、気分が明るくなる

この感情を想起させる動詞

目を輝かせる、べたべたする、愛撫する、打ち明ける、抱擁する、励ます、いちゃつく、見つめる、にっこり笑う、口づけする、笑う、育む、鼻を擦り寄せる、もの欲しそうな目つきで見る、凝視する、なでる、からかう、うずうずする、触れる、信頼する

書き手のためのヒント

描写を書くときには文章の構造が特に重要だ。「味気ない報告書」にならないよう、文章の長さを長短織り交ぜてペースを変えれば、細やかな感覚ももっと自然に描写できる。

後退形

感謝→p. 114、受容→p. 214、切望→p. 232、つながり→p. 246

唖然

〔英 Stunned〕

【あぜん】
衝撃的な事実が発覚して打撃を受け、心が麻痺し、無感覚になること

あ

外的なシグナル

- まったく身動きできない
- 肩を落として立ち尽くす
- 腕をだらりとさせる
- 誰かにもたれかかる
- 口をぽかんと開く
- 上の空で唇を舐める、口を拭く
- ぼんやりとした目つき
- 表情の読み取れない視線
- 顔の筋肉がたるむ
- 周囲を見渡すが、何かを見ているわけではない
- じっとしたまま目だけを動かし、周囲を見る
- ゆっくりと頭を動かし、周囲を見やる
- ゆっくりとまばたきする
- 自分の足では歩けなくなったかのごとく、他人に支えられながら歩く
- 足を引きずるように歩く
- 目についたものを手にとっては、また元に戻す
- だらりと座る
- ものを胸にぎゅっと抱きしめる（バッグ、ぬいぐるみなどの大切なもの）
- 胎児のように体を丸める
- 名前を呼ばれても反応しない
- 電話の呼出音が鳴ったり、誰かに触られたりしても反応が遅い
- 壁に顔を向けて横になる
- 膝に肘をつき、手で顔を覆って座る
- 目を擦る
- 言葉に詰まる、どもる
- 混乱していることを口に出す：「こんなことってあり得ない。理解できない」
- さっきまでやっていたことを忘れる
- 起きたことを理解しようと眉間に皺を寄せる
- 意味もなく微笑む、ずっと前に訊かれたことに答えるなど、人が理解に苦しむささいな反応を示す

内的な感覚

- 耳鳴りがする
- 耳栓をしているみたいに、音がはっきり聞こえない
- 目が乾燥する
- 筋肉がガチガチにこわばり、体が麻痺しているような感覚
- 手足が重い
- 胃が締めつけられる

発展形
拒絶→p. 142、苦悩→p. 154、絶望→p. 234、パニック→p. 264、ヒステリー→p. 270

- めまい
- 目がチカチカする

精神的な反応
- 頭が働かなくなり、真っ白になる
- さまざまな思いが走馬灯のように駆け巡り、頭がついていかない
- 集中できない
- 無感情になる
- 周囲がぐるぐる回っているような感覚
- 今さっき目や耳にしたことが信じられず、質問する

一時的に強く、または長期的に表われる反応
- 無感動や無感情の状態に陥る
- 約束や誕生日など特別な予定を忘れる
- 不潔になる（汚れてしわくちゃの服を着る、入浴しないなど）
- 長期間家にこもる
- 心ここにあらずで、ぼんやりする
- すべてに関心を失う
- 仕事や学校を休みがちになる
- 何事にも集中できなくなる
- 将来に無関心になる

隠れた感情を表わすサイン
- わざと激しくまばたきする
- 周囲を見回すが、実際には何も見ていない
- 鼻で深呼吸をする
- 手足が落ち着かない
- 壁やテーブルに寄りかかる（椅子に倒れ込むのではなく）
- 唖然とさせられたものに背を向ける
- 唇を噛む
- 口を固く結ぶ
- 唖然とさせられた出来事とはまったく関係のないことを訊く

この感情を想起させる動詞

空白になる、まばたきする、失神する、ぼろぼろになる、落とす、ふらつく、忘れる、立ちすくむ、ぽかんと口を開ける、躊躇する、身をかがめる、緩慢になる、言葉に詰まる、凝視する、硬直する、よろめく、どもる、張り詰める、転倒する

書き手のためのヒント

読者の共感を呼ぶ多面的な悪役を作るには、硬い心の壁を持った悪役に、まずその壁を揺るがせるような経験をさせる。そして長い間忘れていた感情を呼び戻し、たとえ一瞬でも、先入観にとらわれない希望の目で世の中を見させる。

あ

後退形
悲しみ→p. 112、屈服→p. 152、幻滅→p. 172、悲嘆→p. 272、不信→p. 280

圧倒

〔英 Overwhelmed〕

【あっとう】

ある感情や状況に押し切られること、支配されること

あ

外的なシグナル

- 震える手を額に寄せる
- 相手がこれ以上不安を煽ってこないように、片方の手のひらを相手に向け制止の仕草をする
- 手を振って人々を追い払う
- 肩を落とす、丸める
- 胸元をへこませる
- 両腕や腹部をぎゅっと掴む
- 目を閉じながらこめかみに触れる
- 涙で声を詰まらせる
- 胸が苦しくなる
- 声が震える
- バランス感覚を失う
- モゴモゴ言う、ブツブツ呟く
- コントロールできないほどの涙、嗚咽、すすり泣き
- （酔っ払っているかのように）不安定な足取り
- 椅子に崩れ落ちる、ドアや壁に寄りかかる
- 腕で両膝を抱えながら胸元に引き寄せる
- 人の腕の中に倒れ込む
- 全身が震える
- 涙目になる
- 返事ができない
- 壁に背中をつけて、部屋の隅にうずくまる
- ものを落とす、こぼす
- 何度も首を横に振る
- 生気のない視線、無表情
- 空っぽの手のひらをじっと見下ろす
- 床に崩れるように倒れ込む
- 両手で耳を塞ぐ
- 体を前後に揺らす
- 目を閉じる
- 状況にふさわしくない反応を見せる（笑い声を上げる、叫ぶなど）
- 膝に両手を置いて前かがみになる
- 大きく呼吸する
- ベルト、襟など、締めつけているものを緩める
- 指で唇に触れる

内的な感覚

- 足がガクガクする、突然立っていられなくなる
- 途端に火照る、もしくは寒気を感じる
- 頭がクラクラする
- 息が苦しくなる
- 胃が不調で（腹痛や吐き気）、食べられない

発展形

意気消沈→p. 76、ヒステリー→p. 270、不安→p. 276、無力感→p. 300

- 耳鳴り
- 視野が狭くなる（トンネル視）

精神的な反応

- 音に敏感になる
- 心が無感覚になる、集中力の欠如
- 病的に緊張しているかのように、人にまったく反応しなくなる
- 慰めを求める
- イライラするので独りになりたい
- 優柔不断
- ヘマばかりして無能で何もできない人間のような気がし、ネガティブな独り言を呟く

一時的に強く、または長期的に表われる反応

- 逃避
- プレッシャーを感じて逆切れする（叫ぶ、怒鳴る、人を叩くなど）
- 失神する、気絶する
- 嘆く
- ヒステリーを起こす
- 頭痛、ハイテンション
- 筋肉痛になる
- 不健全な方法で癒しを求める
- 心臓発作、脳卒中
- 慢性疲労
- 不眠症
- 体が衰弱する
- 入院する

隠れた感情を表わすサイン

- 言葉で否定する：「本当に、大丈夫だから」
- 作り笑い、見せかけの自信
- 喜んで同意する、もしくは夢中になっているふりをする
- 言いわけをして体が弱っていることを隠す：「すみません、突然立ち上がったせいです」
- 限界に達していると告白するよりも、頭痛やほかの症状があるふりをして隠す

この感情を想起させる動詞

失神する、叩きのめす、大きく呼吸する、口ごもる、過剰に反応する、パニックになる、麻痺する、やめる、退く、ガタガタ震える、閉ざす、ぶち切れる、凝視する、よろめく、汗をかく、おののく、引きこもる、わめく

書き手のためのヒント

感情的な描写をする場合、どうしても顔の表情を書き起こすことに頼ってしまいがちだ。しかし、腕や手足、足元の動きをよく観察してみて、それを文章で表現してみよう。

後退形

安堵→p. 72、感謝→p. 114、決意→p. 162

あやふや

〔英 Uncertainty〕

【あやふや】
迷いがある状態。ある行動に対して、全力を注ぐことができない状態

あ

外的なシグナル

- 不機嫌そうな表情
- 周りはどう考えているのか知るために、チラッと見る
- うつむく
- 人にアドバイスや意見を求める
- 落ち着きのない手（両手を絡ませる、はいているズボンをなでつけるなど）
- 気落ちした表情
- 額に皺を寄せる
- 自分の内面を省みながら目を細める
- 下唇をつねる、もしくは引っ張る
- 選択肢を天秤にかけるかのように、頭を左右に傾ける
- 顎もしくは首の後ろを擦る
- 顔にかかる髪を払いのける
- じれったそうにフンッと息を漏らす
- ソワソワと足を動かす
- 動作の途中でためらう（何かを取ろうとしている最中、もしくは財布を取りだす途中など）
- 何を言うにも、まず「ええっと」と言い、回りくどい言い方をする
- やや体を後ろに引く
- 顔をしかめて首を弱く横に振る
- もっと情報を集めるために、いろいろ質問を投げかける
- 「うーん」というような音を出す
- 咳払いをする
- 唾を飲み込む
- 指をポキポキ鳴らす、椅子にどっかり座るなど、お茶を濁す仕草を見せる
- 紙に落書きする
- 足をブラブラさせる、もしくは揺する
- 唇や顎を擦る
- 頬の内側もしくは下唇を噛む
- ため息をつく
- 首を回す
- ノートやテーブルの上で鉛筆をトントン叩く
- 質問に答えるまでの時間稼ぎに、質問の内容をメモする
- 背中を丸める、うつむくなど、うなだれた姿勢
- あまりに長いこと宙を見つめる
- 選択肢を声に出して言う
- 再確認をする

発展形
疑念→p. 130、拒絶→p. 142、心配→p. 224、フラストレーション→p. 286、用心→p. 304

内的な感覚
- 呼吸が途切れる
- 胃がこわばる
- 喉が渇く

精神的な反応
- 罠にはめられたような気持ち
- 人が挙げた選択肢、もしくは人が選んだ方法に不安を感じる
- 頭の中であらゆる可能性を探る
- なんとかして答えを見つけたいと必死になる
- 理想とはほど遠い状況に、途方に暮れる
- いったんは決断するが、その後で後悔する
- 心を閉ざし、決断を拒否する

一時的に強く、または長期的に表われる反応
- 自信喪失
- ほかの決断や状況についても確信が持てなくなる
- 怒り、不満
- 決断しないまま状況をはねつける
- 自分一人では何も決められなくなる
- 答えを見つけるために調べる（ネット検索、専門家たちに相談するなど）
- 頭の中を整理するため散歩に出る、もしくは状況から一度離れてみる
- 何度も予定を延期する、もしくは組み直す
- 状況が解決されないまま時間ばかりが過ぎていき、ますます焦りを感じる

隠れた感情を表わすサイン
- 反応が遅れる
- 曖昧な返事：「たぶんね」「様子を見よう」
- 傷つきたくない、もしくは口論になるのを避けるために話題を変える
- 相手に明らかな賛意を見せないで、はぐらかすような言動をとる
- ためらいがちに頷く
- 時間稼ぎに出る（グラスに水を注いで飲むなど）
- 答えるかわりに、沈黙から相手に察してもらう
- 反対しようと口を開くが、やっぱりやめる
- 態度をはっきりさせない：「それはまた後で考えよう、いいね？」
- 多数決を提案する
- 弱く同意する、もしくは気持ちのこもっていない支持を表明する
- 確約する前にもう少し時間が欲しいと要求する
- 受動攻撃性

この感情を想起させる動詞
そらす、うじうじする、引きずる、時間を無駄にする、いじくる、眉をひそめる、まごつく、ぐずぐずと先延ばしにする、熟考する、調べる、くよくよする、よろよろ歩く、お茶を濁す、保留する、迷う、おどおどする

書き手のためのヒント
場面から場面へと物語が進む中で、全体的な視点から見たときに不自然でない感情の幅を保つようにしよう。印象的な作品を見てみると、どれも視点となるキャラクターの成長に合わせた異なる感情的体験を、読者に届けている。

後退形
安堵→p. 72、受容→p. 214

憐れみ

〔英 Pity〕

【あわれみ】
人が苦しんでいるのを見て戸惑いを感じ、
自分はそんな経験をせずに済んでいることに感謝する

外的なシグナル

- 苦笑いする
- ため息をつく
- 何かにもたれかかるような姿勢
- 頭を少し横に傾げる
- 苦しんでいる人を真正面から見ないで、横目で見る
- 苦しんでいる人を見て、理解を示すような眼差しを返す（眉間に皺を寄せる、眉を少し上げたりして、同情の表情を見せるなど）
- 嫌そうな顔をする（唇をひん曲げる、不快な臭いに鼻を覆う、鼻に皺を寄せるなど）
- 一瞬手を胸に当てる
- 話を聞きながら相手の方を見ているが、目は合わせない
- 言葉を慎重に選んで話す
- のけ反って、頭を左右に振る
- 表情を曇らせる
- 舌打ちする
- 顔をしかめる
- 視線を落とす
- 相手を決めつけず、目を細めて話を聞く
- 両手をぎゅっと握る
- 拳を自分の口に当てる
- 後ずさる
- これ以上見ていられないと背を向ける
- 気まずくて、自分の手を持て余す（ポケットに手を突っ込む、両脇に手を挟むなど）
- 誰かが何かしてくれるのではと、周囲を見回す
- 困っている人に助けの手を差し伸べるが、触らない
- 困っている人に急に駆け寄るのではなく、少しずつ近づく
- ありきたりの同情の言葉をかける：「君なら乗り切れる」「今が一番苦しいときだけど、後で楽になるから」
- 咳払いをする
- 困っている人のために「祈りましょう」と言う
- ボタンやジュエリー、携帯電話などをいじる
- たんに話を聞いて慰めるだけでなく、事情を聞く
- 自業自得だと思っているのを匂わすようなことを言う
- あたかも同情しているかのような声で話す
- 困っている人のことを、後で本人のいないところでほかの人たちと話し合う

発展形
うぬぼれ→p. 86、共感→p. 136、軽蔑→p. 158、決意→p. 162、罪悪感→p. 190

- ぬか喜びさせるような言葉をかける：「たぶん、ここからいい方向に向かっていくんじゃないかな」「彼もそのうち許してくれるわよ」
- 表面的な慰めの仕草をするが（肩をさするなど）、実際に助けになるようなことは何もしない
- 鍵やバインダーなど、手に持っているものを握りしめる
- 子どもに見せないようにする
- なぜ助けようとしなかったのか弁解する：「お金を渡したって、全部お酒につぎ込むだけでしょ」

内的な感覚

- 胃に不快感を覚える
- 罪悪感に駆られ、なんとかして助けなければと思う
- 胸が締めつけられる
- 喉にしこりができたような不快感

精神的な反応

- 助けてやりたいが、なんと言えばいいのか、何をすればいいのかわからない
- 自分も同じようなつらい目に遭うのではと心配になる
- 災難が自分には降りかからないように無意識のうちに準備する
- 失礼のないようにその場を去ろうとする
- 自分の家族のことを考える（困っている人の家族を不幸が襲った場合）
- 助けたくても、自分が助けられる範囲を超えた援助が必要で、罪悪感を感じる
- 自分はこんなつらい思いをする必要が一度もなかったことに感謝する

一時的に強く、または長期的に表われる反応

- あまりにもぎこちない状況になってしまい、苦しんでいる人と距離を置く
- 憐れみたくないから、苦しんでいる人に向かって自業自得だと非難する
- 憐れみが軽蔑や侮蔑に変わる
- 感情的に関わらずに済む方法で援助する（現金の寄付など）
- 偽善的になる（助けの手を差し伸べながら、陰でその人の噂をするなど）
- 支援方法を思いつき、その準備を整えて援助する

隠れた感情を表わすサイン

自分から好んで憐れんでほしいと思っている人はいない。憐れみには見下した態度や恩着せがましさがあるからだ。だから憐れみを感じる人たちは、その感情を偽りのない共感や心配に見せようとする。抑圧された憐れみがどのように表面化するのかを考えているなら、「気づかい」「共感」の項目（p. 128、p. 136）を参照のこと。

この感情を想起させる動詞

心を痛める、行動に出る、苦悶する、安らぎを与える、不憫に思う、考慮する、慰める、泣く、遺憾に思う、語気を強める、可能にする、励ます、感じる、与える、噂する、悲嘆に暮れる、助ける、傷つく、決めつける、嘆く、喪に服す、頷く、申し出る、さする、祈る、なだめる、苦悩する、同情する、戒める、涙を流す

書き手のためのヒント

どんなに強靭な精神力を持っているキャラクターでも、思い悩むことはある。そんなキャラクターがつい脆さを見せてしまう感情を探してみよう。その感情を描けば、読者にとってそのキャラクターは身近な存在になるだろう。

後退形

気づかい→p. 128、無関心→p. 296

安堵

〔英 Relief〕

【あんど】

耐え難いストレスの原因が和らぐ、もしくは気持ちが軽くなること

あ

外的なシグナル

- 片手で口元を覆う
- 首を横に振って目を閉じる
- 息をのむ
- 手が震える
- 安らぎを求めて人に手を伸ばす
- 前かがみになる
- ゆっくりと微笑む
- 明るくしようとユーモアを利かせる
- 震えた笑い声を上げる
- 壁や人にもたれかかる
- 目元に手のひらを押しつける
- よい知らせに対し、もう一度言ってほしいと頼む
- 足がふらふらする
- 膝がガクガクする
- よろめきながら一歩後ろに下がる
- 椅子に倒れ込む
- 口をぽかんと開ける
- 適切な言葉を探して、必死で話そうとする
- 不安定な足取り
- 解放されて泣く、叫ぶ
- この瞬間が現実なのか確信したくて、何度も同じような質問をする
- 天を見上げる
- 大きく息を吐きだす
- その場で前後に体を揺らす
- 自分を安堵させてくれたものを、目を輝かせて見つめる
- わずかにうめき声を上げる
- 唇を開く
- 関係者たちと信頼関係を態度で示す（ハグする、手をとるなど）
- 片手で腹を押さえる
- 心臓の位置に手のひらを押しつける
- 頭を垂れる
- 崩れかけた自分の体を掴む
- 目を閉じて、思わず頷く
- 頭を後ろにそらす
- 悪意はないが思わず汚い言葉を使う、もしくは神に感謝する
- 十字を切る（信仰のあつい場合）

内的な感覚

- 口が渇く
- 筋肉が緩む
- 思わず緊張感がほぐれる
- 目の奥に涙が溢れる
- 突然体が軽くなる、めまいがする

発展形
感謝→p. 114、幸福→p. 180、興奮→p. 182

精神的な反応

- 抱きしめられたいと思う
- じっとして、全身で安堵を味わいたいと願う
- 感謝の気持ち
- 思考がゴチャゴチャになる
- その場にふさわしい返事が出てこない
- 残っている喪失感もしくは心の痛みを後回しにする

一時的に強く、または長期的に表われる反応

- 泣き崩れる
- 溢れんばかりに気持ちを表現する（飛び跳ねる、叫ぶ、走り回る、ヒステリックに泣き叫ぶなど）
- その場に崩れ落ちる
- 胸が上下するのを感じる
- 頭がクラクラする
- 喉が苦しくなってくる

隠れた感情を表わすサイン

- わざと静かに息を吐きだす
- しばらく目を閉じる
- 鼻で深く息を吸い込む
- 微笑むのをこらえようとして唇を噛む
- 唾を飲み込んで頷く
- 目を細める（ほかに集中しなければならないものがあるとき）
- 気持ちが和らいだことについて考えず、後で味わうためにとっておく
- 不注意になる

この感情を想起させる動詞

目に光が見える、屈服する、しがみつく、失神する、ぼろぼろになる、叩きのめされる、うなだれる、息を吐きだす、気絶する、倒れる、笑う、ガタガタ震える、沈む、崩れ落ちる、微笑む、すすり泣く、キャーキャーと声を上げる、感謝する、おののく、気弱になる

書き手のためのヒント

キャラクターが意図して感情を隠しているときは通常よりも感情のヒントが掴みづらい。この場合は、たとえば喋り方が変わる、癖の仕草や習慣が現われる、姿勢が変わるといったなんらかの「変化」を通じて感情を表現すると、より効果的になる。

後退形

あやふや→p. 68、気がかり→p. 120、混乱→p. 188

怒り

〔英 Anger〕

【いかり】
強い不満、もしくは憤り。たいてい、不当な行為が原因となる

い

外的なシグナル

- 鼻の穴を膨らませる
- 荒い息
- 汗をかく
- 胸を突きだし、両手を腰に当てる
- 手をさっと払いのける
- ものや人を雑に扱う
- 顎を高く上げる
- 足を大きく広げて立つ
- 歯をむき出しにする、睨む
- とげのあるジェスチャーを繰り返す（拳を振るなど）
- 人が喋っているのをさえぎる
- 急に頭を動かす
- 目玉が飛びだしそうなほど目を見開く
- 指や腕の筋肉をほぐす
- 指の関節をポキポキ鳴らす
- 腕まくりをする、襟元を緩める
- 冷たい目つき、険しい目つき、冷酷な目つき
- 脅す目的で相手のパーソナルスペースに侵入する
- 冷やかす、なじる、ひどい冗談を浴びせて笑う
- こわばった視線や表情
- 顔が赤くなってくる
- 口を結ぶ、口をゆがめる
- 閉ざされた態度（腕を組むなど）
- 手のひらに爪を食い込ませる
- 太もも、テーブル、壁などに拳を打ちつける
- ドアや食器棚、引き出しなどをバタンと閉める
- ものにパンチやキックを食らわせる、ものを投げる
- 足を踏み鳴らす、地面を踏みつける
- 血がのぼる、脈がピクピクする、充血する
- とげのある笑い声を上げる
- 震える声、大きくなる声、怒鳴り声
- 声のトーンが低くなる
- 皮肉を浴びせて相手を侮辱する
- 喧嘩をふっかける（口または体で）
- 人にかみつく
- 汗が吹き出る

内的な感覚

- 歯ぎしりする
- けいれんする
- 脈が速くなる
- 心臓がドキドキする

発展形

激怒→p. 160、執拗→p. 208、憎しみ→p. 252、復讐→p. 278

- 体に緊張が走る
- 体が火照る

精神的な反応

- 怒りっぽくなる
- 人の話に耳を貸さなくなる
- 結論を急ぐ
- ささいなことにも理性のない反応を示す
- ただちに行動を起こすことを求める
- 性急な行動
- 不適切な行動をとる、リスクを負う
- 暴力を振るいたいと思うようになる

一時的に強く、または長期的に表われる反応

- ささいなことで怒りを爆発させる
- 過度の緊張が続き、ひどい場合は潰瘍になる
- 湿疹、ニキビといった肌の問題が生じる
- 怒りを発散させるために自分の持ち物を壊す、傷つける
- 手術、事故、その他トラウマからの回復が遅くなる
- 運転中に突然怒りだす
- 近くにいる罪のない人に対してやつあたりする

隠れた感情を表わすサイン

- 注意深く、抑えた口調で話す
- ゆっくりと、呼吸を整えて息を吐きだす
- 作り笑いをする
- 受動攻撃的な物言い
- アイコンタクトを避ける
- 怒りの対象から体を背ける
- 会話から身を引く
- ぎゅっと握りしめた手足を周りに見られないよう隠す
- 少しその場から離れる
- 頭痛に襲われる
- 筋肉痛になったり、顎が痛んだりする

この感情を想起させる動詞

怒りに燃える、消耗する、爆発する、急に怒りだす、真っ赤になる、挑発する、揺り動かされる、憤る、血走る、抑える、むかつく、煮えくりかえる、叫ぶ、（気持ちが）収まらない、押し寄せる、おののく、引き金を引く、発散する

書き手のためのヒント

ある感情的反応へとつながる出来事を描くときは、特に注意しよう。そこまでのプロットがわざとらしいと、キャラクターの反応も同じように不自然に見えてしまう。

後退形
いらだち→p. 80、弱体化→p. 212、根に持つ→p. 258、フラストレーション→p. 286、立腹→p. 312

意気消沈

〔英 Depressed〕

【いきしょうちん】
心が閉ざされた状態。極度の悲しみを感じ、活力が弱まる

い

外的なシグナル

- やせ衰えた姿
- 見た目にもわかる体重の増減
- まばたきの頻度が低い
- 涙で目が潤む、または泣きはらして目が赤い
- 両手をじっと見下ろす
- 刺激や音に反応しなくなる
- 起きる気力がないままベッドに横たわっている
- 沈み込んだ姿勢（うなだれる、肩を落とすなど）
- 片手で頭を支える
- 絡まった髪、伸びすぎた爪など、自分を捨てていることがわかる
- 毎日同じ服を着ている
- よろよろと足を引きずりながら歩く、無気力な手の動き
- 喪失を象徴するものに執着する（写真や小物）
- 虚ろな目
- 言いわけをする
- 会話能力がない
- 自分の健康なんてどうでもいいと言いのける
- への字に曲げられた口
- 顔の皺
- たるんだ表情
- 目の下のクマ
- 不眠、または寝てばかりいる
- ひどい食生活
- 病気
- 力や元気のない口調
- 汚れたままの家、部屋、職場
- 電話、もしくは家に訪ねてくる人を無視する
- 早老（皺、疲れた目、白髪など）
- 趣味に関心を示さなくなる
- 学校の成績が落ちる、または仕事がうまくいかなくなる
- 孤独を選ぶ
- それまでの活動から身を引いて、友人たちから距離を置く
- 料理をつつくだけ、もしくは口に入れても味を感じない
- 作業に集中できない（仕事、学校、家庭生活など）
- 約束、会話、打ち合わせなどを忘れる
- ダボダボの味気ない服を選ぶ
- 他人、または家族にさえ無反応

発展形
価値がない→p. 108、後悔→p. 174、自己嫌悪→p. 192、ホームシック→p. 292

内的な感覚

- 胸にぽっかりと穴が空いた感じで、なんとなく気が重い
- 脈が遅い
- 浅い呼吸
- 体の痛み、心の痛み
- 慢性的な疲労

精神的な反応

- やる気が湧かない
- つい自分を批判し、苦しむ
- 過去に生きたい、独りになりたいと願う
- 注意力の欠如
- 強迫観念（否定的なことばかり考える、悪いことが起きると思ってしまうなど）
- 世の中や人々を希望のない目で観察し、普段からネガティブなものの見方をする
- 集中力の欠如
- 時間の感覚を失う
- 自傷行為の願望を抱くようになる
- 雑音、人ごみ、ストレスを感じる状況を嫌悪する

一時的に強く、または長期的に表われる反応

- 摂食障害
- 病的な行動（髪を引っ張る、強迫神経症、被害妄想など）
- こんな人生など終わってしまえばいいと思い、自殺を試みたり考えたりする
- 危険やリスクをなんとも思わない
- 薬物依存
- ものを捨てずに溜めこむ

隠れた感情を表わすサイン

- 反応するまでにしばらく間がある
- 無理をして、嘘の感情を示す
- 薬物の過剰摂取、深酒
- 作り笑い、無理矢理明るい笑顔を浮かべる
- 社交の場や人々を避けるため、病気を装う
- よく嘘をつく

この感情を想起させる動詞

心を痛める、失神する、身を切る、深刻化する、疑う、耐える、飲み込まれる、諦める、傷つく、打ち勝つ、圧倒される、沈む、失速する、もがく、屈する、苦悩する、涙を流す、悪化する

書き手のためのヒント

感情は、ただ書き起こすだけでは不十分だ。それが読者にはっきりと伝わるようにしなければならない。そこで、たとえば自分が強い感情を抱いたとき、一番に感じる衝動的感覚は何かを思い出してみよう。そして、もし妥当な場合は、同じような体験が読み手に伝わるよう、その感覚を利用してみるのがよいだろう。

後退形
葛藤→p. 110、希望→p. 132、孤独→p. 186、脆弱→p. 228

畏敬

〔英 **Awe**〕

【いけい】
世の中なんてこんなものだと思っていたら、
とてつもなく大きなものの存在に触れ、恍惚としたような驚きを覚える

※畏敬を感じると、自分がいかに小さな存在であるかを思い知らされるものである。悟りの境地に至る人もいれば、恐れおののく人もいる。キャラクターがネガティブな反応を示す場合は、「戦慄」の項目（p. 238）を参照のこと。

外的なシグナル

- 一切の動きを止める
- 気が抜ける
- 肩の力が抜ける
- 口が半開きになる
- 仰ぎ見る
- 深く息を吸い込む
- 気恥ずかしさを忘れ、見つめる
- ゆっくり、大きく息を吐く
- 言葉が出ない、言葉を失う
- まばたきを忘れるほど、一点を見つめる
- 手で胸を押さえる
- 頭を抱え込み、その手で頬を包み込む
- 夢のような思いに浸り、しばらくじっとしている
- 畏敬の対象に近づきたい衝動に駆られ、一歩前に出たり、手を伸ばしたりする
- 慎重に動く（そっと手を触れる、ゆっくり前に進むなど）
- 夢心地の気分を壊したくなくてゆっくり喋る
- 「すごい」「信じられない」と何度も言う
- 「ちょっとあれを見て」という感じで人の注意を引こうと手をばたつかせる
- ほかのことが手につかず、まずは落ち着こうと座る
- 両腕で自分を抱きしめる
- 震えが止まらない
- 呆然と立ち尽くしていたが、ゆっくりと座る
- 目の前の光景に圧倒され、しゃがみこむ

内的な感覚

- 首の後ろに鳥肌が立つ
- 激しい鼓動
- めまい
- 胸が膨らむような感覚
- 感情が高ぶった後、意識が冴えわたり、やる気が湧く（アドレナリン放出）
- ぽかんとしていたので口が渇き、唾を飲み込む

精神的な反応

- 心配ごとが吹き飛ぶ
- さっきまで何をしていたのか忘れる
- 今まさに生きているという感覚を味わう
- 感覚が研ぎ澄まされ、色や匂い、体から湧き上がる感覚などに敏感になる
- 「小さなこと」に気づき、それを心に留める

発展形
執拗→p. 208、崇拝→p. 226、多幸感→p. 240、欲望→p. 306

- 感動の瞬間を誰かと分かち合いたい、誰かとつながっていたいと思う
- 好奇心が呼び覚まされ、心の中で疑問が湧き上がり、さまざまなことに目を向けるようになる
- 不快感があったのにそれを一切忘れ、感動の瞬間に集中する

一時的に強く、または長期的に表われる反応

- リスクを厭わなくなる（感動体験が強く心に残る場合）
- 感動で足が震える
- 涙が頬を伝う
- この瞬間を忘れたくなくて、携帯電話で写真やビデオを撮る
- 有意義な形で世界とつながっていたい、新しいことに挑戦したい、旅に出たいと思う
- 寛大になり、思いやりを持つ
- もっと喜んで人助けする
- 感動の瞬間に立ち返り、あのときの気持ちを思い出す
- 気分一新、晴れやかになる
- 人生に大切なものは何かを見直し「リセット」する

隠れた感情を表わすサイン

- 目をそらす、背を向ける、肩をすくめる
- 感動的な場面に心を奪われるのではなく、盗み見る
- 用もなく喋り、雰囲気を壊す
- 過去の感動体験を持ちだして、せっかくの瞬間を台無しにする
- わざと落ち着きのない仕草をする、退屈を装う（ライターをカチカチ鳴らす、鍵をジャラジャラ鳴らす、ポケットの中をごそごそ探すなど）

この感情を想起させる動詞

肝をつぶす、浸る、落ち着く、安らぐ、惑わされる、魂を奪われる、ガツンと殴られたようになる、ぽかんと口を開ける、見とれる、勇気づけられる、駆り立てられる、耳を傾ける、うっとりする、神秘を感じる、褒める、耽る、味わう、震える、黙る、魅了される、突き刺す、言葉を失う、ぼうっとする、ワクワクする、うずうずする、触れる、釘付けになる、おののく、ささやく、目を奪われる

書き手のためのヒント

キャラクターの感情的な反応を別のキャラクターの目線で描く場合は、二人の関係の深さを考えること。親密な間柄であれば、髪を耳にかける、手を軽く振るなどのちょっとした仕草でも、視点となるキャラクターには大きな意味を持つ。そこを描けば読者にもキャラクターの感情は伝わるだろう。

後退形
感動→p. 118、謙虚→p. 170、幸福→p. 180、称賛→p. 218、つながり→p. 246、平穏→p. 288、満足→p. 294

いらだち

〔英 Annoyance〕

【いらだち】
腹立たしさ、軽度の立腹

い

外的なシグナル

- 傷ついた表情
- 深いため息、大げさなため息
- じれったさをほのめかす言葉：「いいよ、俺がやるから」
- 目を細める
- 片足でコツコツ地面を叩く
- 邪魔なものを追い払うように、宙をはたく
- けいれんなど見た目にわかる変化（額の血管がピクピクする、襟をいじるなど）
- 唇が白くなるまでぎゅっと噛む
- 歯を食いしばる
- しかめ面、冷笑、不機嫌な表情
- 愚痴をこぼす
- 胸の前で腕組みをする
- 両手を軽く握りしめる
- いらだちを和らげようとして、鋭い指摘をする
- 服を引っ張る（袖口をぐいと引っ張る、ファスナーを力づくで上げるなど）
- 首を傾げて横に振る
- 両眉を上げながら、生気のない目を向ける
- 天を仰ぐ
- ひっきりなしに首を横に振る
- 姿勢を変える（もう一方に体重をかける、位置を変える）
- 拳を顎の下に置いて顔を支える
- 両手で頭を抱える
- 批判しようと口を開くが、急にやめる
- 深く息を吸ってそのまま保つ
- テーブルを指でトントン叩く
- 笑顔が消える、あるいは作り笑いをする
- 必要以上の力をかけて鉛筆の先を折る
- あたりを行ったり来たりする
- 軽い皮肉を言う
- 答えがわかりきっていることをわざと質問する
- 鋭い口調
- 短い言葉で話す
- 首、肩、腕が見た目にもわかるほどこわばる
- 体が硬直する
- 首の筋が張る
- 頭痛を取り除くかのように眉を擦る
- いらだちの対象である人やものを避ける
- 拳を口元に押しつける

内的な感覚

- 頭痛
- 首や顎が凝る

発展形

怒り→p. 74、フラストレーション→p. 286

- 体温の上昇
- 音に敏感になる

精神的な反応

- 非難の気持ちを抱く
- 注意がそれる
- その場を離れるための言いわけを考える
- 心の中で意地悪な比較をする
- どこか別の場所にいたいという願いを抱く

一時的に強く、または長期的に表われる反応

- 顔が赤くなる
- 物事を雑に扱う
- 人の仕事や任務を奪う
- 歯ぎしりする
- 降参というように両手を上げる
- 外気に当たるため大股で出て行く
- 話もせず返事もせず、内にこもる
- 他人を巻き込み、自分は気づかれないうちに逃れようとする

隠れた感情を表わすサイン

- 侮辱的なことを言わないようにこらえて、きっぱりと頷く
- 手も思考も忙しくしていようと、ほかの作業に切り替える
- 気を晴らすために、何か作業に没頭する
- いらだちの原因となっている人と同じ空間にいることを、あえて自分に強いる
- 興味のあるふりをするが、いらだちが隠せない
- 声や口調を注意深くコントロールしようと努める
- いらだちの元を無視しようと、視線をずらす

この感情を想起させる動詞

避ける、うるさがる、気色ばむ、食いしばる、文句を言う、不快になる、気に障る、息を吐く、いじくる、うろたえる、不快に思う、痛めつける、歯ぎしりする、不平をこぼす、立ち入る、イライラする、ブツブツ言う、かりかりする、しつこくする、ちくりと痛む、押す、逆なでる、手を伸ばす、当て擦る、洗い流す、ため息をつく、なじる、疲れる、気力を奪う、平静を失う

書き手のためのヒント

感情を描くとき、目の描写ばかりにとらわれてはいけない。現実でも目というのは最初に注意が向かうところだが、説明の仕方はほぼ限られてきてしまう。それよりも、もっと深く観察して、体の動き、行為、会話などを通じてキャラクターのふるまいを表現しよう。

後退形
葛藤→p. 110、受容→p. 214、無関心→p. 296

陰気

〔英 Somberness〕

【いんき】
憂鬱あるいは暗い気持ち

い

外的なシグナル

- その場をじっと動かない
- 無感情な声、無表情
- 沈んだ表情（考え込んでいるような目、固く噛みしめた唇、眉間の皺など）
- 悲しげ、あるいは深刻な表情
- 膝の上で両手を重ねる
- 静かに座っている
- 深いため息をつく
- 言葉で返答せず、ゆっくり頷いて返答する
- 力なく、その上相手を歓迎しない（閉じた）ボディランゲージ
- うつむきがち
- 話す前にためらい、言葉が重々しい
- 物事を暗く、あるいは重く捉える
- 周りに影響するほどどんよりした雰囲気。いつもより活気がなく、周りの気も滅入らせる
- 肩を落とした、だらっとした姿勢
- 人とアイコンタクトをとらず、宙を見て話す
- 両手を後ろで緩く握り合わせ、視線を下に向ける
- ゆっくり歩く
- のっぺりとした表情の乏しい顔
- 手足を体の中心に寄せておく
- 動作が機能的できちんとしている
- 笑わない、ユーモアがない
- 慎重に言葉を選ぶ
- 刺激に反応しない（笑い声、興奮、何かの行為など）
- くすんだ色、さえない色の服を選ぶ
- 口を険しくゆがめる
- 落ち着いていて、動作が必要最小限、もしくは無駄な動きをしない
- 暗い、あるいは深刻な目
- 何か言おうとして口を開くが、何も言わず、頭を振る
- 不自然なほどじっとしている
- 人に名前を呼ばれても反応しない
- 肘をついて手に顎を乗せ、指で口を覆う
- 以前楽しんでいたこと（おいしいものを食べること、ひいきのスポーツチームの応援など）への興味が薄れる

内的な感覚

- 疲労、エネルギーの欠乏
- 手足や筋肉が重苦しい
- 気が滅入る
- ゆっくりと落ち着いた呼吸

発展形
意気消沈→p. 76、屈服→p. 152、絶望→p. 234

精神的な反応

- 控えめな性格
- 物事を悲観的に見る
- 独りになりたいと願う
- 会話にうまく加われない
- 人に訊くよりも、自分の中で答えを探る
- 時間の感覚がなくなる
- 物思いに耽り、ほかのことに気がいかない

一時的に強く、または長期的に表われる反応

- 悲観的な見解や認識をする
- 趣味や気晴らしに関心がなくなる
- 憂鬱、塞ぎ込む
- 同じような気持ちではない人たちを遠ざける
- 人（子ども、家族など）の要求に注意を払うことができない
- 目標、欲求、これから起きる出来事などに無関心

隠れた感情を表わすサイン

- 無理矢理笑い声を上げる
- やりすぎなほど頻繁に微笑む
- 微笑むも、すぐに笑顔が消える
- 楽しげな社交行事に参加すると言うが、結局姿を見せない
- 微笑むが、目は笑っていない
- 軽い言葉を真面目なトーンで言う
- うわべを取り繕うためだけに、装飾品を身につける（ブローチ、派手な帽子、明るいスカーフなど）

この感情を想起させる動詞

避ける、くよくよと考える、不憫に思う、文句を言う、暗くなる、打ち負かされる、くじく、望みを失う、曇らせる、却下する、いつまでも気にする、引く、塞ぎ込む、口ごもる、無言になる、肩をすくめる、ため息をつく、たるむ、心配する

書き手のためのヒント

なぜキャラクターが現在の行動に出たか、そこに直接関わるような過去の情報を少し明かす場面では、感情の要素を忘れずに入れよう。感情こそ記憶の引き金となり、過去と現在をつなぐ役割を果たすのだ。

後退形

無関心→p. 296、むら気→p. 298

打ちのめされる

〔英 Devastation〕

【うちのめされる】
ショックと悲しみに打ちひしがれる

外的なシグナル

- 知らせを聞いても信じられず、もう一度繰り返してと頼む
- 手のひらを広げ、胸に当てる
- 座るか、誰かに支えてもらう必要がある
- 両手で顔を覆い、へたへたと座り込む
- 何かしていたが、途中で手を止める
- 目がかすみ、考え込んでいるような苦しい表情
- 眉間に皺を寄せる
- 口をぽかんと開ける
- 事態を飲み込むにつれて、激しくかぶりを振る
- 途方に暮れる
- 肩で息をする
- 肩をすぼめ、背中を丸める
- 頭を手で支える、額を手で擦る
- 言葉が出ない（文章にならない言葉をとぎれとぎれに言う、言いかけてやめるなど）
- 一瞬手のひらで口を覆うが、その手を下ろす
- 肩を落とし、腕をだらりと下げる
- 椅子にぐったりもたれかかる
- 小声になり、声がかすれる
- 目が涙でいっぱいになる
- 震える手で口を覆う
- 否定の言葉を繰り返す：「そんなのあり得ない」「こんなことって信じられない」
- ハグされても、頭の中が真っ白でハグし返せない
- 質問されても無反応
- 手のやり場に困る
- うつむいたまま顔を上げない
- 足を引きずって歩く
- 声を押し殺して泣く
- 悲痛の声を上げる、泣き叫ぶ
- 片足に少し重心を移して立つ
- がっくりと膝をつく
- なんの説明もなく場を去る（逃避反応）
- 手に持っていたものを落とす、離す

内的な感覚

- 手足から突然力が抜ける
- 息をするのも忘れ、胸が苦しくなる
- ふらふらする
- 心配で胸や胃がキリキリ痛む
- 心臓が痛む
- 全身無感覚になる

発展形
意気消沈→p. 76、絶望→p. 234、悲嘆→p. 272、無力感→p. 300

精神的な反応

- 我が目を疑う（ショックを目の当たりにしている場合）
- 事件が起きた経緯を説明され、そのとおりに想像する（人伝てに事件を知らされた場合）
- 以前、被害を受けた人々に会ったときのことや、被害の現場を訪ねたときのことをハッと思い出す
- 甚大な被害を受けた人々のことや、彼らがこの報道をどう受け止めているのだろうかと思う
- 後悔の念に襲われる：「なぜもっと頻繁に訪ねなかったのか」「僕にとって彼女がどんなに大切な存在だったか伝えておくべきだった」
- 安堵するが、罪悪感にとらわれる：「ジョーが家にいてよかった。外出していたら彼も死んでいたかもしれない」
- 圧倒され、ささいなことすらできなくなる

一時的に強く、または長期的に表われる反応

- 食欲不振や睡眠障害が出て、普段の生活に支障が出る
- 夢や仕事が苦しみの原因の場合は、夢を諦めたり仕事を辞めたりする
- 悲しみに包まれてしまい、断ち切れない
- 抜け殻になったような気分（やる気に欠け、自分らしさを失う）
- 無感情になって、人や社会とのつながりを持てない
- 生きる意欲を失う

隠れた感情を表わすサイン

- 引きこもって独りになる（逃避反応）
- 何も言わず、殻に閉じこもる
- 心の痛みを麻痺させようと、アルコールやドラッグに走る
- 涙をこらえ、唇が震える
- 悲しみに向き合うのを避け、何か（葬式の準備など）に没頭する

この感情を想起させる動詞

痛む、懇願する、崩れる、しがみつく、失神する、慰められる、泣く、身を切る、打ち砕かれる、不信感が募る、息が止まる、悲嘆に暮れる、抱きしめる、傷つく、うめく、喪に服す、祈る、わななく、揺さぶられる、落ち込む、ガタガタ震える、緩慢になる、前かがみになる、凝視する、刺すように痛む、どもる、苦悩する、引き裂かれる、おののく、顔をゆがめる、取り消す、涙を流す、ぜいぜい息をする

書き手のためのヒント

殻に閉じこもっていたキャラクターが心を開くのは、生まれ変わるための重要なステップ。ただ、心の痛みと向き合うのは難しい。人に打ち明けるとなるとさらに大変で、実際には生易しいことではない。キャラクターの声や仕草をうまく描写し、その変化の過程で生じるストレスや苦しみを表現すること。

後退形
孤独→p. 186、受容→p. 214、切なさ→p. 230、ネグレクト→p. 254

うぬぼれ

〔英 Smugness〕

【うぬぼれ】
自分について最高に自信がある、または満足している状態

外的なシグナル

- 顎を突きだす
- 腕組みをする
- 胸を突きだす
- わざと両眉を上げる
- 首を横に傾げる
- ニヤッと笑う、あるいはあざ笑う
- 直にしっかりとアイコンタクトをとる
- 目を細めて見つめ、冷たい笑顔を向ける
- 素っ気なく頷く、チラッと見る
- あきれた表情をする
- 身の程を思い知らせようとして、攻撃的にからかう
- いらだちを含んだため息をつく（フンッというように）
- 追い払うように手を振る
- 喧嘩を売るかのように、相手に詰め寄る
- 愕然とする
- 相手のいないところで意地悪を言う
- 自分の優位を見せつけるため、大声を出す
- 皮肉な物言い：「どうでもいいさ」「そうだろうね」「まあそう言うんだったら！」
- 自分の方が優れているという表情
- 肩を後ろに引いて顎を上げた、完璧な姿勢
- しっかりした歩調、気取った歩き方、自信たっぷりな歩き方
- 大きな声で話す、自慢する、偉そうにふるまう
- 周りの注意を引くために、派手な動作をする
- 大きく構える
- 批判する、けなす
- 人に被せて話しだし、会話をコントロールする
- 相手を軽蔑の目で見る
- 支配的なふるまい(相手のパーソナルスペースに侵入する、周りが座っている中、自分だけ立ち上がるなど)
- ひいきにしている人を惜しみなく褒める(子ども、友人、権力を持った人など)
- 偉そうに笑い声を上げる
- 着飾る（服をあれこれ吟味する、鏡で自分の姿をチェックするなど）
- 派手または印象に残るような服を着る
- 髪を振り払う
- 首を左右に振る
- 考え込んでいるような姿勢（両手を組んでその上に顎を乗せる、指で唇を軽く叩くなど）
- 大げさにくつろいだ様子で、椅子にゆっ

発展形
軽蔑→p. 158、冷笑→p. 316

たりもたれる
- 周りの注意を引くような仕草（葉巻を振る、ワインを片手に身振り手振りで話すなど）
- ゆったりと足を組む、もしくは両手を握り合わせる
- 身につけているアクセサリーをわざともてあそび、周りの注意を引く
- 相手の背中をポンと叩き、親しい仲であること、もしくは友情を大げさに見せつける
- 有名人の知り合いがいることをほのめかす
- 「だから言ったじゃないか」と相手に何度も言う

内的な感覚
- 体中が熱に包まれる感じ
- 得意な気分
- 胸がうずく
- アドレナリンが出て、鼓動が激しくなる

精神的な反応
- 自分が正しく、上に立っていると信じて疑わない
- 価値がないと思う人を見下す
- 自信過剰
- 価値がないと思う人を小さく見せて、自分の成果を高めたいと熱望する
- 周りから一歩抜きん出たことに感謝する
- 成功しない人は、原因がその人自身にあるという信念を抱く

一時的に強く、または長期的に表われる反応
- 容姿や所有物について、極端にプライドを持っている
- 誰と友だちになるか、何を買うか、どういうスポットで人に目撃されるかなどを慎重に検討する
- 過去の過ちについて、人にわざと何度も持ちだす
- 成功したことを思い知らせてくれるような環境で、時間を過ごすことを選ぶ
- 寛大さを通じて権力があることを知らしめる（チャリティ行事を主催するなど）
- 自分にルールは当てはまらない、もしくは自分が法の上に立つかのようにふるまう

隠れた感情を表わすサイン
- 結果を引き出すのに貢献してくれた人たちに対し、うわべだけの感謝をする
- 運がよかっただけだと口では言うが、本当はそうは思っていない
- 説教じみたアドバイスをする：「僕みたいにやれば、君も成功するよ」

この感情を想起させる動詞

浸る、けなす、豪語する、自慢する、見下す、（何かを）してやる、貶める、却下する、ひけらかす、優位に立つ、誇示する、ほくそ笑む、無視する、しつこく要求する、やじる、立ちはだかる、威圧する、恩着せがましくする、すまし顔をする、耽る、自己顕示する、忌避する、にたにた笑う、にやにや笑う、冷笑する、見せびらかす、もったいぶって歩く、威張る、なじる、からかう、そそり立つ

書き手のためのヒント

キャラクターの気持ちを描くときに「～と感じた」という言葉を使うと、これは感情を表現しているのではなく、ただ文字通りに述べているだけになってしまう。「感じる」という言葉で検索して、感情をどのように表現したらよいか、自分に課題を出してみよう。

後退形
疑念→p. 130、自信喪失→p. 198、失望→p. 206

裏切られる

〔英 Betrayed〕

【うらぎられる】

大切な人に非人間的な扱いを受け、見下されて傷つき、
激しい憤りを感じている状態

※キャラクターが裏切られたと感じたとき、さまざまな感情が入り混じり、心が揺れ動くのが普通だ。その反応は、相手とどういう関係にあったかによって変わる。たとえば、はじめはショックのあまり信じられず拒絶反応を示しても、やがて裏切られた事実を受け入れることもあるし、傷つき、激怒することもある。

う

外的なシグナル

- 突然体がこわばる
- たじろぐ（特に、話を聞いていて裏切りが発覚した場合）
- ショックを受け、顔を苦しそうにゆがめる（眉間に皺を寄せる、考え込んだ眼差しなど）
- うつむき、目を伏せる
- 頬の内側を舌で押しながら息を吐く
- 何か言いたげに口を動かすが言葉を引っこめ、頭を振って怒りを表わす
- 大きなため息をつく
- すぐに言葉が出ない
- 緊張で腕がわなわなと震える
- 首を横に傾げる
- 拳を作る（強く握りすぎて手が白くなり、震える場合も）
- 唇を固く結ぶ
- 冷めた目でキッと睨む
- 髪をかきむしる
- 胸をトントンと叩く
- 腰かけた状態で頭を抱え込み、「どうして？」「信じられない」と言う
- 短い、ぎくしゃくした動きをする
- 距離を置く（後退り、ほかの人たちから少し離れるなど）
- 腕を組む、椅子の背後に回るなど、防御の体勢をとる
- 鼻孔が開く
- ものを倒したりし、ぎこちない自分にさらに腹を立てる
- ものを投げつけるなど、何かに当たり散らす
- 声が裏返ったり、かすれたりする
- 怒鳴ったり、畳みかけるように糾弾したりする
- 座りたいが、座ってもすぐ立ち上がる
- 罵ったり、誰かを悪く言ったり、決めつけたような発言をする
- 歯を噛みしめる、歯ぎしりする
- 怒りが広がるにつれ、背筋がピンと伸びる
- 落ち着こうと鼻筋をつまみ、ゆっくり深呼吸する
- 裏切った相手の秘密を他人にばらす

内的な感覚

- 怒りながら頬の内側を噛み、その圧力や痛みを感じる
- 胸がキリキリと痛む、急に締めつけられる
- 涙をこらえているうちに目頭が熱くなり

発展形

愕然→p. 104、激怒→p. 160、復讐→p. 278

視界が曇る
- 喉が痛む
- 体が火照る
- 手を握りしめるが、爪を立てているので手のひらが痛い

精神的な反応
- 何かを打ちつけ壊したくなる衝動に駆られる（闘争反応）
- 不信感、傷心、激怒の間で気持ちが揺れ動く
- 報復に燃える
- 非常に脆い、自分がさらけ出されたような気持ちになる
- 過去のやりとりを振り返り、裏切りの兆候を見逃してはいなかったかと分析する
- 何が起きたのか整理したいから独りになりたい（逃避反応）

一時的に強く、または長期的に表われる反応
- 裏切りを見抜けなかった自分、人を信じた自分を責める独り言を呟く
- 愚直で騙されやすい自分の弱さに嫌気がさす
- 裏切った相手に不幸が降りかかるのを想像する
- 裏切り行為を明るみにし、責任を取らせる
- 報復のチャンスを待ち、暴力に訴える

隠れた感情を表わすサイン
- 明るい性格だったのに引きこもり、言葉数が少なくなる
- 会話に反応するのが普通より遅くなる
- 口実をつけ中座する
- 笑い飛ばす
- 「それなりの理由があるんだろう」「何か困っていたに違いない」とうわべだけの同情を示す
- こうなることはわかっていたかのような態度をとる
- 裏切られて深く傷ついているのにカッとなったりせず、人間の器が大きいところを見せる

この感情を想起させる動詞
痛む、疎外される、不意を突かれる、打撃を被る、刻みつける、食いしばる、動けなくなる、押しつぶされる、身を切る、気が遠くなる、士気をくじかれる、打ち砕かれる、打ちのめされる、すり減る、放心する、ふらつく、悲嘆に暮れる、妨げられる、支障が出る、侮辱される、危うくなる、感情を害する、かき乱される、荒れる、恨む、報復する、めげる、ガタガタ震える、ショックを受ける、突き刺される、苦悩する、色褪せる、水の泡になる、気が動転する、粗末に扱われる、気弱になる、痛手を負う

書き手のためのヒント
誰もが人生経験に感情を紐付けている。それはキャラクターも同じだ。各設定で、キャラクターにどんな過去があり、その過去にどんな感情を抱いているのかを考えること。その紐付けができたら、それを使って雰囲気を作り出してみる。

後退形
幻滅→p. 172、自信喪失→p. 198、根に持つ→p. 258、無力感→p. 300、用心→p. 304

怖気づく

〔英 Intimidated〕

【おじけづく】

実際に脅かされ、あるいは脅かされていると感じ、怖がって気弱になる

※人が何かに怖気づいたときの反応は、その人が脅威に対して闘争反応を示すのか、逃避反応を示すのかによって変わる。この項目では闘争や逃避反応だけでなく、脅威を目前に体が動かなくなる例をいくつか挙げる。

お

外的なシグナル

- 体が思わず縮み上がる
- 肩を落とす
- 何かにもたれかかるような姿勢
- 脅威だと感じるものから後ずさる
- 人と目を合わさず、落ち着かない眼差し
- 気持ちのこもっていない笑い声
- ポケットに手を突っ込む
- 腕を組み、上腕をぎゅっと握りしめる
- 髪やフードで顔を隠す、人の陰に隠れるなど
- 足を引きずって歩く
- 足を何度も組み替える
- ペン、髪の毛、机の上の紙などをいじる
- じっとして動かない（目立たないようにするため）
- 眉をひそめながら言動に迷う
- 唇や爪を噛む
- グループから離れ、その後ろに立つ
- 会話に参加しない
- 紅潮する、汗をかく
- 反応しようとするが言葉に詰まる
- 小声でブツブツ言う
- まばたきが激しい
- 状況を鎮めるか降参するかのように両手を上げる
- 発言を撤回する：「おい、冗談だってば」「他意はなかったんだよ」
- 仕事など自分ではやらず、責任を人に押しつける
- 気持ちを落ち着かせようと深呼吸する
- その場をさっと去る
- ほかの人たちがどう思っているかが知りたくて、後から探りを入れる
- 相手のパーソナルスペースに入り込む
- 議論をふっかける
- 受動攻撃的な物言い
- 肩をいからせる、背筋を伸ばすなどして、自分を大きく見せる
- 虚勢を張る（大声を出す、口先だけの脅迫など）
- 拳を作る
- たじろぐが、なんとか踏ん張る
- 公然と脅威を吹き飛ばす
- 顎のあたりの筋肉がヒクヒクする
- 睨みつける

内的な感覚

- 口の中が渇く
- 体に力が入らない

発展形
怒り→p. 74、危惧→p. 122、疑心暗鬼→p. 124、拒絶→p. 142、屈辱→p. 150、屈服→p. 152、軽蔑→p. 158
自己嫌悪→p. 192、自信喪失→p. 198、弱体化→p. 212、根に持つ→p. 258、不安→p. 276、防衛→p. 290、無力感→p. 300

- 胸が締めつけられる
- 動悸が激しくなる
- アドレナリンが放出する
- 脅威に意識が集中する
- 感覚が敏感になる

精神的な反応

- 逃げたい、あるいは防御態勢をとる
- 状況を把握しようと頭をフル回転させる
- どう反応すべきか、さまざまな選択肢が頭の中を駆け巡る
- 自分の力を証明するため何か言わなくてはと、必死で言葉を探す
- 逃げ道や逃げる計画を考える

一時的に強く、または長期的に表われる反応

- 脅威となる人にごまをする
- リスクを取らず、安全な選択肢を選ぶ
- 自分の意見や考えは自分の中にしまっておく
- 脅威となる人が近づくと黙り込む
- 脅威となる人に何もかも同調し、自分を見失う
- 自己嫌悪
- 共依存

隠れた感情を表わすサイン

- 脅威となる人が目の前にいたり、話題に出たりすると、身構える
- 過補償
- ほかの誰かをばかにして、権力意識を取り戻す
- 脅威を避ける
- 「イエスマン」や自分に逆らわない人たちで自分の周囲を固める
- 脅威が身近に迫ると明らかに行動が変化する

この感情を想起させる動詞

見捨てる、卑しめる、避ける、発言を撤回する、へつらう、大失態を犯す、挑戦する、縮こまる、疑う、はぐらかす、慌てさせる、逃げる、うろたえる、卑屈にふるまう、煮え切らない、躊躇する、ひれ伏す、圧力をかける、気を落とす、抑圧する、退く、縮み上がる、言葉に詰まる、よろめく、降参する、引き下がる

書き手のためのヒント

衝突しているキャラクターたちの性格が互いにかけ離れている姿を表現する場合は、同じ状況や出来事に対し、それぞれがまったく違った感情を示す様子を描く。

お

後退形
苦痛→p. 148、後悔→p. 174、無関心→p. 296

恐れ知らず

〔英 Fearlessness〕

【おそれしらず】
脅しや恐れ、試練に直面してもひるまない状態

外的なシグナル

- 冷静な表情（目を見据える、淡々とした表情、頭を動かさないなど）
- 姿勢がよい（足を少し開き、脇をしめ、両腕を下ろしている）
- なんだろうと近づく
- 背筋を伸ばし、胸を張る
- 状況を把握するため観察し、人に質問する
- ズボンで手のひらの汗を拭く
- 心の準備を整えるため、手や腕を振る
- 行動に移る準備を整えるため、手のひらを握ったり開いたりする
- 自分に発破をかけるような独り言をささやく：「大丈夫だ、お前ならやれる」
- 人や危険などに向かって進み、距離を縮める
- ぞんざいに頷く
- 顎を上げる
- ためらわず断固たる態度で歩く
- 群衆をかき分け前に出る
- 単刀直入にものを言う（人に向かって失礼だとか時間の無駄だなどと言う）
- 唇を丸め、ふうっと深い息を吐く
- 言葉数少なく手短に話す（集中している状態）
- 落ち着き払った、真剣な声で話す
- 慎重に言葉を選ぶ（状況を制圧する、自分を脅威と取られないようにする、人々を落ち着かせる、または、相手をけしかけてミスを引き出すなど）
- 相手のくどい返事や何もしない様子にいらだつ
- 倒れてもすぐに立ち上がる
- 振り向かずに前進する
- 指を鳴らす
- 人に任せず、自分で判断する
- 瞑想する（落ち着いて集中力を磨くため）
- 人の目を気にしない（急いでいるときは人前でも着替えるなど）
- 自分のことはなんでもやるが、必要とあらば恐れずに助けを求める
- 大胆不敵な発言をする：「俺ならできる」「やるかやらないかじゃない。いつやるかだ」
- 自分の置かれた状況に関係なく、将来の計画を立てる
- 自分の試みを裏付ける統計や事実、過去の成功例を引用する
- ほかの人なら避けるような逆境に立ち向かう

発展形
うぬぼれ→p. 86、期待→p. 126、嫌疑が晴れる→p. 168、自信→p. 196

内的な感覚
- 胸が締めつけられるが、精神力で緩める
- ゾクゾクしてめまいがする（アドレナリン放出）
- 鼓動が耳にまで届く（激しい動悸）
- 胃が締めつけられる

精神的な反応
- 自分の欠点や強みなどを自覚し受け入れる
- よく観察してから反応する
- 最悪のシナリオを想像し、心の準備をしておく
- 冒険し、新しいことにチャレンジする意欲がある
- 困難から逃げるより、困難を受け入れる
- 自分の能力を高めるため、信頼のおける相談相手を探し出し、経験を積み重ねる
- 気力で乗り切ることをモットーにしている
- 問題解決を先延ばしにせず、すぐに対処しようとする
- 物音や動きに過敏に反応する

一時的に強く、または長期的に表われる反応
- いい格好はしない
- 感情に振り回されないようになる
- 自分が恐れているものに敢えて挑戦する（高所恐怖症の人がビルに登るなど）
- 自分の限界を超える（痛みなど気がそがれるものを無視するなど）
- 非常に論理的になる（物事を論理的に考える）
- 目標指向型になる
- 楽な道を選ばず、正しいことをやる
- 体調を万全にしておくため体を鍛え、きちんと食事を摂る

隠れた感情を表わすサイン
- ありきたりな心配を口に出し、不安そうなふりをする
- 新しいことに首を突っ込む前に、自分を踏み留まらせる
- 許可を求める
- 肩をいからせ、人と目を合わせないようにする
- 人に先を譲る（新しい世界や危険に飛び込む場合など）
- 確信が持てないときは、行動に出ることのプラス面とマイナス面を考える

この感情を想起させる動詞
行動に出る、突く、挑戦する、攻める、勝ち取る、思い切る、物ともしない、鍛える、排除する、耐える、発揮する、爆発させる、危険にさらす、固く握る、乗り込む、蹴る、操作する、顔を合わせる、組織化する、飛び込む、押しつける、駆られる、証明する、引っ張る、調べる、リスクを冒す、突進する、捕らえる、押しのける、緊張する、大股で歩く

書き手のためのヒント
キャラクターの感情的な反応は、その心の奥底にある自己を反映している。キャラクターがどんな過去を持っているのかを考え、その背景がどのようにキャラクターを特定の行動に向かわせるのかを知ること。

後退形
葛藤→p. 110、受容→p. 214、不本意→p. 282

驚き

〔英 Surprise〕

【おどろき】
思いがけなく感嘆、喜び、恐怖を感じること
(ポジディブ、ネガティブどちらの場合もある)

外的なシグナル

- 口をぽかんと開ける
- 開いた唇に指で触れる
- 疑わしそうにじっと見つめる、あるいは放心した表情
- 頭をグイッと後ろにそらす
- 両手で頬を叩く
- 自分を驚かせた友人を、ふざけて叩く
- 一歩二歩すり足で下がる
- 金切り声を上げる、息が止まる、歓声を上げる
- たじろいで、両手の拳をぎゅっと胸に当てる
- 突然体が硬直する、筋肉がこわばる
- 歩いている途中で突然立ち止まる、もしくはよろめく
- めまい
- 目を見開く、目を丸くする
- 二度見する
- 声がうわずる
- 友だちの腕を掴む
- 顔を隠す
- 耳を塞ぐように、頭の両端をぎゅっと掴む
- 胸骨の前で指を大きく広げる
- 喉元に触れる
- 頬や首筋が紅潮する
- 背を向ける(驚きに対するネガティブな反応)
- 本や荷物を胸元にぎゅっと押しつける
- 近づいてくる人、もしくは話しかけてくる人を避けるように、片手を上げる
- 震える声、柔らかい声、とぎれとぎれになる声、信じられないという声
- 驚きの内容を理解するにつれて、ためらいがちに微笑む
- 大声で笑う
- ハッとする、息が苦しくなる
- 頭を傾ける、もしくは横を向く

内的な感覚

- 体がうずく
- 鼓動が激しくなる
- 突然体の中心が冷やされるような感覚(ネガティブな驚きの場合)
- 何が起きているのかわからなくなる
- ソワソワする
- 体中をアドレナリンが駆け巡る

精神的な反応

- 隠れたいと思う

発展形
安堵→p. 72、怒り→p. 74、危惧→p. 122、驚嘆→p. 138、幸福→p. 180、失望→p. 206

- 思考がぼやけて、きちんと考えられなくなる
- 見世物のように人にさらけ出されているような気がして恥ずかしい

一時的に強く、または長期的に表われる反応

- かがむ、両腕で頭を覆う
- 恐怖から倒れ込む
- 涙が出てくる、あるいは震える
- 顎を引っ込めて首を隠す
- 足がけいれんする
- 飛び退く
- 急いで手で口元を覆う
- 鋭い悲鳴を上げる
- 筋肉がこわばる
- 逃避反応（走り去る、隠れるなど）
- 闘争反応（驚かされた相手を突き飛ばす、安堵して相手を小突くなど）
- 身を守るように後退りして、両腕を体の中心に引く
- 言葉に詰まる、何も言えなくなる
- 悪態をつく、怒鳴りつける

隠れた感情を表わすサイン

- 笑顔を絶やさずにいようとして、かえってこわばる（ネガティブな反応）
- すばやくまばたきをする
- 目を見開く
- 両眉を上げる
- 唇を閉じたまま微笑む
- まったく驚いていないというように、頷いてみせる
- 体が一瞬こわばる
- ほんの一瞬、息が止まる
- 自分が握っているものに力を込める
- 最初の衝撃が過ぎると、両手をブラブラさせる

この感情を想起させる動詞

目を輝かせる、捕まえようとする、大声で叫ぶ、たじろぐ、じたばたする、ぽかんと口を開ける、息が止まる、呆然と立ち尽くす、掴む、しっかりと握る、ぐいっと引く、飛び上がる、笑う、退く、微笑む、キャーキャーと声を上げる、ぎょっとする、よろめく、悪態をつく、金切り声を上げる

書き手のためのヒント

感情を描くときは、新しい手法を恐れずにどんどん試してみよう。どの感情も偽りなく、しかしユニークな表現であるとよいだろう。

後退形
混乱→p. 188、受容→p. 214、反感→p. 266、満足→p. 294

怯え

〔英 Dread〕

【おびえ】
将来起こるかもしれない出来事や環境をひどく恐れ、
なんとかしてそれを避けようとする状態

お

外的なシグナル
- 両腕を掴み、胸のあたりに持っていく
- 胸元を覆うように、肩を前の方に丸める
- 首を曲げる
- 不快の原因から身をそらす、離れる
- のろのろと歩く
- 渋る
- その場を離れるために言いわけをする
- 小声で話す
- 一言で返答する
- 猫背、頭を垂れる
- 両膝をきつくくっつける
- 目を合わせない
- 体をひねる（不快なものから身を守ろうとする）
- 首を隠すかのように肩を上げる
- 汗をかく
- わずかに体を揺らす
- 手が震える
- 部屋の奥へ下がる
- グループの後ろについて、必要とあらば後退し逃げられるように間隔を空けておく
- 出口など、暗がりで安全な場所を探す
- 部屋に入る前にためらう
- 両肘を抱える
- 自分を小さく見せようとする
- 大きな物音にギクッとする、縮み上がる
- 何度も唾を飲み込む
- 体を保護するように、腹のあたりで腕組みをする
- 何かをいじる（自分の手首を掴んでひねる、ズボンで何度も手を拭くなど）
- 安心を与えてくれるものを握りしめる（ネックレスのチャーム、携帯電話など）
- 足をズボンの上から手のひらで繰り返しさする
- 唇や頬の内側を、血が出るほど強く噛む
- 顔色が悪い、具合が悪そうな様子

内的な感覚
- 胃がゴロゴロする、または重いような感覚
- 心拍が激しい、もしくは弱い
- 寒気
- 指が冷たい
- 胸がチクチク痛む
- 胸が重い
- 呼吸が苦しくなる
- 口の中に酸っぱい味が広がる
- 喉の奥が痛む
- 唾が飲み込めない

発展形
恐怖→p. 140、苦悩→p. 154、無力感→p. 300

- めまい
- 手足が震える

精神的な反応
- 逃げたいと考えるようになる、隠れたいと思う
- 時間がはやく過ぎてほしいと願う
- よい結果を迎えることが考えられなくなる
- 最悪の事態を想像し、救われたいと思う
- 物音がしたり何かが動いたりすると敏感に反応する

一時的に強く、または長期的に表われる反応
- 身震い
- 音に飛び跳ねる
- 人に触られるとギクッとする
- これから起こることを避けようとして、言いわけを探す
- 大きく呼吸する
- 交渉する、嘆願する

隠れた感情を表わすサイン
- ただ具合がよくないだけだというふりをする
- （テレビ、本、音楽などの）気晴らしに救いを求める
- 恐怖に乗っ取られないように思考を集中させる
- じっと体を動かさずにいる

この感情を想起させる動詞

身構える、失神する、萎縮する、叩きのめされる、恐れる、固く握る、想像する、（不安などが）つきまとう、パニックになる、蘇る、退く、ガタガタ震える、（小刻みに）震える、縮み上がる、意気消沈する、苦悩する、汗をかく、おののく、心配する

書き手のためのヒント

ストーリー全体から見て、キャラクターの感情の揺れを考えること。キャラクターが心の中の葛藤を経験しつつ成長していく姿を読者に読ませるのが、よいストーリーだ。

後退形
あやふや→p. 68、希望→p. 132、緊張→p. 146、自信喪失→p. 198、用心→p. 304

懐疑

〔英 Skepticism〕

【かいぎ】
疑り深く、つい何かを疑ってしまうこと

外的なシグナル

- 考え込みながら唇をぎゅっと結ぶ
- 首を傾げて動作を止める
- 首を横に振る
- 唇を一文字に結ぶ
- 両眉を上げる
- 咳払いをする
- 身につけているアクセサリーやほかのものをもてあそぶ
- 肩をすくめる
- 完全に同意したわけではない厳しい表情で頷く
- 挑戦的に構える
- ニヤッと笑う、あるいはあきれた表情をする
- 相手やその人の考えを払いのけるように、片手をひらひらさせる
- 証拠や証言を求める
- 起こりうる結果をリストアップする
- 丁寧に反対意見を言う
- 見下すように微笑む
- 否定的な意見を呟く:「そうは思わないが」「うまくいくとは思えない」
- じっとしていない（あたりを行ったり来たりする、指でトントン叩く、何度も時計を見るなど）
- 硬い表情
- こわばった姿勢
- 目を合わせずに、首の後ろを擦る
- しかめ面
- 唇を噛む
- 人と噂話をして、その場にいない人の選択やアイデアをそしる
- 中傷する
- 唇を舐める
- 言葉を濁す
- 過去にあった同じような出来事で、うまくいかなかった例を持ちだす
- 失敗しそうな要因をすべて挙げる
- 相手にわかるように身震いする、ゾッとしてみせる
- 爪を噛む
- 深いため息をつく
- その場を立ち去る
- 要点を明確にさせるため、テーブルを指でコツコツと叩く
- 「間違いない？」「もしああだったら、こうだったら？」といった質問をする
- 顎を突きだす
- 腕組みしながら黙って相手を見つめる

か

発展形
危惧→p. 122、疑心暗鬼→p. 124、疑惑→p. 144、屈服→p. 152、冷笑→p. 316

- 臭いものでも嗅いだかのように、鼻に皺を寄せる
- 鼻からスッと息を出す（鼻を鳴らす）

内的な感覚
- 胸が苦しくなる
- 鼓動や脈が増加する
- 筋肉がこわばる
- 突然アドレナリンが湧き上がり、脳が刺激されて行動に出る

精神的な反応
- 悲観的な思考
- 不確かな気持ち
- 相手の考え方、あるいは性格上の問題に目をつける
- 相手の考え方や立場を変えたいと思う
- 同じ意見を持つ人たちと一緒にいたいと思う

一時的に強く、または長期的に表われる反応
- 怒り
- イライラして我慢できなくなる
- 今までは心の中で怪しんでいただけなのに、それを口に出す：「君は間違ったことをしている」
- 相手の評判を落とす方法を探る
- 相手を黙らせたいと切望する
- 起こりうる議論が頭の中を駆け巡る
- ほかの人たちが真実を見抜けないことが信じられない
- 自分と同じ意見を持ってもらおうと、周りに積極的に働きかける
- 理屈っぽくなる

隠れた感情を表わすサイン
- 中立的な表情を保とうとする
- ぐずぐず歩く
- 目を見開くも、すぐ元に戻す
- すぐに支持を表明しなかったことについて謝る
- じっと座って両手を握りしめて、興味があるふり、注意を払っているふりをする
- 曖昧な態度をとる：「それは面白いアイデアだね」「それは考えてみてもいいかもしれない」
- 解決策として、まずは試験的にやってみることを提案する
- じっくり考えるためにもう少し時間が欲しいと頼む
- もっと考えをつめたり、調査してみる必要があるかもしれないと提案する

この感情を想起させる動詞

口論する、攻撃する、挑戦する、否定する、信用を落とす、誤りであることを証明する、異議を唱える、不信感を抱く、疑う、反対する、疑いをはさむ、反論する、にやにや笑う、冷笑する、鼻を鳴らす、嫌疑をかける、格闘する

書き手のためのヒント

主人公にとって楽な道を描かないように。困難を山積みにしよう。主人公を圧倒しよう。こうして、いったんは成功が不可能であるかのように見せるのだ。そうすれば、主人公が見事困難を乗りこえたとき、読者は素直に感銘を受けるだろう。

後退形
あやふや→p. 68、混乱→p. 188

懐古

〔英 Nostalgia〕

【かいこ】

またあの頃に戻れたらと思うような過去のある時期や状況を懐かしく思い出す

※懐古もホームシックも同じと見なされがちだが、この二つには微妙な違いがある。一般的に、懐古は過去を懐かしく思い出す感情だが、一方のホームシックには強い悲しみ、もしくは悲嘆さえ絡んでいることが多い。キャラクターがホームシックになっている場合は、「ホームシック」の項目（p. 292）を参照のこと。

か

外的なシグナル

- 焦点が定まらない視線
- かすかな微笑み
- ページをなでながら、ゆっくりとアルバムをめくる
- リラックスした様子
- 幸せで目が潤む
- 静かな声で話す
- 昔を思い出しながら、首を横に傾げる
- 控えめに笑い声を上げる
- 浅くため息をつく
- ゆったりと歩く
- ソファに腰を下ろし、自分にとって懐かしい時代の古い映画を見る
- ゆっくりと気怠げな動作
- 記憶を呼び起こすような出来事に、生き生きと反応する（ラジオから流れてきた昔の曲など）
- 記憶を呼び覚ましながら目を輝かせる
- 幸せな時間を象徴するような品をとっておく
- 昔の話を何度もする
- 思い出を共有する人たちを探し出す
- 思い出の品に優しく触れる（赤ん坊の毛布、結婚式の招待状など）
- もっと思い出そうとして、目を閉じる
- 過去の状況を再現しようとする（同じ匂いのキャンドルを焚く、昔と同じ服を着るなど）
- 自宅の中を歩き回り、子どもたちが巣立つ前の家の中がどんな様子だったかを振り返る
- 今の状況に、過去との接点を見つける：「彼にそっくりだわ」「僕たちが最初に買った車と同じ色だ」
- 出来事を共有した相手への優しさが増す（寄り添って座る、すばやくキスするなど）
- 思い出話をよくする
- 懐かしいあの人が大好きだったお菓子を焼く
- 思い出の場所を訪ねる（子どもが大好きだった遊び場、お気に入りだったレストランなど）
- ソーシャルメディアを使って昔の友人や家族を探す
- 古い時代やかつての友人のいいところばかり思い出し、悪いところは忘れている
- 懐かしい人とまたつながろうとする（突然電話をかける、訪問を計画するなど）

発展形

悲しみ→p. 112、感傷→p. 116、幸福→p. 180、切望→p. 232、不満→p. 284

内的な感覚

- 目が涙でチクチクする
- 興奮してソワソワする
- 全身がリラックスした状態
- 記憶をたどりながら呼吸がゆっくりになる
- 喉がつかえる
- 不自然な姿勢で座っているのに痛みやしびれを感じないなど、ぼんやりして気づかない
- 過去の出来事で体感したことを、再び経験する（過去よりも弱めに）

精神的な反応

- 思い出している間、時間の感覚がなくなる
- もう一度過去に戻りたいと切望する
- 心の中で過去の出来事を再現する
- 昔を鮮明に振り返りたくて、細かいことを思い出そうとする（友人のジャケットの色、よく一緒に夕飯まで食べていった子どもの親友の名前など）
- さまざまな後悔が浮かび（言わなかったことやしなかったこと、ためらったことなど）、懐かしく思い出せるようになるまでには心の整理が必要になる
- 過去の出来事によって、痛みを感じたり失ったものもあるが、それでも経験してよかったと満足感を抱く

一時的に強く、または長期的に表われる反応

- 現状に不満を抱く
- 過去の心の傷（破局、家族との確執、飛行機恐怖症など）と向き合うことになるけれど、それでも思い出の人とまたつながろうとする
- 昔楽しんでいたことを再開する（ボランティア活動、ダンスを教える、合唱団に入って歌うなど）
- 今よりも過去について感情的になる
- 過去に思いを馳せることに膨大な時間を費やす
- ものをため込む傾向
- 今やるべきことや人との交流を怠る
- 前に進めない

隠れた感情を表わすサイン

- 思い出の品をとっておくことを自分に禁じる
- 涙をこらえる
- 過去を振り返るような機会を避ける（同窓会、かつての故郷を訪れるなど）
- 過去についての会話に加わらない
- ある人のことを話したがらない、または、その人の名前が出ると話題を変える
- 現実的になることで懐古の気持ちを隠す：「彼のおもちゃをとっておいたの。そうすれば孫にあげられるからね」

この感情を想起させる動詞

電話をかける、愛撫する、祝福する、大切に育む、泣く、しっかりと握る、軽く触れる、悲嘆に暮れる、にっこり笑う、抱きしめる、光栄に感じる、ハグする、冗談を言う、口づけする、笑う、黙想する、記念にする、熟読する、思案する、しげしげと見つめる、思い起こす、省みる、蘇る、思い出す、回顧する、昔話をする、共有する、ため息をつく、和らぐ、なでる、声に出す

書き手のためのヒント

キャラクターについて紹介するとき、その人物のディテールは控えめに描くのがよい。プロットもしくは人物の性格にとってきわめて重要な特徴以外は、読者の想像に委ねよう。

後退形

感謝→p. 114、切なさ→p. 230、つながり→p. 246、満足→p. 294

確信

〔英 Certainty〕

【かくしん】

固く信じて疑いのないこと

外的なシグナル

- 断固とした強い意志が表われる頷き方をする、すばやく首を縦に振る
- しっかりと人の目を見る
- ためらわずに約束する、自発的に行動する
- 断言的な言い方をする:「この法案は必ず通過する」「ここからの回復はあり得ない」
- 胸を張る
- 人の腕を掴むなどして、振り向かせる
- 姿勢がよい(背筋を伸ばす、まっすぐに立つなど)
- 首筋をまっすぐ伸ばし、顔を上げる
- 決断力がある(すばやく判断し、人に助言や意見を求めない)
- 規則正しい呼吸、冷静さが滲み出る
- ゆったりとした、オープンな姿勢
- 物静かに観察し、自分の能力を他人に証明する必要がない
- 人に質問を促し、それに答えようという意志がある
- 人との距離を縮める、自分のパーソナルスペースに人を招き入れる意思表示をする
- 質問にははっきり即答する
- 会話の中で、自分の信念を裏付けるための事実や過去の経験を述べる
- ごまかしたり、人を侮辱したりせず、自信たっぷりにポジティブに話す
- 人が疑うと、うるさそうに手を振る
- 根拠もなく心配する人には微笑みで返す
- どんな質問をされても答える
- 自分の信念を伝える必要があれば、語気を強め、きちんと言葉で説明する
- しっかりとした握手
- 人が自分に同調しないと突き放した言い方をする:「じゃあ、頑張ってくれたまえ」
- 率先して行動する、即座に反応を示す
- 自分から人にアプローチする意志がある
- はっきりとした口調
- 遠回しな言い方をせずに、自分の考えを相手に伝える
- 顔を触る、ものをいじるなど、ソワソワした仕草を明らかに見せない
- 提案ではなく、意見を述べる
- 自分の意見が正しいことを表明するため、大それた発言をする:「これに関して僕は正しい」「本当だよ、自宅を賭けてもいい」
- 自信溢れる動き(ためらわない、まっすぐ歩くなど)

発展形
うぬぼれ→p. 86、恐れ知らず→p. 92、自信→p. 196、自尊心→p. 202

- 独りよがりで、人に対して否定的な態度をとる

内的な感覚
- 胸が膨らむような感覚
- 口や喉、胸を震わせ鼻歌を歌う（確信に溢れ、心配をすべて吹き飛ばすかのように）

精神的な反応
- 同じように確信や信念を持っている人に親しみを感じる
- 詳細をすべて把握しなくても約束する意志がある
- 自分の信念を支える情報だけを重視し、それ以外は却下する
- 人を自分に同調させようと、例を挙げたり、情報を引用したりする
- 精神力を重視し、忍耐、不屈の精神、気力で乗り切ろうとする
- 精神集中力が強い
- 自分は無敵の存在であるかのような感覚

一時的に強く、または長期的に表われる反応
- 自信を強める
- 影響力を振るえるようにリーダー的役割に就く（それが重要である場合）
- 自分に同意しない者を脅かす
- 新たな情報に触れても、自分の考えとは相容れない事実は無視し、聞く耳を持たない
- 考えもせずリスクをとる
- 壮大な計画を立てたり、平気で危ない橋を渡ったりする
- 自分の信念を常に妨げ、揺さぶろうとする相手にいらだつ
- 重要なこととなると、自分のものの見方を人に押しつけ、喧嘩腰になる

隠れた感情を表わすサイン
- 人の意見やアドバイスを請う
- 知っているのにわざわざ訊く：「あいつが同意するなんていい兆候だよね？」
- 微笑みをさっと隠す
- アイコンタクトを避ける、うつむく
- まだ決心が固まっていないかのような口ぶり：「でもさ、本当のことはわからないよね？」

この感情を想起させる動詞

肯定する、同意する、断言する、請け合う、公言する、責める、主張する、確約する、転向させる、納得させる、信じる、関与する、任せる、自分の思っていることを言う、固執する、予測する、先見する、与える、影響を与える、知る、率先する、大げさに言う、刺激する、（信念に）従う、計画する、褒める、説教する、予想する、宣言する、押す、安心させる、強化する、頼る、確実にする、奉仕する、署名する、述べる、支える、信頼する、声に出す、自発的に行動する

書き手のためのヒント

キャラクターは常に感情というフィルターを通して世界を見ているはずだ。キャラクターが何を心配し、欲し、恐れるのか。各場面で、キャラクターの自我に影響を与えるものは何か、それによってキャラクターの感情がどう左右されるのか、キャラクターがものの見方をどのように変えるのかを考えよう。

後退形

驚き→p. 94、葛藤→p. 110、気がかり→p. 120、疑念→p. 130、混乱→p. 188、心配→p. 224

愕然

〔英 Appalled〕

【がくぜん】

嫌なことを経験し、動揺する

か

外的なシグナル

- たじろぐ、反射的に飛び退く
- 嫌そうな顔をする
- 人に聞こえてしまうほど大きく息を吸い込む
- 口をぽかんと開く
- 目を見開いてせわしなくまばたきする
- 後退りながら顔を背ける、うつむく
- 眉をひそめる
- 顎がたるむ
- 何がどうなっているのか頭を整理しようと、ゆっくり深いため息をつく
- 何か言おうとするが、言葉が出ない
- 背筋がピンと張り、傍目にも筋肉がこわばっているのがわかる
- 手で口を押さえる
- シャツを胸元で握りしめる
- ハッとして口を押さえたその手で胸を押さえる
- 目や耳にしたことを受け流すかのごとく、手で払いのける
- 唾を飲み込んでから話し出す
- 悪い知らせを聞いたショックから回復し「なんだって？」と詰問する
- にわかには信じがたく「え？」「今の見た？」と反応する
- 肩をすぼめ、首を引っ込める
- 胸をさする
- 顔面蒼白になる
- 直立不動になる
- 何かを拭い取るかのように服で手のひらを拭う
- 後退りして距離を置く
- 背を向け、両手で顔を覆う
- 言葉を探しながら、しどろもどろに話す
- こめかみに手を当てて首を横に振る
- 声を上げる
- 愕然とさせられた状況について人に話すとき、身振り手振りが大きくなる

内的な感覚

- 胃が締めつけられ息苦しい
- 口が渇く
- 一瞬呼吸困難に陥り、めまいがする
- 肩で息をし、手が汗ばむ
- 自分がどこにいるのかわからなくなる
- ショックが怒りに変わり、顔や首筋が火照り出す

発展形

怒り→p. 74、嫌悪→p. 166、反感→p. 266、反抗→p. 268

精神的な反応
- 目の当たりにしたことを心の中で再現する
- 何が起きたのか理解しようと意識を集中させる
- 今後悪い影響が出るのではないかと考えが先走る
- 体を触られたくない
- 相手への失望がこみ上げる
- 誰か、何かのせいにしたくなる
- どうしてこんなことになったのか理由が知りたい

一時的に強く、または長期的に表われる反応
- 目頭が熱くなり涙を流す
- しどろもどろになる、口が利けなくなる
- あの瞬間を何度も振り返る
- 事態を予測できなかった自分、誤って人を信用してしまった自分を責める
- 不信感が（他人、特定人物、社会などへの）幻滅に変わる
- 腹の虫が治まらず、挑戦的になる（闘争反応）
- どうしてよいかわからなくなり現状から逃げ出したくなる（逃避反応）

隠れた感情を表わすサイン
- 目を少し見開く
- 表情がこわばる
- 一瞬口をぽかんと開ける
- 口を一文字に結ぶ
- ゴクッと唾を飲み込む
- 自分の感情を悟られたくないから黙り込む
- 冷静になろうと、背を向ける、目をそらす
- 少しためらって、咳払いして気持ちを落ち着かせてから、話や注意をそらす

この感情を想起させる動詞
後ずさる、尻込みする、青白くなる、気色ばむ、たじろぐ、ぽかんと口を開ける、息が止まる、ゾッとする、感情を害する、怒りを引きずる、かき乱される、ひるむ、追い払う、ガタガタ震える、ショックを受ける、縮み上がる、吐き気がする、ぶち切れる、うるさく不平を言う、ぐらつく、ぎょっとする、よろめく、どもる、言いかけてやめる、汚点がつく、落選する、平静を失う、顔が引きつる

書き手のためのヒント
感情は純粋で美しいものとは限らない。キャラクターが心の闇を垣間見せることもある。その闇がストーリーに重要であれば、恐れずにその瞬間を書き表わそう。キャラクターの心の闇が真実味を持って読者に伝われば、それを包み隠さず書いた書き手の努力を認めてくれるはずである。

後退形
幻滅→p. 172、失望→p. 206、不信→p. 280

価値がある

〔英 Valued〕

【かちがある】
自分には価値があり、大切にされていると思うこと

か

外的なシグナル

- 頭を高く上げ、しっかり地に足をつけて立つ
- しっかりと大股で歩く
- 深呼吸して精神を統一し、今を楽しむ
- 思わず笑みがこぼれることが多くなる
- 新しいことに挑戦する（恐怖や疑念を振り払う）
- 礼儀正しい（躊躇せずお礼を言う、人の邪魔をしないなど）
- 人とよく喋るようになる
- 人が話しているとき身を乗りだして話を聞く
- 自分から話しかける
- 人の目をきちんと見て話す
- 人のために時間を作る
- 笑う
- 前向きで明るい
- 足を開く、腰に手を当ててリラックスして立つ、ジェスチャーを交えながら話すなど、もっと場所をとるようになる
- のんきで鷹揚とした態度
- 隠しごとをしたり、言い控えたりしない
- 人の噂をしない
- 人の話を聞きながら、頷いたり微笑んだりする
- 人を応援する
- 人と交流するとき、相手の体に触れ、親密な雰囲気を作る（ハグする、肩と肩をぶつからせる、手を握るなど）
- 愛想がいい
- 自分がしたくないと思うようなことは、人にも頼まない
- 思いやりがある（褒め言葉をかける、贈り物をする、自分の時間を使って人を助けるなど）
- 聞き上手
- ぐずぐずせずにやるべきことをやり、意欲を失わない
- 仕事はせっせと頑張り、家族には奉仕する（職場に遅くまで残るし、自分の時間も有意義に使う）
- 躊躇せず、ルールに従う
- 人の話に熱心に耳を傾ける
- 誰かに自分の名前を呼ばれると、微笑んで応える
- 肩を叩くなど、親しみを持って体に触れたり触れられたりするのは平気
- 外見に自信を持つ（身なりを整える、清潔にするなど）

発展形
うぬぼれ→p. 86、幸福→p. 180、自信→p. 196、自尊心→p. 202、満足→p. 294

- よく人を助ける（誰かの仕事を手伝う、使い走りに出る、誰かの保証人になるなど）
- 見返りを期待せずに、人の頼みを聞く
- 寛大
- 自力で生きていける

内的な感覚

- 筋肉が弛緩する
- 呼吸が楽になる
- 胸が膨らむような感覚（ウキウキするような感じ）

精神的な反応

- 自分が属す会社やグループ、あるいは国のことを思い、そのよさを考える
- 人生ここまで到達できたことや、その中で出会った人々に感謝の気持ちを持つ
- 自分が大切にしている価値観が社会に根付くことを願い、それを社会に還元したいと思う
- 自分の仲間を発見したような気分になる
- 自分をさらに磨くため、勉強して新しいスキルを身につけたいと切望する
- その人に値すると思えば、その人が求めるものを与えたいと思う
- 人が自分を助けてくれるから、リスクをとることを厭わない

一時的に強く、または長期的に表われる反応

- 仕事を一生懸命にやり、言われた以上のことをやる
- 上司などに忠誠心を持つ
- 幸せや満足を感じる
- 自分の考えや意見を人に隠さない
- 人との距離を縮め、個人的な関係を築きたい
- 相手に感謝していることや、その人の価値を自分は認めていることを伝えたい

隠れた感情を表わすサイン

- 安心できるまで確認したがる：「私の仕事にご満足いただいているでしょうか」
- 自分の価値が認められているとわかっている場合は、されに褒められる状況を作り出す
- 自分をさらに磨くためフィードバックを求める：「次回のため、改善すべき点があれば教えてください」「何かもっとしてほしいことがあれば言ってね」
- 認められようと努力する

この感情を想起させる動詞

助言する、目を輝かせる、築く、気づかう、慈しむ、協調する、祝福する、尽くす、力を与える、意見を交わす、自分の思っていることを言う、蓄積する、援助する、改善する、分けへだてしない、冗談を言う、笑う、耳を傾ける、人を指導する、オープンになる、さする、喜びを与える、共有する、微笑む、社交的に活動する、支える、触れる、信頼する、肯定する

書き手のためのヒント

読者の感情を引きつけるには、読者が自分を重ねられるような現実的な境遇にキャラクターを置くこと。たとえば、兄弟姉妹間でライバル意識を燃やしている、本当のことを言っているのに信じてもらえない、愛しているのに愛されないなど。

後退形
あやふや→p. 68、苦痛→p. 148、自信喪失→p. 198、冷笑→p. 316

価値がない

〔英 Worthlessness〕

【かちがない】
自分は役立たずだし重要でもない、ちっぽけな存在だと感じること

か

外的なシグナル

- 物思いに耽った、苦しい表情（眉間に皺を寄せる、よどんだ表情など）
- 目を合わせず、うつむく
- 手を隠す（ポケットに突っ込む、脇の下に挟み込むなど）
- ためらいがちに話し、言葉がすらすらと出ない
- 小声でボソボソ話す
- 元気がない
- できるだけ場所をとらない
- 崩れた姿勢（猫背になり、腕がだらりとするなど）
- 無反応になる（感情をあまり表わさない）
- 体をかばう（人と話すとき真正面に立たずに斜めに立ち、すぐに逃げられるような格好で話す、腕を組んだその手で肘を掴むなど）
- 緩慢な動き（足を引きずって歩くなど）
- 自分を落ち着かせるかのような仕草（腕をさする、袖をなでるなど）
- 誰かが不自然に話しかけてきたり反応したりすると、どうふるまえばよいかわからず、驚きを示す
- 社交の場を避けるが、実は人とのつながりを切望する
- 人に侮辱され、いじめられても、歯向かわない
- 批判にたじろぎ、逃避したくなる
- 引きこもって独りになりたい
- 人と比較されやすい状況を避ける（劣等感を感じるから）
- 自分の考えは間違っていると思い込んでいるため、意見を言わない
- 人前で話したり自己主張したりするのを拒む
- 期待に応えられないから目標を設定したがらない
- 自分のような人間は人の手を煩わしてはいけないと思い込んでいるので、助けを求めようとしない
- 自分の健康や衛生面などを顧みない
- 思わず泣いてしまうことが多い
- 鏡に映る泣き顔の自分を見て、人に見られているような気持ちになる
- 人に褒められても、自分の欠点をあげつらう
- 自己卑下
- 人と一緒にいても孤独を感じる
- すぐに諦める（失敗するに決まっている

発展形
意気消沈→p. 76、自己嫌悪→p. 192、恥→p. 262

と思っている）
- 頼みごとを断らない（たとえそれが不公平で、面倒なことになるとわかっていても）

内的な感覚
- 目が熱くなる
- 体全体が重く、鈍い痛みを感じる
- 将来のことを考えると、胸や胃が痛くなる
- 喉が慢性的に痛む
- 浅い呼吸しかできない（胸が締めつけられる）

精神的な反応
- 心があやふやで無関心になる
- 失敗することばかり考えているので、結果的に失敗する（自己達成的予言）
- やる気をそぐような独り言を言う：「黙れ。お前の考えていることなんて誰も聞いちゃいないんだから」
- 自分の能力を常に疑う
- 何をやらせても自分はだめで、違う人間になりたいと思う
- 嫉妬しがちになる
- 大小関係なくミスはすべて自分に価値がないことの証だと思う
- 他人が自分のことを否定的に判断していると感じる（コンプレックス）
- 美しいものに圧倒され、涙を流すこともある

一時的に強く、または長期的に表われる反応
- 常に疲れている
- 仕事や学校の成績がよくない
- 自分に価値があると思わせてくれる人を探し求める（たとえそれが悪い人であっても）
- リストカットなどの自傷行為に走る
- 自分の命を危険にさらし、偶然に身を任せる
- ドラッグや避妊なしのセックスなど悪習慣に走り、やけになる
- 鬱
- 自殺を考えたり試みたりする

隠れた感情を表わすサイン
- ぎくしゃくした有害な人間関係を築き、それを維持する
- 自分の基準や期待を下げる
- 作り笑いを浮かべる
- 自分を「よく」見せようと、嘘をつく
- 自分と関わりのある卑劣で虐待行為をする人をかばう発言をする
- 他人に親切にするのは、自尊心が低いからではなく、人のためを思ってのことだと見せかける

この感情を想起させる動詞
避ける、けなされる、非難される、はぐらかす、萎縮する、泣く、身を切る、却下する、顧みない、危険にさらす、たじろぐ、憎む、隠す、身をかがめる、傷つく、憎悪する、おろそかにする、ひるむ、拒絶する、明かす、体をかばう、肩をすくめる、崩れ落ちる、すすり泣く、卑下する、緊張にさらされる、もがく、苦悩する、自分を安く売る、気弱になる、涙を流す

書き手のためのヒント
キャラクターの感情的な反応がしっくりこないなら、設定を変えてみること。キャラクターが独りでいるなら、人と一緒にいる場面に変える。逆に、人と一緒にいるなら、キャラクターを独りにさせ、場違いに感じてしまうような場面に変えてみよう。

後退形
唖然→p. 64、希望→p. 132、自信喪失→p. 198、ネグレクト→p. 254

葛藤

〔英 Conflicted〕

【かっとう】

相反する感情を体験すること

か

外的なシグナル

- わずかに険しい表情で唇をぎゅっと結ぶ
- 何度も唾を飲み込む、まばたきをする
- 鼻筋に皺を寄せる
- 笑顔がゆがむ
- 視線が彷徨う、正面からのアイコンタクトを避ける
- ある動作をしようとしてはやめる（手を伸ばしては躊躇する、途中で方向転換するなど）
- 会話が成り立たない、自分で言いよどむ
- 虚ろな反応しかできなくて謝る
- 発言しようとするものの、結局口を閉じる
- 適当な言葉を見つけるのに苦労する
- やんわりと首を横に振る
- 応援すると言うが、その口調に熱意がない
- ますます喋らなくなる、活気がなくなる
- 首や頬をかく
- 耳を擦る、引っ張る
- もう少し情報を得るために、質問を投げかける
- 似たような経験や状況について人と話す
- 人がこういう場合どうするのか、意見を集める
- 一度落ち着いてじっくり考えたいと思う
- 下唇を擦る、つまむ
- 喉で「んー」という音を出す
- 頭を左右に傾ける
- 深く息を吸い込んでから、ゆっくりと吐きだす
- 複雑な心境を理由に、自分の覇気のない反応を謝る
- すべてを理解するだけの時間が欲しいと要請する
- 人差し指で唇をトントンと叩く
- うつむいて、顔をしかめる
- 目を閉じて、額の中央を擦る
- 葛藤または驚きを口にする：「これは非常に難しい判断だ」または「すまない、気づかなかったんだ」
- 膝を曲げ伸ばす
- 落ち着かない様子
- あたりを行ったり来たりする
- 手で髪をかき上げる
- 服の皺をのばす、ものに触るなど、せわしなく手を動かしている
- ジェスチャーを取り消す（微笑みながらも首を横に振る、頷きながらも顔をしかめるなど）
- 片手で肘を支え、もう片方の手で拳を握

発展形
圧倒→p. 66、混乱→p. 188、不安→p. 276、フラストレーション→p. 286

りしめ口元に当てる
- 頬を膨らませて空気を飲み込む、または息を吐きだす
- 両手を宙に向かって伸ばし、空中で両者を「天秤にかける」ような動作をする
- 状況的にそうするのが適切だと思い、熱意があるふりをする
- 控えめ、もしくは人より遅い反応

内的な感覚
- 頭痛
- 体が重い
- 胸が締めつけられる
- 腹の中が沈んでいくような、気がめいる感じ

精神的な反応
- 賛否を天秤にかける
- 情報を探る、求める
- 最終的な決断の悪影響を被るかもしれない人々に罪悪感を抱く
- 事態の影響を把握するために「もしこうなった場合は？」と考える
- 心の中の葛藤を口に出して言いたくなる
- その場を離れ、どこか頭の中を整理できるような静かな場所へ行きたいと切望する
- 心の中の葛藤にしか意識が向かなくなる
- 心を決めるために道徳的信条を持ちだす

一時的に強く、または長期的に表われる反応
- 乱れた容姿（ボサボサの髪、しわくちゃの服など）
- 「カギ」となる解決策を求めて、情報収集に没頭する
- 胃の不調、食生活の乱れ、または食欲不振から、体重が減る
- ストレスによる頭痛
- 不眠
- 自信喪失
- あらゆる決断を避ける
- 髪が抜ける

隠れた感情を表わすサイン
- 自分は決断を下すのにふさわしくないと告げる
- 事態を避けるために言いわけをする
- 立て直すために休憩が必要だと提案する
- 場の緊張感を和らげ、雰囲気を明るくするために、ジョークを飛ばす
- 言われたことに対し、考えがまとまらないまま頷く

この感情を想起させる動詞

苦悶する、発言を撤回する、奮闘する、ぼやける、衝突する、競争する、矛盾する、分かれる、ほころぶ、当惑する、質問する、見直す、くよくよする、歪曲する、引き裂く、立ち止まる、どっちつかずの態度をとる、緊張する、もがく、取り消す、迷う、曖昧なことを言う、賭ける、おどおどする、はかりにかける、目を奪われる、心配する、格闘する

書き手のためのヒント

必要な情報を共有するような場面においても、話の流れが止まらないように、登場人物たちの動き、行動、感情を描き続けよう。

後退形

あやふや→p. 68、疑念→p. 130、後悔→p. 174、不本意→p. 282

悲しみ

〔英 Sadness〕

【かなしみ】
不幸によって形作られる感情

外的なシグナル

- 泣きはらした顔、泣きすぎて目が赤くなる
- 剥げ落ちたメイク
- 涙の跡が残る肌
- 鼻をすする、鼻をかむ
- ため息をつく
- 言葉少なになり、黙り込んでいることが多い
- 涙声、もしくは涙でとぎれとぎれの声
- 自分の両手をじっと見下ろす
- 前かがみの姿勢（背中を丸める、肩を落とすなど）
- 遠い目、あるいは虚ろな目
- 一本調子な声
- 人に話しかけられても返答する気力がなく、なかなか会話に参加できない
- 口角を下げて、笑顔のない表情
- 顔を両手で覆い、その手をぱっと離す
- 腕を両脇にだらりと下ろす
- 腕を交差させ、自分の肩を抱く（自分を慰める）
- 椅子にきちんと座らず、崩れ落ちるように座る
- 重い足取り
- 力のない表情
- 濡れた虚ろな眼差し
- 両腕で頭を抱え込み、前かがみになる
- 覇気のない動き
- 顎が震える
- 必死でティッシュを探す
- 手足をぎゅっと体の中心に寄せる
- 空っぽの両手をじっと見つめる
- 気落ちしていることを言いわけする：「疲れているだけなんだ」「なんでもないよ、本当に」
- 世間との関わりが薄れていく

内的な感覚

- 熱いまぶた、もしくは涙でべとつくまぶた
- 喉がヒリヒリする
- 鼻水
- 喉や肺の痛み
- 胸や手足の重み、こわばり
- 視界がぼやける
- 元気が出ない
- 体が冷たく感じる

精神的な反応

- 時間がゆっくりと流れているような気がする

か

発展形
意気消沈→p. 76、懐古→p. 100、孤独→p. 186、フラストレーション→p. 286

- 質問に対しスムーズに返事ができない
- この先どうなるのかがわからない
- 内にこもり、人との関わりを避ける
- (睡眠、酒、人との交流などを通じて)悲しみを紛らわせようとする
- 独りになりたいと切望する
- 人に慰めてほしいが、それをどう伝えたらよいのかわからない
- 痛みを伴う話題を避ける
- 拒絶する
- 心の痛みを忘れるため、ほかのこと(仕事、他人の問題など)に集中する

一時的に強く、または長期的に表われる反応

- 食欲不振
- 何かポジティブなことが起きればいいのにと期待していたが、その希望をすべて失う
- 落胆
- やる気が湧かない
- 友人たちのポジティブさや幸せぶりを見るとより落ち込むので、友人を避ける

隠れた感情を表わすサイン

- 背を向ける
- 落ち着くために、いったん話をやめる
- 唇を噛む
- まばたきをする
- 咳払いをする
- 話題を変える
- 飲み物や食べ物に口をつける(気持ちが安定していることを人に証明するため)
- 震える笑顔
- 明るく装った声
- 自分の悲しみよりも、人の悲しみを和らげることに専念する
- 独りになるためトイレに立つ、あるいは飲み物をとりに席を立つ

この感情を想起させる動詞

失神する、縮まる、泣く、くじく、前かがみになる、引きずる、倒れる、内省する、だらだらする、うめく、執拗になる、わななく、ひるむ、揺さぶられる、ガタガタ震える、ふらふらと歩く、よろよろ歩く、鼻をすする、凝視する

書き手のためのヒント

会話においては、キャラクターが口頭で答える内容よりも、その人物が頭の中で考える内容に目を光らせるようにしよう。前者にフォーカスしてしまうと、不自然で一方的な会話になりかねない。

後退形
陰気→p. 82、切なさ→p. 230

感謝

〔英 Gratitude〕

【かんしゃ】

ありがたいという気持ち。恩を感じる、賛美する

か

外的なシグナル

- 目の奥が輝きに包まれた、柔らかい眼差し
- 人の手や腕を握りしめる
- 緩く握った拳で胸をトントンと叩く
- 胸に手を当てる
- 涙が溢れる
- 胸に手を当ててから、感謝する人やグループの方を指差す
- 微笑みをたたえ、唇に指を当てる
- 感謝の気持ちを繰り返し述べる
- 必要以上に長く人の手を握る
- ハグをする、愛情を示す
- 握手しながらその手を軽く握る
- 自然と笑みがこぼれ、表情が明るくなる
- しっかりとアイコンタクトをとる
- 「ありがとう」と言う
- 人のパーソナルスペースに入り込む、または自分のパーソナルスペースに人を歓迎する
- 両手を尖塔の形に合わせて唇に押しつける
- 人を称賛する
- 感情に溢れた声
- 人に軽く触れる
- 人の背中や肩に手を添える
- 目を輝かせながら頷く
- 贈り物、親切な行ないなど、感謝の念を示す
- 空を見上げながら両方の手のひらを高く上げる
- 人を褒める
- 力強く拍手する
- 体を前方へ向ける
- 手を振る、Vサインで祝福する
- 頭を後ろにそらし、しばし目を閉じる
- 礼、もしくは膝を曲げてお辞儀をする
- 投げキスをする
- 感謝の気持ちを表明する
- 感情を抑えようと、少し間を置いてから、または唾を飲み込んでから話す
- お世話になった人にいつか報いたいと心に誓う

内的な感覚

- 手足がうずき温もりに包まれる
- 全身の緊張がほぐれる
- 胸が上下するのを感じる
- 胸がいっぱいになる
- 顔が心地よい温もりに包まれる
- 膝がガクガクする

発展形

幸福→p. 180、高揚感→p. 184、つながり→p. 246、平穏→p. 288、満足→p. 294

精神的な反応
- 人の優しさや援助に恩返ししたいと熱望する
- よい意味で圧倒される感覚
- この気持ちをずっと記憶しておきたくて、この瞬間をしっかり味わいたいと思う
- 人を祝福するだけでなく、その人を特別な気分にさせてやりたいとも思う

一時的に強く、または長期的に表われる反応
- 崇拝
- 膝から崩れ落ちる
- 恩返しのためならなんでもしたいという欲求
- 嬉し涙
- 人とのつながりや愛情を感じる

隠れた感情を表わすサイン
- 目を閉じる
- 表情を隠すために首をすくめる
- アイコンタクトを避ける
- 密かに感謝の念を示すために、すばやくチラッと見る
- 注意をそらせる、話題を変える
- 咳払いをしてから話しだす（自分の声を整えるため）

この感情を想起させる動詞
真価を認める、目を輝かせる、お辞儀する、大切にする、握りしめる、（人を）包み込む、呼び起こす、自分の気持ちを表わす、（感謝を）伝える、ハグする、分けへだてしない、会う、頷く、差し出す、溢れる、明言する、約束する、光り輝く、手を差し伸べる、立ち上がる、選ぶ、共有する、きらめく、ぎゅっと握る、唾を飲み込む、トントンと叩く、感謝する、触れる、声に出す、温める、ささやく

書き手のためのヒント
キャラクターの感情的反応、キャラクターをつまずかせるような壁、あるいはこれから起こる出来事のヒントとなる会話など、どの場面でも、読者が思いもよらない意外な展開を盛り込むことを目標にしよう。

後退形
圧倒→p. 66、あやふや→p. 68、混乱→p. 188、脆弱→p. 228

感傷

〔英 Sappy〕

【かんしょう】

幸せになりたい、誰かと強く結ばれたい気持ちが
強すぎて（恋愛など）、涙もろい状態

※感傷は、その表われ方が懐古（ノスタルジア）に似ている。ただ一般的に、感傷は幸せな感情から生まれるものだが、懐古には切なさや悲しみが入り混じることが多い。キャラクターに悲しい反応を求める場合は、「懐古」の項目（p. 100）を参照のこと。

か

外的なシグナル

- 物憂い、緩慢な動き
- いつもより我慢強く寛容で、鷹揚
- 首を横に傾ける
- 幸せだった過去を思い出し、遠くを見つめる
- 昔の幸せな気持ちを思い出させてくれる人やものを見て、にっこり微笑む
- 両手を組み、その上に顎を乗せる
- べたべたといちゃつく
- 頬が赤らむ（自分の愚かさに気づいて）
- よくハグする
- 大切な思い出の品に指を這わせる
- 人と寄り添ったり抱き合ったりする
- 人に自分の頭や顎を擦り寄せる
- 相手の腕や背中を手でさする
- 相手の髪を揉みくしゃにする
- 相手の肩に頭をもたせかけて歩く
- 古いビデオを見る、センチメンタルな音楽をかける
- 幸せのため息をつく
- 理由もなく誰かに手紙やメッセージを送る
- 相手にプレゼントを買う
- 相手への思いを込めた詩や意味深い曲を集めたプレイリストなど、特別な贈り物を用意する
- 幸せな思い出や相手にちなんだ食べ物を料理する
- 古き良き時代の幸せな思い出を語る
- 自分の気持ちを言葉に出す：「今は何もかもが完璧ね」「君がここにいてくれてよかった」
- ふざけた笑い方をする
- 輝く潤んだ瞳
- 顔がほんのり紅潮する
- 泣き笑いする
- 顎が震え、幸せの涙で瞳が輝く
- 相手の匂いを思い出す香水、シャンプー、洗剤を買う
- 相手を褒める
- 相手があまり反応を示さなくても、自分を抑えきれない

内的な感覚

- 胸に温かいものが溢れる
- 胸が膨らむような感覚
- 涙で目がチクチクする
- やる気に溢れ、ソワソワする
- 相手が近づくと心臓がドキドキする
- 感情が高まる、あるいは胸が苦しくなる

発展形

混乱→p. 188、崇拝→p. 226、切望→p. 232、多幸感→p. 240、フラストレーション→p. 286

- 思い焦がれている相手や物事から離れていると落ち着かない

精神的な反応
- 思い焦がれている相手や物事が絡んだ幸せな思い出が頭の中をぐるぐる駆け巡る
- 機嫌がいい
- 穏やかな充足感
- 思い焦がれている相手や物事のことばかり考えている
- 思い出が誇張され、まったくポジティブなものにすり替わる

一時的に強く、または長期的に表われる反応
- べったりになり、相手に息苦しさを感じさせる
- 相手に度を超えた愛情を示す（入手困難なものをプレゼントする、手の込んだテーマのある夕食会を開くなど）
- 恋い焦がれるあまり、相手が離れていく
- いつも思い出話ばかりしているので、人が閉口する
- 相手と一緒にいられないと、感傷が悲しみやいらだち、怒りに変わる
- 感傷的な気持ちが、時とともに、バランスの取れた感情に落ち着いていく

隠れた感情を表わすサイン
- 相手に触れたいのに、触れない
- 幸せな思い出を想起させるものを見やったり、触ったりする
- 気が散ることが多く、自分に言い聞かせないと仕事に戻れない
- 常に相手のそばにいる
- 相手が自分に好意を示すと、興味がなくなってしまう

この感情を想起させる動詞

賛同する、目を輝かせる、握りしめる、寄り添う、しっかりと握る、抱きしめる、ハグする、口づけする、笑う、体をさする、微笑む、抱き寄せる、甘やかす、いちゃつく、ぎゅっと握る、なでる、恍惚となる、触れる、揉みくしゃにする、巻きつく

書き手のためのヒント

どのストーリーにも含めるべき感情がひとつあるとすれば、それは希望。希望がなければ、どんなにきめ細かく綴られたフィクションであっても中身は空っぽで、それに気づいた読者は、ストーリーから離れていくだろう。

後退形
幸福→p. 180、絶望→p. 234、満足→p. 294

感動

〔英 **Moved**〕

【かんどう】
気持ちが深く揺さぶられること

か

外的なシグナル

- 胸に手を当てる
- 目が輝く
- にっこり微笑む
- ゆっくりと動く
- 目を覆う
- 顎を引く
- 背を向け、あるいは外に出て、気持ちを噛みしめる
- 目を閉じて、深呼吸する
- 口を固く結び、顎が小刻みに震える
- 唇を指で押さえる
- 胸骨に手を置く
- 震える声で話す
- 感情的になって声がかすれる
- 無意識にうめき声を出す、涙を流す
- 感謝を表わす（手紙、感謝の贈り物、口頭などで）
- 頬を流れる涙を拭く
- 人を抱き寄せ、抱きしめる
- 感動を与えてくれる人に向かって頷き、じっと目を見つめる
- 一瞬全身の力が抜けた後、また我に返る
- 誰かにしがみつく（支えが必要）
- 椅子に倒れ込む
- 信じられないと頭を左右に振る
- 口の前で、両手の指の腹を合わせる仕草
- 鼻をすする
- ティッシュで鼻をかむ、涙を拭く
- 言葉が出ない
- 手が小刻みに震える
- 溢れる感情を抑えようと唇を噛みしめる
- ふらふらと立ち上がる
- 紅潮する
- その場で一緒に感動している人と手を取り合う
- 感謝の言葉を述べるが、くどくどと長い

内的な感覚

- 鼻や目の奥がチクチクする
- 喉がつかえる
- 重荷が消えたような軽い気持ちになる
- 手足の感覚がなくなる
- 胸に温かいものがこみ上げる
- 胸やお腹が「いっぱい」になったような感じ

精神的な反応

- 安堵感が押し寄せる
- 頭がぼうっとして考えがまとまらない

発展形
圧倒→p. 66、感謝→p. 114、幸福→p. 180、高揚感→p. 184、多幸感→p. 240

- 周囲が見えなくなる
- 感動を与えてくれた人や出来事のことばかり考える
- 自分の感情的反応を他人がどう思おうと気にしない
- さまざまな感情（喜び、安堵、感謝、驚きなど）が入り混じり、どうそれを表現したらよいのかわからない

一時的に強く、または長期的に表われる反応

- 気絶する
- 息が荒くなる
- 泣きはらしたせいでしゃっくりが出る
- エネルギーが漲り、眠れない
- 感謝の気持ちを伝えたいあまり、自己犠牲的になる
- 感謝している人にべったりになり、相手に息苦しさを感じさせる

隠れた感情を表わすサイン

- じっとして身動きしない
- 目を激しくまばたきする
- 背を向ける
- 唇を噛む
- ぶっきらぼうな声で感謝する
- 咳払いをする
- 自分の本心を表に出さないよう、なるべく言葉数少なく話す
- 感動を与えてくれた相手と自分との間に距離を置く
- ぞんざいに頷く
- 無表情になり、何を考えているのか読めない

この感情を想起させる動詞

わめきちらす、握りしめる、失神する、泣く、落とす、倒れる、息が止まる、力が抜ける、しっかりと握る、抱きしめる、ハグする、火がつく、頷く、押しつける、わななく、手を差し伸べる、ガタガタ震える、すすり泣く、かき乱される、触れる、おののく、涙を流す

書き手のためのヒント

キャラクターは内向的か、それとも外向的か——どちらの傾向があるかを知っておくと、キャラクターがどう感情を表わすのか、特に、ほかの人たちと一緒にいるときの感情の表わし方がわかりやすくなる。

後退形
唖然→p. 64、安堵→p. 72、不信→p. 280、喜び→p. 308

気がかり

〔英 Worry〕

【きがかり】
おもに今後の予定に関する心配が生じて、精神的に悩まされること

き

外的なシグナル

- 眉をひそめる
- 唇を噛む
- 喉元をつねる
- 足を上下に動かす、もしくは足で地面を軽く叩く
- 髪を引っ張る、もしくは指でねじる
- 黙り込んで、内にこもる
- コーヒーの飲みすぎや煙草の吸いすぎ
- 目の下にクマができる
- しかめ面
- 眠れずに、ベッドで寝返りを打つ
- やたらと質問を投げかける
- 片眉をなでる、擦る
- 洗濯していないしわくちゃの服を着る
- ズボンの上で両手を擦る
- ただまっすぐ伸びた髪、もしくは洗っていない髪
- 人とうまくコミュニケーションがとれない
- 何度も顔を擦る
- 人やものをじっと見据えることなく、視線が部屋のあちこちを彷徨う
- 愛する人たちにしがみつく
- 落ち着くために深呼吸をする
- 忙しくしていたくて、無意味な行動に出る
- 病気で休むと電話をかける
- 前かがみの姿勢
- 安心を求めて、セーターやハンドバッグ、ネックレスなどを掴む
- 爪を噛む、指の関節を噛む
- ぎこちなく髪をかき上げる
- 服の皺を何度ものばす
- 両手を握りしめる
- 肩が凝る
- 筋肉がこわばる
- つらそうな視線、もしくは潤んだ視線
- 咳払いをする
- まばたきが減る（目を閉じたら何か見過ごしてしまうのではないか、という不安から）
- ソワソワしてじっとしていられず、あたりをうろうろしたりする
- 座ったかと思えば立ち上がり、そしてまた座る

内的な感覚

- 食欲不振
- 胃が弱くなる
- 胸焼け、もしくはその他消化系の障害
- 口が渇く

発展形
怯え→p. 96、危惧→p. 122、疑心暗鬼→p. 124、不安→p. 276、用心→p. 304

- 喉が締めつけられる

精神的な反応

- 選んだことに対して確信が持てない
- 安全な場所を離れたがらない
- 集中力の欠如
- 状況をコントロールしたいと思う
- 過去の自分の行動を後悔する
- 人と距離を置く
- 物事を深読みして、分析しすぎる
- 最悪の事態を想定する
- 過保護になる
- 怒りっぽくなる

一時的に強く、または長期的に表われる反応

- 体重の減少
- 若白髪
- 皺が増える
- 学校の成績が落ちる、仕事の業績が悪化する
- 潰瘍
- 不安発作
- パニック障害
- 高血圧
- 心臓病
- 免疫不全で病気にかかりやすくなる
- 不眠症と疲労
- 心気症

隠れた感情を表わすサイン

- 時計やドアの方をこっそり見る
- 気持ちが落ち着かない
- こわばった笑み、あるいは作り笑い
- 自分の気を紛らすために、新しい趣味をはじめてみる
- すべて順調であるかのように、見せかけの態度をとる
- 移り気
- 無理矢理鼻歌を歌う、もしくは歌いはじめるがすぐにやめる
- 心ここにあらずという状態のまま、日常生活を送る

この感情を想起させる動詞

動揺する、尋ねる、しがみつく、文句を言う、批判する、要求する、うなだれる、時間を無駄にする、イライラする、騒ぎ立てる、そばを離れない、調査する、ブツブツ言う、しつこくつきまとう、執拗になる、うろうろする、引っ張る、繰り返す、やきもきする、目が回る、顔をゆがめる

書き手のためのヒント

天気について描くことで、場面に味わいと意味を加えることができる。キャラクターの気分が天気によってどのように変化するか、考えてみよう。さらに、天候はキャラクターが抱く目標を妨げるものとして、場面に緊張感をもたらすこともできる。

後退形

あやふや→p. 68、安堵→p. 72、心配→p. 224

き

危惧

〔英 Fear〕

【きぐ】
気がかりな状態。脅威や危険を恐れること

き

外的なシグナル

- 顔から血の気が引いて、青ざめる
- 体臭、冷や汗
- 汗でべとついた手を服で拭く
- 唇や顎が震える
- 首の筋が浮き出る
- 浮き出た静脈が脈打つのが肌の上からでもわかる
- 肘を体の両脇につけて、自分をできるだけ小さく見せようとする
- 凍える、その場に凍りつくような感覚
- 話ができない
- すばやくまばたきをする
- 肩をこわばらせる
- 目を見開くが状況は目に入らない
- 目を瞑る、あるいは泣く
- 両手を脇の下に押し込む、あるいは自分を抱きしめる
- 荒い呼吸
- 走ろうとしても、足の筋肉がこわばって足がもつれてしまう
- あたりを見回す、特に背後を確認する
- 思わず甲高い声を出す
- 声を低くしてささやく
- 背中を壁や角にくっつける
- コントロールできないほど震える
- 音にビクッとする
- 指の関節が白くなるほど、何かにぎゅっとしがみつく
- 膝をまっすぐ伸ばしたまま、ぎこちなく歩く
- 唇や額に玉の汗をかく
- 保護を求めて人にしがみつく
- 濡れた目、ギラギラした目
- 口ごもる、言葉を間違える
- 声が震える
- 身をよじったり、すくんだり、ものにぶつかったりとぎこちない動きをする
- 唇を舐める、水を一気に飲み干す
- ダッシュする、走る
- 震える手で額の汗を拭う
- ハッと息をのみ、息を吐きだす
- すすり泣きが止められず、手で口を押さえる
- 人に泣きついたり、独り言を呟いたりする

内的な感覚

- 手足が震える（結果的に動きがぎこちなくなる）
- 鼓動が激しくなり、胸が痛む

発展形

怒り→p. 74、怯え→p. 96、疑心暗鬼→p. 124、恐怖→p. 140

- 腕やうなじの産毛が逆立つような感覚
- めまい、足や膝がガクガクする
- 尿意を催す
- 息をひそめる、ハッと息をのんで静かにしている
- 胃が石のように固く感じる
- 気配や音に敏感になる

精神的な反応

- 不運が差し迫っているような気がして、逃げ隠れしたい
- 事態が目まぐるしく変わり、ついていけない
- 起こりうる事態が頭をよぎる
- 間違った推理をする
- 深く考えないまま行動に出る
- 時間の感覚がゆがむ
- 自分の判断を信用しない（身を守る場合）

一時的に強く、または長期的に表われる反応

- 抑えられない震え
- 失神
- 疲労、不眠症
- 心臓が弱る
- パニック発作、恐怖症、鬱
- 薬物乱用
- 人との接触を避ける
- けいれん（顔のゆがみ、顔がひきつる、独り言を言うなど）
- 興奮状態で痛みを感じなくなる

隠れた感情を表わすサイン

- 注意をそらす、もしくは話題を変えることで、心配ごとを退ける
- 危惧の原因に背を向ける
- 明るい声で話そうと努める
- 涙ぐみながら無理矢理笑顔を作る
- 逆の感情（怒りや欲求不満）を示して危惧していることを隠す、虚勢を張る
- ひっきりなしに同じ動作をする（爪を噛む、唇を噛む、肌をかくなど）
- うわずった声で冗談を言う

この感情を想起させる動詞

投げ捨てる、忍び寄る、泣く、逃げる、あたふたする、強いられる、立ちすくむ、息が止まる、えぐる、掴む、息を詰める、シーッと言う（黙らせる）、神経に障る、飛び上がる、打ち勝つ、パニックになる、麻痺する、貫かれる、わななく、突進する、急に襲われる、ガタガタ震える、金切り声を上げる、縮み上がる、ぎょっとする、不意を突かれる、きびすを返す、ドキドキする、苦しめられる、おののく、（感情を）爆発させる、うち震える

書き手のためのヒント

キャラクターが踏み込んでいく場面の雰囲気を描くように心がければ、読者も感情的体験にすんなり入り込むことができる。そうすると、たとえばキャラクターが不安でたまらない場面で、読者もその感情を体験することができるのだ。

後退形
圧倒→p. 66、安堵→p. 72、動揺→p. 250、用心→p. 304

疑心暗鬼

〔英 Paranoia〕

【ぎしんあんき】
過剰な疑い、あるいは筋の通らない疑いを持つこと。
もしくは人に不信感を抱くこと

外的なシグナル

- ギクッとする、すぐ驚く
- 歯を食いしばる
- 目が見開き、視線がソワソワしている
- 度を越した安全対策をとる（鍵を何重にもかける、番犬を複数飼う、監視カメラの設置など）
- 手が落ち着かずモジモジしている
- ぐっすり眠れない、不眠症
- 両手を上げて後退りする
- まばたきをほとんどしない
- 胸の前で両腕をきつく組む
- ボソボソ呟く、独り言を言う
- 神経質なほど体をかく
- 汗をかく
- 充血した目
- 部屋に入るとまず出口を探す
- これまで以上に大きくパーソナルスペースを確保したくなる
- 常に油断しないために、カフェイン飲料や薬に頼る
- 日光に当たらないため、肌が青白い
- 乱れた格好
- 自分に害を及ぼそうとしたとして、罪のない人々を責める
- 顔のけいれん、体がビクッとする
- 速く危なっかしい足取り
- 常に後ろを振り返る、もしくは次の角に警戒する
- 擦れて不快であるかのように、服を引っ張る
- 過激派とつるむ、陰謀論を信じる
- 現実離れした信念や意見を支持する
- すぐ気を悪くする、すぐ自己防衛する
- 敵と思われる人に対しては誰にでも言葉で攻撃する
- 無意味、もしくはばかげた意見をまくし立てる
- 信用しがたい情報源を挙げる
- 内容がどれほど奇妙であっても、自分の信念を頑として曲げない
- 完璧主義の傾向
- 強迫行動
- 人が準備してくれた食事や飲み物に手をつけない

内的な感覚

- 疲労
- いつも体をこわばらせて、戦闘態勢もしくは逃避態勢でいる

発展形
怒り→p. 74、危惧→p. 122、激怒→p. 160、執拗→p. 208、自暴自棄→p. 210、憎しみ→p. 252

- 気配や音に敏感になる
- 心臓がドキドキする
- 神経や皮膚がひどく冷える
- アドレナリンの上昇、イライラする

精神的な反応
- すべてのものに危険な面を見出す
- 判断を急ぎすぎる
- 人は思惑や真意を常に隠すものだと思い込む
- 自信過剰になる
- 理不尽な反応をする、筋の通らない結論に飛びつく
- よく眠れずに心的疲労を引き起こす
- 信用することができないため、人と関わることができない
- いつも最悪のシナリオに目を向ける
- 物事をネガティブに考えるようになる
- 見られている、あるいは追いかけられているような感覚
- 周囲に裏切られたと思い込む
- 安全でいるために、迷信的な信仰に頼る

一時的に強く、または長期的に表われる反応
- 攻撃者と思われる人から身を守るために、警察などに通報する
- 人と長期にわたる関係が築けない
- 孤立
- 俗世と離れた生活を送る
- 自分はもう社会の法に縛られて生きる必要はないと信じ込む
- 現実とのつながりを完全に断ち切る
- 幻覚を見たり、妄想したりする
- 激怒
- 不安発作、恐怖症、精神病

隠れた感情を表わすサイン
- 社交的な場を避ける
- 社会的な交流を持とうとするが、目は用心深くソワソワしている
- グループの一員であるように見せるため、すべてのことに同意する
- 普通に見えるように、人を観察してその仕草を真似る
- 凍りついた、もしくは過度に浮かれた笑み
- 異様に高い声、もしくは妙な笑い声を上げる
- 薬を飲む、あるいはセラピーに頼る

この感情を想起させる動詞
分析する、口論する、慌てて逃げる、つっかかる、矛盾する、ソワソワする、固執する、たじろぐ、ぐいっと引く、飛び上がる、執拗になる、じっと見る、詮索する、気が焦る、急ぎ足で動く、身震いする、ぶち切れる、嗅ぎ回る、疾走する、事を起こす、引きつる

書き手のためのヒント
会話で注意したいのは、キャラクターの話す内容そのものがいつも大事というわけではないことだ。ときには、その言葉をどう伝えているか（または、言葉に隠された本音はいったい何か！）という方が大事である。

後退形
懐疑→p. 98、心配→p. 224、用心→p. 304、冷笑→p. 316

期待

〔英 Anticipation〕

【きたい】
希望に満ちた予想。心待ちにすること

き

外的なシグナル

- 手に汗をかく
- 手が震える
- 足を組んだりほどいたりする
- 行事について一心不乱に計画を立てる
- リストを作る
- 胸のあたりで両手をぎゅっと握りしめる
- ほかのことについて考えたり話したりすることができなくなる
- 早く動けば物事も早く進むと信じているかのように、せかせか動く
- つま先を上下に弾ませる
- 目を輝かせながら、人や周りの環境と触れ合う
- 服をいじる、ものを移動させる
- 窓のそばで待つ、玄関や電話のそばをうろうろする
- ヘアスタイルやメイクを鏡の前で何度もチェックする
- 周囲とクスクス笑いながら興奮を分かち合い、噂をする
- 目を瞑って歓声やうなり声を上げる
- 興奮して足を踏み鳴らす
- 手で顔を覆い、隙間からちらりと覗く
- 唇を噛む
- 卒倒するふりをする
- いろいろ質問を投げかける：「どれくらい？」「いつ？」「なんだって？」
- 唇を舐める
- 目を閉じてため息を漏らす
- あたりを行ったり来たりする
- リズミカルな動き（片足をブラブラさせるなど）
- 何回も時計に目をやる、メールを何度もチェックする
- これから起こることについて、友人と電話で話す、もしくはメールをする
- 相手の腕を掴み「教えて！」と言う
- 身を乗りだす
- ワクワクしすぎて食事が喉を通らない
- 人に詳細や答えを教えてとせがんだり、あるものを見てほしいと頼んだりする
- 人に触られると敏感に反応する

内的な感覚

- ソワソワして、胃が空っぽな感じ
- 息切れ
- 心臓がドキドキする
- 全身がうずうずする

発展形
興奮→p. 182、嫉妬→p. 204、欲望→p. 306、喜び→p. 308

精神的な反応
- 空想に耽る
- 何事にも完璧を目指し、心の中で何度も確認し、準備万端にする
- 何か悪いことが起こり台無しになるかもしれない、と恐れる
- 集中力の欠如
- この先起こりそうなことを想像する
- 自己批判的になる（自分の服装から能力まであれこれと疑問を抱きはじめる）

一時的に強く、または長期的に表われる反応
- 睡眠不足
- 不満、焦り
- 短気になる、イライラする
- そのほかのことに構わなくなる（責任、友人、家族など）
- 現実からひどくかけ離れたような出来事を妄想する、作り上げる
- 考えすぎる（分単位で詳細を決めておこうとするなど）
- 準備に熱中しすぎる（やりすぎなくらい着飾るなど）

隠れた感情を表わすサイン
- 不自然なほどじっと動かずにいる
- 唇をぎゅっと結ぶ
- 汗をかいている両手を服に擦りつける
- 本を読んだりテレビを見たりしているふりをする
- 首の筋肉がぎゅっと引き締まる
- 両手をぎゅっと握りしめる
- 会話を避ける
- 時計やドアの方をちらちら見る
- 退屈を装う
- 気にするなと自分に言い聞かせる
- ほかのことに興味があるふりをする
- 肩や首をほぐすように回してみせる
- 話題を変える

この感情を想起させる動詞

奮起する、待ち望む、目を輝かせる、懇願する、弾む、ざわつく、食いしばる、興奮する、期待する、あたふたする、ひらめく、赤らめる、にっこり笑う、高まる、願う、すがる、わななく、気が焦る、震える、生き生きする、推測する、じっとしていられない、かき鳴らす、張りつめる、ワクワクする、うずうずする、おののく、勧める、目を奪われる

書き手のためのヒント

もし、作品を読んで批評してくれた人から、キャラクターの感情的反応に戸惑いの声が上がったら、その感情に向かうための引き金となる出来事が、読者にはっきりとわかるように描かれているか見直してみよう。真の感情を作り上げていくには、必ず因果関係を書いておかなければならない。

後退形

幻滅→p. 172、失望→p. 206、無関心→p. 296

気づかい

〔英 Concern〕

【きづかい】
人または物事のことを真剣に考えている、
あるいは個人的関心を持っている

外的なシグナル

- 眉間に皺を寄せる
- 首を傾げ、じっと人の目を見る
- 何か言いたげに口を開くが、ちょっと考えてから話し出す
- 考え込んでいる様子でせわしなくまばたきする
- 気づかっている相手に近づき、身を乗りだす
- じっと身動きせずに観察する
- 気づかっている対象にほんの少し近寄るが、そこに留まる
- 次々と明らかになる事実の重要性を理解しようと鋭い質問をする
- 人から詳しく説明を受けながら頷き、まばたきをする
- 目を丸くする
- 口を一文字に結ぶ
- 気づかっている相手のパーソナルスペースに入る
- 「大丈夫？」「これって君にとってはどうなの？」と訊く
- ほかの人を受け入れるオープンな姿勢を保つ
- 声をひそめる、重々しい口調
- 人の話を聞いたり考えごとをしたりしながら顎をつまむ
- 顔を頻繁に触る
- 状況をしっかり把握しようと質問し、説明を求める
- 考えごとをしながら口を覆う、唇を指でなぞる
- メモを取る、さらに調べ物をするのにスマートフォンを取り出す
- 気づかっている人を軽く抱きしめる、背中をさする、肩を叩くなど体に触れる
- 話をしている相手に膝を向け、身を乗りだして話を聞く
- 無作法からではなく、知りたくて人の話を遮る
- ほかの人にも質問をするよう促し、もっと詳しく知ろうとする
- ありきたりの言葉をかける：「そのうちわかるよ」「何事もないと思うよ」
- （求められてもいないのに）善意から助言する
- 人の心配ごとをもっともだと認める：「なるほど」「君がどうして心配しているのかわかるよ」
- 相手が支えられていると感じられるよう、

き

発展形
憐れみ→p. 70、気がかり→p. 120、短気→p. 244、不安→p. 276、フラストレーション→p. 286

個人の問題としてではなく、みんなの問題として話す
- 席を譲る、飲み物を差し出す、一緒に散歩するなど、ささいだが相手が安らげるようなことをする
- 間に入ろうかと声をかける、自分のリソースを使って調査する、または使い走り役になって助ける
- 問題解決に向け、プロジェクトや社会運動にボランティアとして協力する
- 「助けが必要ならいつでも言ってくれ」などと声をかけ、心配していることを伝える
- 人が今の状況をうまく乗り切れるよう、自分の人脈を利用する

内的な感覚
- 鼓動が激しくなる
- 筋肉がこわばる
- 心配ごとが続き、体がこわばる

精神的な反応
- 気づかっている相手や物事に意識を集中しすぎる
- 他にも優先すべきことや任されていることがあるのに忘れてしまう
- 人の気持ちをもっと理解しようとちょっとした言動に気を配る
- 熱心に耳を傾ける
- 利害関係や空気を読もうと人の癖をすばやくチェックする
- 深読みし、分析する
- おせっかいを焼く
- 悪い結果や影響が出るのではと心が先走る
- 人を守りたいと思う
- なぜこういう事態になったのか振り返って理解しようとする
- 事情を詳しく知ってしまい、それが自分にどういう影響を及ぼすのかと考える

一時的に強く、または長期的に表われる反応
- 電話やメッセージ、直接訪問などでフォローアップする
- 状況や相手のことを執拗に考えてしまう
- さらに詳しく知ろうとして個人的に調べる
- 何かアイデアや解決策が見つかるのではないかと他人にも意見を求める
- 最悪の事態を考えてしまう
- ほったらかしにできない
- 気づかっていることをつい考えてしまう
- 自分の見解が正しいと誰かに太鼓判を押してもらいたい

隠れた感情を表わすサイン
- 大したことではないと取り合わない
- 話題を変える
- 肩をすぼめ、無関心な態度をとる
- 救済策を考えるため、口実をつけて独りになる
- 遠慮せず大声で話す

この感情を想起させる動詞

助言する、手を貸す、支持する、考慮する、専念する、抱擁する、強調する、検討する、自分の気持ちを表わす、集中する、助ける、分けへだてしない、巻き込む、耳を傾ける、質問する、熟考する、結びつける、繰り返す、調べる、心を奪われる、支える、触れる、自発的に行動する

書き手のためのヒント

キャラクターの感情の描写がずれていないかどうかを確認するには「なぜ」と問いかけてみることだ。なぜキャラクターはそれほどまで気にかけるのか、なぜこの瞬間がキャラクターにそれほど深い影響を与えるのか。その答えは、書き手の紡ぎ出すストーリーや描写から自ずと明らかになるはずだ。

き

後退形

安堵→p. 72、感謝→p. 114、希望→p. 132、好奇心→p. 176、受容→p. 214

疑念

〔英 Doubt〕

【ぎねん】

確信が持てない。起こりそうもないことを考える

き

外的なシグナル

- 眉を寄せて、険しい表情をする
- うつむく、顔をそらす
- 目を合わせない
- 唇をぎゅっと結ぶ
- すり足で歩く
- ポケットに手を突っ込む
- 咳払いをする
- 親指で耳に触れる
- はっきりとした答えは返せないような質問をし、熟慮の必要があることをほのめかす
- 自分の格好を何度もチェックする（自信がない）
- 遅延作戦に出る（ほかの選択肢を検討しようと持ちかけるなど）
- 言葉を切る、「えーと」などのつなぎ言葉を使う
- わずかに後ろに下がる
- グループもしくは行事で隅の方に留まる
- 頬を噛む
- 援助の申し出を断る
- 髪をかき上げる（またはそれ以外の不安で落ち着かない動作をする）
- 着ている服を引っ張る
- 硬い笑顔
- ためらいがちに頷く
- かかとを上げ下げして体を揺らしながら、床をじっと見ているふりをする
- 片眉を上げて首を傾げる
- いつもより頻繁に唾を飲み込む
- ある考えや選択を天秤にかけるように、首を左右に傾ける
- 両手の指の腹を合わせ、指同士を軽く叩く
- 軽く拳を握る
- 深く、重いため息
- 口をすぼめる
- 肩をすくめる
- 首を横に振る
- 保証、あるいは説明を求める
- 口論になる、疑問の声を上げる
- 起こりうる影響を挙げる
- 首の後ろを擦る
- 目を合わせないように、指輪や服のボタンをもてあそぶ
- 片手で顔を覆い、目を閉じる
- 息を深く吸い込んで、しばらく止めてから息を吐く
- ほかの手を巧みに提案する
- 躊躇する（渋々パンフレットを受け取る

発展形

気がかり→p. 120、疑惑→p. 144、自信喪失→p. 198、心配→p. 224、不信→p. 280

など）
- 腕もしくは足を組む
- 人の判断がどちらかに傾くことを期待して、第三者の意見を聞く

内的な感覚
- 胸が少し締めつけられる
- 胃が少しけいれんする

精神的な反応
- 現状を心配する
- 起こりうる「巻き添え被害」について先に考えておく
- 一度決めたことをまたくよくよ悩む（人材採用、アイデアの支援など）
- 事態を回避する方法はないか探る
- 意見に影響力を与えるために、証拠を掘り起こす
- うまくいくように願う、祈る

一時的に強く、または長期的に表われる反応
- 口を開くことを避ける、あるいははっきりと同意を示すことを避ける
- 現状から距離を置く方法を探す
- 秘密のメッセージを伝えるかのように眉を上げて、仲間と目配せする
- 人々が効果の弱い解決策の側についたため、顔をしかめる
- 人を恐怖に駆り立て操作する：「君が間違っていれば、大変なことになるぞ。去年ジョージが解雇された経緯を忘れたわけじゃないだろう？」

隠れた感情を表わすサイン
- 疑わしい決断や立場に対して、同意もしくは支持しながら咳をする
- 自信を装う（背筋をピンと伸ばす、よく響く声で話すなど）
- 嘘をつく、あるいは人を間違った方向に誘導する
- すぐに同意しなかったことについて言いわけする
- 自分の忠誠心や関与について、人々を安心させる
- 問題に対処しようと申し出る

この感情を想起させる動詞

発言を撤回する、挑戦する、反撃する、遅らせる、信用を落とす、却下する、異議を唱える、縮小する、立ち去る、立ち消えになる、ふらつく、いじくる、じたばたする、渋る、躊躇する、ぐずぐずと先延ばしにする、質問する、後悔する、拒絶する、調べる、嘲笑する、よろめく、どもる、大失敗する、消えてなくなる、曖昧なことを言う、おどおどする

書き手のためのヒント

ある感情が少しずつ育っていくような状況にキャラクターを誘導していくときは、ただスムーズに描くのではなく、挫折や失敗を盛り込むことも忘れないように。何かを悟るまでに障害はつきものであり、それは自分が描くキャラクターの場合も例外ではないのだ。

後退形

懐疑→p. 98、葛藤→p. 110、好奇心→p. 176

希望

〔英 Hopefulness〕

【きぼう】

将来が明るく、期待できる見通し。楽観主義

外的なシグナル

- 息をひそめる
- 眉を上げて問うような眼差しを向ける
- 身を乗りだす
- 胸や腹をぎゅっと抱える
- 小声で「お願い」と何度も呟く
- 両手を顎の下で合わせる（祈るように）
- 輝くような表情
- やさしく唇を噛む
- 目を見開き輝かせて、口元を手で覆う
- 深呼吸をする
- モゾモゾ動く、落ち着かない
- 悪い点ではなく、よい点を挙げる
- しっかりアイコンタクトをとる
- 微笑む
- こわばった姿勢、準備が整った様子
- 落ち着いているように、あるいは立派に見えるように服をなでつける
- 人の話に頷く
- 期待感からじっと構える
- すばやく唾を飲み込んで頷く
- よく喋る、ペチャクチャ喋る
- 唇を少し開く
- 成功する可能性について、周囲にもう一度確認する
- あたりを行ったり来たりする
- 自分の価値を人に認めてもらいたくて、いろいろと約束をしてしまう
- 期待に沿える能力があることを見せるため、何でも首を突っ込んでしまう
- 目標に関わる作業や人には注意を払う
- 落ち着きがない
- 慎重に希望を抱きながら、唇を舐める
- 視線を上に向けて息を吐きだす
- 希望の象徴（たとえば事態を把握している友人や、審査員席など）の方をチラッと見る

内的な感覚

- ソワソワする
- ウキウキした気持ち
- 手足がうずく
- 体中に衝撃が走る（アドレナリンが出る）
- 肩の荷がすべて下りたような、ふわふわした感覚
- 一瞬胸のあたりで息がつかえるような感覚

精神的な反応

- すべてうまくいくと信じたい気持ち
- 周囲の環境に敏感になる

き

発展形

あやふや→p. 68、興奮→p. 182、失望→p. 206、熱心→p. 256

- 前向きな思考
- 冷静になる
- 能力の向上に力を注ぐ（より一生懸命に働く、勉強するなど）
- 悲観的になること、ネガティブな考えを話すこと、もしくは聞くことを拒絶する
- 最高の結末に備える

一時的に強く、または長期的に表われる反応

- 目は閉じたまま、両手を祈るように合わせ口元に押しつける
- かすかに呼吸が震える
- 体が震える
- 涙
- 震え声
- （喜びで）すすり泣く

隠れた感情を表わすサイン

- 両手をしっかり握り合わせて、体が動かないようにする
- 心の中で大きく期待しすぎないようにする
- 結果に辿り着くまでには壁や競争相手がいることを、再確認する
- 自信過剰にならないように、両方の手のひらを下向きに押しつける
- 無表情を心がける
- うつむく、顔をそらす

この感情を想起させる動詞

期待して待つ、憧れる、待ち望む、饒舌になる、目を輝かせる、懇願する、築く、くだらないことを喋る、声援を送る、欲求する、夢見る、ペチャクチャと喋る、固く誓う、わななく、光り輝く、微笑む、生き生きする、一生懸命努力する、おののく

書き手のためのヒント

「悪い方」をとるか「もっと悪い方」をとるか、キャラクターが選ばなければならないような状況を作りだそう。すると、読者もかつて似たようなジレンマに陥ったことを思い出しながら、キャラクターに感情移入することができるだろう。

後退形
期待→p. 126、疑念→p. 130、無力感→p. 300、落胆→p. 310

きまり悪さ

〔英 Embarrassment〕

【きまりわるさ】

不快な感覚を意識するために生じる、落ち着きのなさ

外的なシグナル

- 頬が徐々に紅潮する
- 見た目にもわかるほど汗をかく
- その場で体が硬直する
- 顔をしかめる、あるいは唾を飲み込む
- 耳が赤くなる
- 顎を低くする
- 胸元をへこませる、猫背になる
- 体の中心あたりに両手を巻きつける
- すり足で歩く
- 咳払い、もしくは咳をする
- 自分を覆う（腕組みをする、上着の前をしめるなど）
- 襟を引っ張る
- 首の後ろを擦る
- ひるむ
- 両手で顔を覆う
- 縮み上がる、震える
- ソワソワする、モジモジする
- 額を触る
- 野次馬または嫌な相手から身をよじらせながら離れる
- 口ごもったりどもったりして言葉がなかなか出てこず、イライラする
- 触られてギクッとする
- 言葉を失う、弱々しい声
- つま先を丸める
- 膝をくっつける
- 両腕を体の横に引き寄せる
- ずるずると椅子に滑り落ちる
- 相手の目を見られずにうつむく
- うなだれる、肩を前方に曲げる
- 怒って反応する（押しやる、パンチするなど）
- 唇をぎゅっと結び、歯を食いしばる
- 両手をポケットに突っ込む
- シャツの袖をもてあそぶ
- 本の後ろに隠れる
- 身を守る（必死で何かを握りしめるなど）
- 歩いていたのが次第に全速力で走りだす
- 髪で顔を隠す
- 助けや出口、逃げ場を求めて周囲を見回す
- 帽子を深くかぶる、もしくは頭からフードをかぶる
- 顎が震える

内的な感覚

- 何度も唾を飲み込む（喉にしこりがあるような感覚が消えない）
- 立ちくらみ

き

発展形

怒り→p. 74、意気消沈→p. 76、屈辱→p. 150、後悔→p. 174、恥→p. 262

- 首の後ろや顔が徐々にうずきだす
- 胸が締めつけられる
- 不安のせいで胃がぎゅっと硬くなる、沈むような感覚
- 顔や首、耳が尋常ではないほど熱くなる
- 息切れ、心拍が速まる

精神的な反応
- 逃げたいという衝動（闘争・逃避）
- 思考があやふやになる、パニックに陥る
- 信じられずに苦しみ、思考のずれが生じる：「こんなことあり得ない！」
- 頭の中で解決策を探る

一時的に強く、または長期的に表われる反応
- わっと泣きだす
- 部屋もしくはその状況から逃げ出す
- 自尊心がズタズタに引き裂かれる
- 人の前で話したり、人前に出たりすることが怖くなる
- 集団や活動から身を引いて、社会的に孤立する
- 食欲不振になり、体重が減る
- ばつの悪い出来事にいつまでもこだわって、思い返す

隠れた感情を表わすサイン
- 聞こえない、もしくは見えないふりをする
- わざと人を無視し、何かほかのことに没頭しているふりをする
- 笑い飛ばそうとして作り笑いをする
- どんな手を使ってでも話題を変えようとする
- 嘘をつく、あるいは他人のせいにして注意をそらす

この感情を想起させる動詞
赤面する、慌てて逃げる、火照る、萎縮する、泣く、うずくまる、ひょいとかわす、逃れる、逃げる、紅潮する、息が止まる、隠す、苦しむ、退く、走る、小走りで逃げる、恥じる、縮み上がる、身をよじる、言葉に詰まる、苦悩する、汗をかく

書き手のためのヒント
「泣く」という行為を通じて、簡単に感情を描ききらないよう注意すること。現実において、涙が出るほどの状態まで辿り着くにはそれなりの経緯があり、それは自分が描くキャラクターの場合も同じである。

き

後退形
安堵→p. 72、感謝→p. 114、自信喪失→p. 198

共感

〔英 Empathy〕

【きょうかん】

人の立場に立って、人の気持ちを汲み取ること
（自分も同じ心境になる可能性もある）

※同情と共感は似て非なるもの。共感は、キャラクターが経験した感情を誰かと有意義に共有した結果、その人と結びつきを感じることを指す。一方、同情はもっと表層的で、人に個人的な結びつきを感じなくても、慰めの言葉をかけたり応援したりできる。詳しくは「同情」の項目（p. 248）を参照のこと。

き

外的なシグナル

- 表情が和らぐ
- 眉をひそめる
- 表情がゆがむ（相手のネガティブな感情を共有する場合）
- 不快感を与えず、慰めるような眼差しでじっと相手の目を見る
- 相手を受け入れていることを伝えるちょっとした微笑み
- 手を差し伸べる（つながっていることを示す）
- 慎重に言葉を選ぶ（理解を示し、受け入れ、励ますため）
- 話の腰を折らず（決めつけず）、身を乗りだして相手の話を聞く
- 近寄る（相手との距離を縮める）
- 相手と真正面から向き合う
- 肩や背中に手を添えて慰める（自分が落ち込んだときは同じことをしてほしいと思いながら）
- 相手の苦しみを自分も感じているかのように自分の胸をさする
- 柔らかい声音で、相手に理解を示し受け入れる
- 相手に質問し、それに答えさせる（それで相手は状況を整理しやすくなり安堵する）
- 相手とともに泣く
- 体に触れる（相手の膝や足に触れる、相手を引き寄せるなど）
- 相手の姿勢や仕草を真似る
- 会いに行き、ただ座って話を聞く
- 予定をキャンセルし、相手のそばにいる
- 気を利かせて相手の心の負担を減らす（相手のプライバシーが侵害されないように守る、助けの手を差し伸べる、雑用などを肩代わりするなど）
- 「つらいよね」などと声をかけ、相手が苦しんでいるのはわかっていることを示す
- 「こんないい日はないよね」などと声をかけ、幸せを共有する
- 楽しい経験を共有しているときは、普段より体の接触を図る（長い間手をつなぐ、肩を抱き寄せるなど）
- 慰めの言葉をかける：「つらいよね」「一緒に乗り切ろう」
- 慰めるつもりで自分の個人的な経験を話す
- 体で愛情を表現する（手を握りしめる、ハグ、抱き寄せる、頬にキスなど）

発展形

愛情→p. 62、価値がある→p. 106、謙虚→p. 170、称賛→p. 218

内的な感覚

- 胸がキリキリと痛む
- 喉が締めつけられる
- どことなく重い気持ちになる
- 涙をこらえているせいで喉が詰まり、唾を飲み込めない
- 自分の感情に圧倒されて、体が震えたり、元気がなくなったりする
- 幻想痛を感じる
- 胸が軽くふわふわする（喜ばしい状況の場合）

精神的な反応

- なんとかしてやりたくなる（ネガティブな状況）、その瞬間を楽しみたい（ポジティブな状況）
- 自分と同じようにほかの人が理解しないといらだつ
- 過ちの原因はストレスや状況のせいだと思い、すぐに相手を許す
- 人の感情や懸念を第一に考え、自分の心配ごとを二の次にする
- 自分の苦しい感情が表面化する前に逃げ出したくなる
- 人が体の痛みに苦しんでいるのを見て戸惑いや不快を感じる
- 他人が感情的になっているときは気を配り、機転を利かす
- できないとはわかっていても相手の苦しみを取り除いてやりたい
- 偏見や先入観を忘れ、相手に気持ちを寄せる

一時的に強く、または長期的に表われる反応

- 苦痛がひどく、意気消沈する
- 気持ちが萎え、塞ぎ込む
- 危機が去った後、気持ちを整理するのに独りになりたい
- 状況がどうあれ、優しさや思いやりを示す
- 相手がなぜ苦しんでいるのかがわからず、悲観的になったり失望したりする
- 気持ちが軽くなり、気分一新、楽観的な気分になる（ポジティブな状況）

隠れた感情を表わすサイン

- いつもと「違う」声になる（胸がいっぱいで声が裏返る、しゃがれるなど）
- 言動が一致しない（ぶっきらぼうな言い方をしながら思いやりを見せる）
- 厳しい態度を翻す：「今夜は泊まっていっていいよ。なんなら数日泊まってもいいし」

この感情を想起させる動詞

受け入れる、目覚める、触れ合う、気づかう、握りしめる、通じ合う、発展する、反響する、励ます、耐える、任せる、絡み合わせる、呼び起こす、自分の気持ちを表わす、感じる、抱きしめる、ハグする、つなぐ、耳を傾ける、愛する、必要とする、育む、蘇る、応答する、探る、感づく、ぎゅっと握る、かき回す、触れる、経験する、織りなす

書き手のためのヒント

状況によっては、キャラクターは情緒が安定していることもあれば、冷静さを失うこともある。情緒不安定になっている場合はその理由を考えてみる。もし未解決の心の痛みが原因になっているのなら、それを使用して、ストーリーの水面下の葛藤を描く方法はないだろうか。

後退形

希望→p. 132、つながり→p. 246、平穏→p. 288

驚嘆
〔英 Amazement〕

【きょうたん】
圧倒されてびっくりする、感嘆すること

外的なシグナル
- 目を丸くする
- 口元が緩む
- 突然硬直する
- すばやく息を吸い込む
- 手で口元を覆う
- 見るからに筋肉がこわばり、身動きできない
- 小さな悲鳴を上げる
- ゴクリと唾を飲み込む、言葉に詰まる、あるいは唾を飛ばしながら大声を出す
- 目をパチパチさせて、じっと見つめる
- ギクッとして、体が少し飛び跳ねる
- 一歩後ろへ下がる
- 信じられないというようにゆっくりと頭を振る
- 「信じられない！」「あれを見てみろ！」など実際に声に出す
- 光景を録画しようと携帯電話を取りだす
- 周りの人々も同じことを体験しているか、あたりに目を走らせる
- 手を大きく広げて胸に押しつける
- 身を乗りだす
- 近づく、手を伸ばす、触れる
- 両眉を上げる
- 唇を開く
- 顔に笑みが広がる
- 自然と笑いだす
- 手のひらを頬に押し当てる、または両手で頭を抱え込む
- 顔の周りで両手をばたつかせる
- 言葉を失う
- 同じことを繰り返し言う
- 一、二歩前に進んでは、また戻る
- 大げさに歓声を上げる

内的な感覚
- 心臓が一瞬止まり、次いで激しくドキドキしはじめる
- 耳まで鼓動が届く
- 体温の上昇
- 肌がヒリヒリする
- 呼吸ができなくなる
- アドレナリンが急上昇する
- 口が渇く

精神的な反応
- 一瞬、ほかのことを全部忘れてしまう
- この体験を、周りの人たちとも分かち合いたくなる

発展形
畏敬→p. 78、好奇心→p. 176、興奮→p. 182、不信→p. 280

- めまいがする
- 何が起きているのかわからなくなる
- 陶酔感
- 言葉が見つからなくなる

一時的に強く、または長期的に表われる反応

- 鼓動が速くなる
- 息切れ
- 膝がガクガクする（倒れることも）
- 部屋が迫ってくるような圧迫感を抱く
- 空間が認識できなくなり、めまいを起こす

隠れた感情を表わすサイン

- 自分をきつく抱きしめる（自分をハグする）
- ぎこちなくも、満足げに大股で歩く
- 両手を組み、その手を胸にぎゅっと寄せる
- 表情を隠そうとしてうつむいたり、他所を見たりする
- 一瞬目を丸くする
- 唇をぎゅっと結ぶ
- 無表情
- 感情を隠そうとして、その場に腰を下ろす
- 反応が悟られてしまった場合、言いわけをする
- 落ち着こうとして、咳払いする

この感情を想起させる動詞

称賛する、肝をつぶす、畏れる、まばたきする、気が遠くなる、惑わされる、歓喜する、信じられない、魅惑する、楽しませる、ぽかんと口を開ける、息が止まる、見つめる、心につきまとう、催眠術をかけられたように動けなくなる、興味をそそられる、ぐいっと引く、驚嘆する、ざわめく、じっと見る、共有する、魅了される、はじかれたように立ち上がる、ぐらつく、よく見る、言葉を失う、触れる、顔をゆがめる、目撃する、目を奪われる

書き手のためのヒント

感情的体験に厚みを加えたいなら、今現在キャラクターが置かれている状況を象徴するものに注目してみよう。その場面において、今キャラクターが心の中に抱いている感情を完璧に具体化してくれるようなものは、いったいなんだろう？

後退形
感謝→p. 114、好奇心→p. 176、幸福→p. 180、触発→p. 222、満足→p. 294

恐怖

〔英 Terror〕

【きょうふ】
極端に恐れている状態

き

外的なシグナル

- 呼吸が荒くなる
- 目を見開いて、まばたきもできない状態
- 全身が震える
- 隠れている場所から飛び出し、脅威から急いで逃げる
- 悲鳴を上げる、叫び声を上げる、泣きわめく
- 話せない、声が出ない
- 自分をきつく抱きしめる（両腕をぎゅっと掴む、あるいは腹部に両腕を巻きつける）
- 目をぎゅっと閉じる
- うめき声を上げる、すすり泣く
- 顎や唇が震える
- 行く先も決めないまま、とにかく逃げる
- 現実から目を背けるかのように首を横に振る
- 耳元を両手でパチパチ叩く
- 頭の両側に拳を押しつける
- 床にへなへなと倒れる
- 胎児のように体を丸める、もしくは両膝を曲げる
- 顔を覆う
- 体が縮み上がる、ひるむ、音にビクッとする
- 筋肉がこわばり、体が硬直する
- 金切り声を上げる
- 鼻の穴を膨らませる
- 相手が逃げたりその場から立ち去らないように、しっかり掴む
- 動作がおぼつかない（ものにぶつかる、ものをひっくり返すなど）
- 喉元や胸元をぎゅっと掴む
- ハッと息をのむ
- 肌がベタベタする
- 急いでいて、身なりが乱れた様子
- 爪で頬をかきむしり、そのまま指を下にすべらせる
- 手や指が震える
- おびただしい量の汗をかく
- 逃げるために、なるべく危険を冒さない
- 逃げる途中で誤って自分を傷つけてしまう（切り傷、あざなど）が気づかない
- 危険が迫っていないかあたりを見回す
- ものや人にすばやく反応し、ぎこちなく後退りする
- 闘争反応（叩く、もしくは壊すために、手元にあるものをなんでも使って急襲するなど）

発展形
怒り→p. 74、疑心暗鬼→p. 124、激怒→p. 160、パニック→p. 264

内的な感覚
- 過呼吸
- 鼓動が速くなる
- 鼓動の音が耳にはっきりと聞こえる
- 歯を食いしばる
- 痛みに強くなり、怪我を感じない、もしくは怪我に気づかない
- 持久力やスタミナが増加する
- 閉所恐怖症（いつもは平気な人でも）
- 胸、肺、喉の痛み
- 足がガクガクする
- 音や気配、周りの変化にいちいち敏感になる
- めまい、黒斑が見えるようになる

精神的な反応
- （逃げながら）振り返りたい衝動
- 決断力が鈍くなる
- ひとつのことだけに集中する：自分を守る、もしくは人を救う
- リスクを冒す
- 降参する（限界に達した場合）
- 激しい警戒心を抱く
- 起こりうる最悪の事態をつい考えてしまう
- 音や動きに敏感になる

一時的に強く、または長期的に表われる反応
- 過度のストレス、もしくは酸欠、あるいはその両方のために気絶する
- 精神的に追いつめられる（ブツブツ言う、耳や目を両手で覆うなど）
- 心臓発作
- PTSD（心的外傷後ストレス障害）
- 不眠症
- 幻覚
- 不安発作
- 悪夢にうなされる
- 鬱
- 薬物乱用
- 人とうまく関わることができない
- 孤立
- 恐怖症

隠れた感情を表わすサイン
恐怖を抑制すること、あるいは隠し通すことは、本来ほぼ不可能である。恐怖を隠そうとする行為は、どれも「危惧」（p. 122）として示される。

この感情を想起させる動詞
泣きわめく、慌てて逃げる、食いしばる、しがみつく、失神する、叩きのめされる、気絶する、立ちすくむ、息が止まる、大きく呼吸する、うめく、わななく、走る、絶叫する、ガタガタ震える、金切り声を上げる、言葉に詰まる、ぎょっとする

書き手のためのヒント
高ぶっている感情を伝えたいとき、隠喩の使用は最小限に留めておくこと。たとえそのキャラクターがどれほど気取った人物であろうと、あるいは創造力に富んでいようと、激しい感情が生じる最中に隠喩でものを考えることなど、ほとんどあり得ない。真実性を保つためにも、シンプルに描くのがよいだろう。

後退形
危惧→p. 122、屈服→p. 152、満足→p. 294、用心→p. 304

拒絶

〔英 Denial〕

【きょぜつ】

真実や現実を認めようとしないこと

外的なシグナル

- 口論する
- 後退する
- 首を激しく横に振る
- 手を振って相手を追い払う
- 拒否反応を示す：「僕のせいにするな」「私は何も関係なかった」
- 人差し指を向けるなど、ジェスチャーを交えながら断固として言い張る
- 両方の手のひらを上に向ける
- 肩をすくめる
- 上唇で下唇を覆う
- 腕組みをする
- 胸骨のあたりに手を置く
- 口をあんぐりと開ける
- 早口でまくし立てて、人に口をはさむ隙を与えない
- 合理化、正当化する
- ジリジリと後退りする
- 言葉を間延びさせ、ゆっくり話す：「えぇぇ？」「まさかぁ！」
- 体を後ろに傾けて、スペースを広げる
- 対象となる人やものをかわす
- 両眉を上げる
- 目を丸くする
- 甲高い声を出す
- 「違う」「嫌だ」ときっぱり言う
- 攻撃してくる相手から体を背ける
- 耳をなでつける、耳を塞ぐ、耳たぶを引っ張る
- 話の出所や事実を問う
- 相手に口を挟ませないよう、邪魔し続ける
- 勘違いも甚だしいと言わんばかりに、呆れた笑みで首を横に振る
- 人の真意を疑い、自分が攻撃されているかのように反応する
- 手で「×」を作る
- 相手の目を見なくなる（確信がなかったり、嘘をついている場合）
- 短く、とぎれとぎれの言葉を返す
- 汗をかく
- 両手をじっと見下ろす
- 自分を慰めるように、服の上から腕をさする
- 何かを要求する（部屋を出ていってほしい、黙ってほしいなど）

内的な感覚

- 口が渇く
- 胸に熱いものが込み上げてくる

発展形

怒り→p. 74、葛藤→p. 110、苦痛→p. 148、罪悪感→p. 190、防衛→p. 290

- 体が重い、しびれる
- 目の奥が熱くなる
- 胃がチクチク痛む

精神的な反応
- 過去の出来事を整理しようと、頭の中で再生する
- 事実関係にフォーカスして考え込む
- もっともらしい言いわけを見つけようと頭をフル回転させる
- 拒絶されるような状況に放り込まれたことに対する怒り、心の痛み

一時的に強く、または長期的に表われる反応
- 周りのせいにする
- 自分の見解が正しいことを証明しようと、自分にとっての事実を示す
- 信じてほしいと懇願する、泣く、せがむ
- 心を閉ざし、人の言うことに耳を傾けない
- 放っておいてほしいと願う
- 逃げたい

隠れた感情を表わすサイン
- 議論を拒む、非難の声に反応することを拒む
- しっかりアイコンタクトをとる
- 現実から目を背けているわけではないと冷静に説明する
- 「しばらく様子を見よう」と言う
- ある見解に対し、それが正しくないと反論するための根拠を提示する
- 自分の思う事実にこだわり、それを何度も繰り返し述べる
- 落ち着いた口調で話す

この感情を想起させる動詞

見捨てる、懇願する、非難する、阻む、挑戦する、辞退する、そらす、否認する、却下する、異議を唱える、はぐらかす、でっちあげる、逃げる、隠れる、無視する、無効にする、装う、揉み消す、拒む、反論する、拒絶する、抵抗する、逆転させる、交代させる、肩をすくめる、忌避する、一歩避ける、退ける、引きこもる

書き手のためのヒント

つい使ってしまうボディランゲージの一覧表を作ってみよう（眉をひそめる、微笑む、肩をすくめる、首を横に振るなど）。ワープロソフトを使って、自分の書いた文章でこれらの言葉を検索しハイライトしてみると、もう少し新鮮な表現が必要な箇所がここだとわかるはずだ。

き

後退形
幻滅→p. 172、衝撃→p. 216、脆弱→p. 228

疑惑

〔英 Suspicion〕

【ぎわく】

何かがおかしいと直感的に疑うこと

外的なシグナル

- 目を細める、横目で見る
- 疑わしい人物から体の向きを変える
- 眉をひそめる
- 肌が赤くなる
- わざとらしく覗き込んで調べる、じっと見つめる
- 両腕を体にしっかりつける
- 疑わしい人物やものをちらちらと見る
- 直接目を合わせない
- 作り笑い
- こそこそする、偵察する
- 盗み聞きをする
- 疑わしい人物のあとを追う
- 後ずさるなどして、安全な距離をとる
- 疑わしい人物のふるまいや容姿を査定する
- 疑わしい人物に気づかれないように、無関心を装う（両手をポケットに入れるなど）
- 姿を見られないまま近づくために、身をかがめる、もしくは前かがみになる
- 口を一文字に結ぶ
- 疑わしい人物の行動や動作を記録する（メモをとる、写真を撮るなど）
- 歯を食いしばる
- 頭を傾けながら、心の中で証拠について考え込む
- 直接声をかける：「ここで何をしてる」「要求はなんだ？」
- 指差しながら、相手に立ち向かう
- はっきりと疑いを口にする
- 腕組みをする
- 足を大きく開いて構える
- 声を荒らげる
- 疑わしい人物の犯行について、周りに言い聞かせる
- 大げさな動作（話しながら両腕を振る、指折り数えながら根拠を挙げるなど）
- 体を横に揺らす
- 疑わしい人物と言い争う
- あたりを行ったり来たりする
- 唇の内側を噛む
- 既に答えを知っているのに、質問をする
- 皮肉を言う：「つまり、俺の車のタイヤが切りつけられたとき、あんたはたまたま居合わせただけってわけか？」
- 情報を集めるために、周囲に尋ねて回る
- 疑わしい人物について検索する
- 特定地域を避けたり、いつもと違う道を選んだりする

発展形

怒り→p. 74、危惧→p. 122、疑心暗鬼→p. 124、心配→p. 224、動揺→p. 250

内的な感覚

- 呼吸が速くなる
- 興奮状態
- 心臓がドキドキする
- 闘争・逃避反応を示す、あるいは凍りつく
- 嫌な予感

精神的な反応

- 疑わしい人物の嘘を見抜くため、話にじっと耳を傾ける
- 頭の中で、この状況に関するすべての知識をざっと整理する
- 疑わしい人物から自分や周りの人々を守りたいと思う
- 自分の懸念がばかげていると思われるかもしれない、と先読みする
- 議論または攻撃の計画を入念に立てる
- 状況の危険度をじっくり考えてみる

一時的に強く、または長期的に表われる反応

- 疑わしい人物やものに執着する
- ストーカーと化す
- 本性を現わすことに期待して、疑わしい人物を罠にはめる
- 疑わしい人物について、みんなの前で評価を傷つける、もしくは追放することをたくらむ
- 自分が懸念していることを警察などに通報する
- 疑いのある人物がついに本性を晒す日を夢見る
- 危険が迫っていると思い込み、その思い込みを裏付ける、不審な点がないか探す

隠れた感情を表わすサイン

- わずかに頷く
- はっきり同意することを拒んで「うーん」と返す
- 抑揚のない声
- 曖昧な返事
- 疑わしい人物を避ける
- 瞬時に、大声で同意する
- 大げさに支持を表明する：「私は百パーセントあなたの味方だから」「完全に同意だ」
- 緊張している仕草（爪を噛む、シャツのボタンを回す、首を擦るなど）
- 疑わしい人物から離れて立ち、その人物の友人の輪には踏み込まない
- 疑わしい人物と一緒にいる時間をできるだけ短くし、その場を離れるための言いわけを考える

この感情を想起させる動詞

口論する、罠にかける、捕まえる、対立する、忍び寄る、批判する、誤りであることを証明する、盗み聞きする、調査する、あとを追う、眉間に皺を寄せる、待ち伏せする、けちな考えをする、じっと見る、仕掛ける、見せかける、装う、疑いをはさむ、精査する、こそこそする、嗅ぎ回る、監視する、横目で見る、しつこく追い回す、よく見る、跡を残す、策略にかける、けむに巻く、弱らせる、見守る

書き手のためのヒント

会話の中で、キャラクターに直接感情を言わせてしまうことは楽かもしれないが、読者の頭の中では赤信号が灯る。実生活で自分が感情をそのまま口に出すことがないのなら、キャラクターにもそのような真似はさせないようにしよう。

後退形
あやふや→p. 68、疑念→p. 130、受容→p. 214、用心→p. 304

緊張

〔英 Nervousness〕

【きんちょう】
気持ちが不安定で、興奮しやすい状態

き

外的なシグナル
- ビクビクした急な動作
- あたりを行ったり来たりする
- 目の周りがこわばって、まばたきを何度も繰り返す
- 首の後ろを擦る
- シャツの一番上のボタンを開ける
- 肌をかく、擦る
- 唇を噛む
- ビクビクする
- ふわふわと手を動かす
- 動作がぎこちない
- ズボンの上で両手を擦る
- 目を合わせない
- 髪をかき上げる
- すばやく呼吸する
- 腕や足を組んだりほどいたりする
- 出口の方を見る
- (座りながら) 膝を上げ下げする
- 同じ仕草を繰り返す（ネクタイをまっすぐ整える、耳に触るなど）
- 汗が出てくる、特に両手に汗をかく
- 指やつま先がうずく
- 瞳が大きく広がったように見える
- 爪を噛む、いじる
- 両手をブラブラさせる
- 咳払いをする
- 顔がけいれんする
- 口ごもる、つっかえる
- 短く甲高い笑い声
- 落ち着きがない（立ったり座ったりを繰り返すなど）
- いつもよりも長く笑う
- 目を閉じてゆっくりと呼吸する
- 早口でまくし立て、言うつもりがなかったことをつい言うなど
- 声の高さ、口調、大きさが変わる
- 気を紛らすため雑用にとりかかる（掃除、車のワックスがけなど）

内的な感覚
- 肌が敏感になる
- 気が遠くなる
- みぞおちのあたりが空っぽになったような感じ
- 筋肉が震える、ひきつる
- 吐き気、もしくはソワソワするような感覚
- 食欲不振
- 口が渇く
- 動悸

発展形
怯え→p. 96、危惧→p. 122、疑念→p. 130、自信喪失→p. 198、不安→p. 276、狼狽→p. 320

- 頭痛

精神的な反応

- 神経過敏（特に物音を聞いたり気配を感じたりしたとき）
- 自由になりたいと切望する
- 不安定な思考回路、理屈に合わない懸念を抱く
- くよくよ悩む
- 最悪のシナリオを考える
- 時間が早く過ぎてほしいと願う

一時的に強く、または長期的に表われる反応

- 嘔吐
- 疲労、もしくは不眠症
- パニック発作
- 離脱症状
- 怒りっぽい
- 潰瘍などの消化系障害
- 体重の減少、もしくは増加
- 物事をネガティブに考えるようになる
- 緊張を和らげるために、飲酒、ドラッグ、喫煙に耽る

隠れた感情を表わすサイン

- 作り笑い
- 両手を握り合わせる
- 不自然なほど押し黙る
- 何度もまばたきをする、もしくはほとんどまばたきをしない
- 誰とも目を合わさない
- 話題を変える
- 会話を避ける

この感情を想起させる動詞

べらべら口走る、いらつく、くだらないことを喋る、飛んでいく、時間を無駄にする、いじくる、もてあそぶ、忍び笑いをする、割り込む、ぐいっと引く、飛び上がる、過剰に反応する、パニックになる、ぎょっとする、息苦しくなる、言いかけてやめる、コツコツ叩く、引きつる、心配する

書き手のためのヒント

キャラクターの動作や外的な反応だけを表現しても、読者には感情は伝わらない。動作とともに、内的な感覚、思考などを少し取り入れてみれば、より豊かな感情的体験を生みだすことができる。

後退形
あやふや→p. 68、安堵→p. 72、懸念→p. 164

苦痛

〔英 Hurt〕

【くつう】
心の痛みを感じること。
傷ついた気持ち、あるいは不当に扱われたという思い

外的なシグナル

- 目を見開くも、顔をしかめる
- 涙をこらえる
- 頭を低くして、首を縮こまらせる
- ゆっくりと、信じられないというように首を横に振る
- 顎が震える
- 口をぽかんと開ける
- ひるむ、ビクッとする
- 顔の血の気が引く
- 「よくも……」と非難の声を上げる
- 喉を詰まらせたような声で裏切られた気持ちを口に出す：「独りにさせて！」
- 嗚咽をこらえるかのようにうずくまる
- 唇に拳を押しつける
- 下唇を噛む
- 胸の位置で自分のシャツをぎゅっと掴む
- 両手を上げて、人を避ける
- 腹のあたりを両手で抱きしめる
- 体が崩れ落ちる
- 胸が苦しくなる
- 肩を落とす
- 膝がガクガクする
- 歩調が不揃いになる
- バランス感覚を失う、体を思うように動かせない
- 喉や胸骨のあたりに手を押しつける
- 口ごもる、言葉に詰まる
- すすり泣く
- 目に涙が溜まる
- 口を開くも、言葉が出てこない
- 相手に長く、苦々しい視線を向けてから目をそらす
- うなだれる
- 両腕を胴に引き寄せる
- 後ろに一歩よろめく
- 後退する、きびすを返す
- 険しい表情が消えない
- 嫌味を言う：「へえ、近頃は家族って大切じゃないんだね」
- 両肘を体の横に押しつけて、自分にしがみつく

内的な感覚

- めまい
- 胃が苦しくなる
- 吐き気
- 喉に、痛みを伴う圧迫感を覚える
- 肺が締めつけられて、息苦しくなる
- 心拍が遅くなる、もしくは一瞬止まった

発展形

怒り→p. 74、意気消沈→p. 76、裏切られる→p. 88、苦悩→p. 154、激怒→p. 160

ような感覚
- 筋肉が弱る
- 手足が震える
- 視界に斑点が現われる

精神的な反応
- 時間が止まったような感覚
- 思考がぐるぐる回り、心の内側に集中する
- ショック、不信
- どうしてこうなってしまったのかと話を蒸し返して考える
- 自分の信念や人間関係を疑う（幻滅）

一時的に強く、または長期的に表われる反応
- 心の中心まで揺さぶられるような、裏切られた感覚
- 姿勢が崩れる
- 泣く、嗚咽する
- 逃げ出す
- 怒りをあらわにする（叫ぶ、何かを叩いたり殴ったりする、侮辱の言葉を浴びせるなど）

隠れた感情を表わすサイン
- 見た目にもはっきりと唾を飲み込む
- 不自然なほど体をこわばらせる
- 唇が震えないように、きつくつまむ
- 体が震えないように引き締める
- 顎を高く上げる
- 目をそらさないようにする、または凍りついた笑みを浮かべる

この感情を想起させる動詞
口論する、攻撃される、失神する、叩きのめされる、守る、崩れる、闘う、たじろぐ、拒絶する、叫ぶ、縮み上がる、すすり泣く、言い争う、おののく、めそめそ泣く、引き下がる、わめく

書き手のためのヒント
キャラクターの容姿を自然に書き表わすには、キャラクターが置かれた環境での立ち居ふるまいを描写するとよい。各シーンの流れに合わせて動きを描写するのも、唐突にならずに自然にキャラクターの容姿を表現できる。

後退形
唖然→p. 64、混乱→p. 188、自己憐憫→p. 194、自信喪失→p. 198

屈辱

〔英 **Humiliation**〕

【くつじょく】
体面を汚された、恥をかかされたと感じること。
自分は無力で価値がないと感じること

く

外的なシグナル

- 体が崩れ落ちる
- うつむく
- 胸を覆うように肩を丸める
- 人から上半身を背ける
- ゾッとする感覚、もしくは身震いが止まらない
- 髪で顔を覆い、目元を隠す
- 視線を下に向ける
- 顔が赤くなる
- 胸が苦しくなる
- 虚ろでどんよりした目
- シャツの袖を引っ張る（身を覆うジェスチャー）
- ものでで体を守る（何かものを持っている場合）
- 腹のあたりを両手で抱きしめる
- 両手で顔を覆う
- 下唇、もしくは顎が震える
- すすり泣く
- 喉仏が上下する
- 両腕をぐったりと体の脇に下ろす
- 涙が止まらない
- 音や気配にビクッとする
- うずくまる、身をかがめる
- 体を両手でかばおうとする
- 首を前方へ曲げる
- 遅く、ぎくしゃくした動き（そういう足取りで歩くなど）
- 両膝をぴったりくっつける
- 体を思うように動かせない
- 冷や汗をかく
- よろめく、ぐらつく
- 壁に身を寄せる、部屋の角に陣取る、隠れる
- 体中が見た目にもわかるほど震える
- 両手で肘をぎゅっと掴む
- 内股で立つ
- 嗚咽を押し殺す
- 膝を抱きかかえる
- 体に両腕を巻きつける
- 鼻水が出る

内的な感覚

- 足がガクガクする
- 心拍が遅い
- 胸や喉の痛み
- すばやく唾を飲み込む
- ふらふらする、めまい
- 胸が締めつけられるような感覚

発展形
意気消沈→p. 76、激怒→p. 160、後悔→p. 174、憎しみ→p. 252、恥→p. 262、復讐→p. 278

- 虫が肌の上を這っているような感覚がし、鳥肌が立つ
- 筋肉が緩む、体がバラバラになるような感覚
- 目頭や頬が熱くなる
- 吐き気

精神的な反応
- 自己嫌悪
- 相手に対し、良識が欠けていると幻滅し、心が打ち砕かれる
- 人前に晒されたような、無防備な感覚
- とにかく隠れたい、逃げたいと思う
- 屈辱の瞬間を一刻も早く終わらせたくて頭をフル回転させる

一時的に強く、または長期的に表われる反応
- 床に丸まって横になる
- 何かの後ろ、あるいは何かにもたれて隠れる
- 泣く、泣きわめく、嗚咽する
- なんとしてもその場を逃れたい
- 心の痛みに終止符を打つため、死にたいと切望する

隠れた感情を表わすサイン
- 心も体も無感覚になる
- なんでも受け身の状態で、上の空になる
- 今起きていることに対して思考を遮断する
- 喋らない、音を立てない
- 「心ここにあらず」の状態

この感情を想起させる動詞

縮こまる、萎縮する、偽る、逃れる、逃げる、たじろぐ、隠す、窮地に陥る、退く、ガタガタ震える、縮み上がる、言葉に詰まる、卑下する、よろめく、どもる、転倒する、顔が引きつる、しぼむ

書き手のためのヒント

話をより豊かにするために、対立する感情を加えてみよう。たとえば、あるキャラクターが初めての車を購入して、ワクワクした気持ちと誇らしい気持ちでいるかもしれないが、同時に経済状況を考えると奮発しすぎたかもしれない、と心配になってくる。このような、内なる葛藤を描くことで、キャラクターが読者にとってより人間らしく身近な存在となるのだ。

後退形
きまり悪さ→p. 134、緊張→p. 146、懸念→p. 164、混乱→p. 188

屈服

〔英 Resignation〕

【くっぷく】
ほぼ無抵抗で、降参した状態

外的なシグナル

- しょげてため息をつく
- 肩を落とす
- 虚ろな表情
- 前かがみの姿勢
- すり足で歩く
- 狭い歩幅で歩く
- 涙を見せる
- 一本調子の声
- 時が経つにつれて喋らなくなる
- どんよりした目
- 顎が震える
- 小さく頷くだけの返事
- たるんだ表情
- 手や腕に力が入っていない
- 洗っていないボサボサの髪
- しわくちゃで乱れた服装
- 食欲不振
- これまで夢中だった趣味、あるいは情熱を傾けていたことに興味をなくす
- 自分を小さく見せる（自分を抱きしめる、しゃがみ込む、胎児のように体を丸めるなど）
- 目を合わせない
- 言葉を失う
- 気怠げに人を慰める（背中を擦る、肩を叩くなど）
- 首を横に振る
- 頭を後ろに傾けて、空を見上げる
- 同意するが、なんの感情も見せない
- 両手を握り合わせる
- 膝に両肘をつけて前かがみになる
- 遠くを見つめる
- うなだれる
- 顎の力が緩む
- 気乗りしないかのように肩をすくめる
- 長く息を吐きだす
- 呟く、ボソボソ言う
- 両手で頭を抱える
- 拳を頬に当てて支えにする
- 刺激に対して反応が遅い
- 低いうなり声を出す、もしくは一言だけで返事をする
- 状況を把握するかのように、わざと目を閉じる
- 過眠

内的な感覚

- 落下するような感覚
- 空っぽな感覚

発展形
悲しみ→p. 112、自己憐憫→p. 194、失望→p. 206、敗北→p. 260

- 何も感じないし、気が重い
- 感情の欠如
- 筋力が低下する
- 喉の痛み（喉が締めつけられているため）

精神的な反応
- この状況を最大限活用しようと決める（楽観視）
- 注意を払うこと、もしくは集中することができない
- 方向性を見失う
- 混乱する：「どうしてこうなったんだ？」「これからどうなる？」
- これから何もかもが変わってしまうという感覚
- 現在もしくは未来に対してなすすべがないと感じる
- しくじったと思い込む

一時的に強く、または長期的に表われる反応
- 鬱
- 内にこもる
- 人との接触を断つ
- 自分を疑うようになり、自信が低下する
- 無気力
- コントロールするのを諦めて、人に従うようになる

隠れた感情を表わすサイン
- めそめそする、疑問を抱く
- 説得力がない形だけの意見を言う
- 胸を張るが、実際やる気がまったく湧かない
- わずかに怒りをあらわにする
- 屈する以外に手段がなかったわけではなく、ただ自分がそれを選んだだけだというふりをする

この感情を想起させる動詞

見捨てる、黙従する、屈服する、引き延ばす、果たす、うなだれる、落ちる、終わる、退避する、途中で消える、喪失する、諦める、口ごもる、呟く、頷く、やめる、撤回する、断念する、落ち込む、よろよろ歩く、ため息をつく、前かがみになる、崩れ落ちる、凝視する、服従する、降参する、衰弱する、ささやく、しぼむ、譲る

書き手のためのヒント

キャラクターの感情を内面化させた文章を一場面に盛り込みすぎるとストーリーのペースががた落ちする。キャラクターの感情を読者が理解するのにそういった内省が不可欠なのであれば、それを動きのある、現実的な会話の中に盛り込んでみてはどうか。そうすればストーリーのペースを崩さずに、キャラクターの感情を表出させることも可能だ。

後退形
受容→p. 214

苦悩

〔英 Anguish〕

【くのう】

感情的、精神的な苦しみ。激しい苦痛

外的なシグナル

- せわしなくあたりを行ったり来たりする
- 首の後ろを擦る
- 髪を力いっぱい引っ張る
- 食べ物、飲み物が喉を通らない
- 見た目にもわかるほど汗をかく
- 目の周りが腫れる
- 苦々しい顔つき
- 拳を握る
- 腕を擦る、両手を揉み合わせる
- 指をせわしなく動かす
- 音にびっくりして飛び上がる
- 歯ぎしりする、歯を食いしばる
- 首の筋肉がぎゅっと引き締まる
- じっとしていられず、あちこち動く
- 体がビクッとする
- つま先を丸める
- 安心感を与えてくれるものにひたすら触れる
- 声や口調にストレスが滲む
- 唇、肌、爪などをいじる
- 自分を抱きしめる（自分を慰める仕草）
- 震える、うめき声を上げる、泣きじゃくる、嘆く
- 情緒不安定になり、怒鳴ったり叫んだりする
- 何度も時間を確認する
- 担当者に進展はないか確認する
- 胸のあたりで肩を丸める
- 体の中心まで両足を引き寄せる
- 人に背を向け、ぶつくさ言う
- 狭いところで隅に陣取る
- 感情のはけ口として、壁や周囲のものを叩きつける

内的な感覚

- 筋肉の痛み、凝り、けいれん
- 喉の奥の痛み（唾が飲み込めない）
- 体温が上昇する
- 吐き気

精神的な反応

- 合理的に考えられない
- 祈ったり、願掛けしたり、心の中で誓いを立てたりする
- 前向きな結果を約束してくれるものをかたっぱしから信じる
- 苦しみの原因となるものに固執する
- 感情のはけ口を求めて、危険な場所に身を投じたくなる

発展形

意気消沈→p. 76、苦しみにもがく→p. 156、自暴自棄→p. 210、ヒステリー→p. 270

一時的に強く、または長期的に表われる反応

- 解放を求めて叫ぶ
- やせ細った姿、早老
- 猫背、丸まった姿勢
- 嘔吐、空吐き
- 過呼吸
- 顔色が悪い、目の下のクマ
- 目や口の周りの皺、たるみ
- アルコール、ドラッグ、その他薬物に依存する
- 頭がはげる
- 顔面のけいれん、あるいはひとつの動作をひたすら繰り返す（髪を引っ張る、体を揺するなど）
- 自傷行為による切り傷やすり傷
- 鬱になり、自殺を考えたり試みたりする

隠れた感情を表わすサイン

- 顔をしかめる
- 歯を食いしばる
- 顔が引きつる
- 体の震え、手の震えが止まらない
- 筋肉のこわばり
- 人目を気にして行動する
- 手を揉むといった、人目につく仕草を隠す
- 爪を噛んで、指に血が滲む
- への字に曲げられた口、あるいは口をすぼめる
- 震える唇を噛みしめる
- 体を酷使する（体力を使い果たし、くたくたに疲れさせるため）
- 必要最低限の反応しか示さない（一言で答える、首を縦か横に振るだけなど）
- チェーンスモーキング
- 深酒

この感情を想起させる動詞

毒を吐く、あがく、消耗する、悩む、耐える、うなる、泣きわめく、（苦しみを）負う、うめく、打ち勝つ、苦しむ、貫かれる、動けなくなる、すすり泣く、押し殺す、苦悩する、息苦しくなる、苦しめられる、身悶えする

書き手のためのヒント

ときには自分のキャラクターのモラルを挑発することも恐れずに。居心地のよい空間から一歩外に出してみれば、キャラクターは落ち着かない気持ちになるだろうし、読者も同じ試練に立ち向かうことができる。

後退形
あやふや→p. 68、苦痛→p. 148、罪悪感→p. 190、自己憐憫→p. 194、心配→p. 224、脆弱→p. 228

苦しみにもがく

〔英 Tormented〕

【くるしみにもがく】
危機や災害が身近に迫っているため、とてつもない精神的苦痛を感じている状態

外的なシグナル

- 目を見開いたまま、まばたきもできず、悪夢につきまとわれているような表情
- 眉をひそめ、眉間にくっきりと皺が出ている
- 顎が震える
- 頬を指でひっかくように手を下ろす
- 耳を手で押さえ、体を前後に揺する
- 手のひらで頬を押さえる
- 体が震える
- じっと座っていられない
- どうすることもできず、声を押し殺して泣く
- 声が裏返り、高い声になる
- じっとしていられず動き回る、何かを壊したくなる
- 時計を見つめる（またはドアや電話を見つめる）
- 浅く速い呼吸をする、または息をのむ
- 寒がるように腕を何度もさする（自分を落ち着かせるため）
- 片手でもう一方の手首をぎゅっと掴み、その痛みに集中する
- 体を支えられなくなって倒れ込む
- 頭を抱え込んで、両肘がくっつくほど寄せる
- 震える唇に拳を押し当てる
- 壁を殴りつける（感情を吐きだすため、何かを蹴る、打ちつける、あるいは壊す）
- 両手を揉み合わせる、あるいは乾いた布で手を拭く
- 大切なものを握りしめる（息子の手術の結果を待つ間、息子のくまのぬいぐるみを抱くなど）
- 髪を何度もかき上げる
- 苦しい気持ちを吐露する：「こんなふうに待たされるのは地獄だわ！」
- 髪を鷲掴みにして引っ張る（身体的な痛みを感じることで、心の痛みを押し返す）
- お腹を抱え込むように、体を折り曲げる
- もっと楽に話せるよう、唾を飲み込み、喉をさする
- 物音がしたり誰かに触られると、飛び上がったり、たじろいだりする
- 手が震え、ものがうまく掴めない
- 胸に拳を当て、痛みを押しのけるかのようにさする
- 人に食ってかかる、怒鳴る、あるいは叫ぶ

発展形
恐怖→p. 140、脆弱→p. 228、ヒステリー→p. 270

内的な感覚

- 胃の調子が悪い
- 喉が締めつけられる
- 胸の痛み
- 全身寒気がする
- 反射的に横隔膜を押さえつけてしまい、深呼吸ができない

精神的な反応

- 普段祈らないのに祈る
- 心の取引をする：「これを無事乗り切れるなら、なんだって諦める」
- この状況を避けられなかった、または最悪の事態を予想できたのに何もしなかった自分を恥じ、自分を価値のない人間だと思う
- 絶望や罪悪感、恐怖感に襲われ、心が麻痺する
- 時間がゆっくりと過ぎていく、あるいは止まっているような感覚
- つい最悪の事態を想像して行動してしまう
- この状態からは決して前進できず、苦しみが永遠に続くのではないかと思う

一時的に強く、または長期的に表われる反応

- 飲食する気になれない
- 何か言おうとしても言葉にならない
- 涙が止まらない
- 不安発作が起きる
- 腕がこわばり、広げた手がガタガタと震える
- 心を閉ざし、困難に向き合えない

隠れた感情を表わすサイン

- 自分の感情を隠すため、人から離れる
- 涙をこらえ、体を震わせながらすすり泣く
- 話せなくなる
- 指が痛くなるほど爪を噛み、その痛みに集中する
- 独りになり頭を整理したくて、現状から逃げ出したい（逃避反応）

この感情を想起させる動詞

打ち負かされる、火にあぶられる、食いしばる、押しつぶされる、泣く、罵る、必死で頑張る、悲嘆に暮れる、うなる、叩く、拳を叩きつける、罰せられる、揺り動かされる、煮えくりかえる、ガタガタ震える、叫ぶ、苦悩する、涙を流す、心配する、ぎゅっとひねる

書き手のためのヒント

読者の気持ちを視点となるキャラクターの感情と重ねられるようにしたいなら、キャラクターを好感の持てる、同情できる人物にする方法を考える。そうすれば、読者はキャラクターに共感できるはずだ。

後退形
唖然→p. 64、安堵→p. 72、懐疑→p. 98、感謝→p. 114

軽蔑

〔英 Contempt〕

【けいべつ】

敬意や尊敬の念が感じられない。軽視すること

け

外的なシグナル

- 腕組みをして、心を開いていない様子を示す
- への字に曲げられた口
- そっぽを向く
- あざ笑う
- 首を横に振りながら、ため息をついたり、ブツブツ言ったりする
- 言葉や見下した態度で人をばかにする
- あきれた表情をする
- 皮肉を言う
- 噂話をする
- 鼻先で笑う
- 唇を震わせて音を出す失礼な態度をとる（嘲る）
- からかう
- 相手に真正面から向かうのではなく、体を半身に構える
- 歩き去る
- 答える価値がないからと質問に答えようとせず、興味なさそうに手で追い払う
- よそよそしい態度
- 指を丸める
- 返事をしない、関わろうとしない
- 顎を引いて相手を見下す
- 冷たい視線（感情のかけらもなく、上目遣いに睨むなど）
- 口をすぼめる
- 歯を食いしばる
- 相手の話にせせら笑う
- 不快な笑い声を上げる
- 相手を貶める冗談を言う
- 声にとげがあり、きつい言葉遣いをする
- 冷たい笑みを放ち、慇懃無礼な態度を示す
- 軽蔑する対象に向かって唾を吐く
- 舌を出す
- 胸を突きだし、相手と距離をとる
- 相手を無視して別の人に話しかける、あるいは相手の意見を認めようとしない
- 人のミスを仲間にばらす、または人前でその人を非難する
- 人の貢献や立場を認めようとしない

内的な感覚

- 血圧の上昇
- 胸が締めつけられる
- 首や顎が凝る
- はらわたが煮えくり返る

発展形

怒り→p. 74、嫌悪→p. 166、他人の不幸を喜ぶ→p. 242、冷笑→p. 316

精神的な反応
- ネガティブな考え方をする
- 意地悪な見方をする、心の中でばかにする
- 何が原因で自分が軽蔑心を持つのかよくわかっている（気づかないふりをしていても）
- 相手を言葉で言い負かしたり傷つけたりしたがる
- 相手の無知ぶりを晒したいと思う

一時的に強く、または長期的に表われる反応
- 悪態をつく、人をこけにする
- 罵る、言い争う
- 高血圧
- 額の血管が浮き出る
- 暴力をふるうことを考える
- ルールやプロセスを作った人々にまったく敬意を払わず、平気で無視する
- 怒って自分の前から相手を追放する
- 部屋を出ていく（席を外す、会議を途中で退席するなど）

隠れた感情を表わすサイン
- 肌が紅潮する
- 頬の内側を噛む
- 口を開かないように、あえて唇をぎゅっと結ぶ
- 両手を擦り合わせる
- 軽蔑の対象の方をわざと見ないようにする
- 別のものに関心を持っているふりをする
- 相手を無視するために背を向ける
- 反応しなくなる
- 怒りを押し込めようと横隔膜を押す
- 腕組みをしてふんぞり返る
- 相手から距離をとり、パーソナルスペースを大きく空ける

この感情を想起させる動詞
けなす、裏切る、有罪と宣告する、破壊する、放棄する、却下する、無礼な態度をとる、危険にさらす、監視する、睨みつける、無視する、侮辱する、憎悪する、不当に扱う、見て見ぬふりをする、優位に立つ、告訴する、挑発する、罰する、拒絶する、さぼる、蔑む、一歩避ける、冷笑する、唾を吐く、つっぱねる

書き手のためのヒント
推敲しているときは、キャラクターが怒っている場面で「怒っている」などと説明書きになってしまっている文をよく見直すこと。そういう文章は、感情が思考や感覚、仕草などを通して表現できておらず、書き手が自信なく書いているから、よく推敲しよう。キャラクターの感情は、キャラクターが会話の中で話す言葉や、行動や仕草をうまく表現できれば、きちんと読者に伝わるものなのだ。

けなす

後退形
憐れみ→p. 70、葛藤→p. 110、動揺→p. 250、無関心→p. 296

激怒

〔英 Rage〕

【げきど】
猛烈でコントロール不能な怒り

外的なシグナル
- 肌が紅潮する、もしくはまだらに赤くなる
- 極度の震え
- 両手を握ったり開いたりする
- 白目も見えるほどに目を見開く
- 口の端に唾液が溜まる
- 批判する、けなす
- 人の顔を指で突く
- 首の筋肉がぎゅっと引き締まる
- 鼻の穴を膨らませる
- 唇をめくり、歯をむき出しにする
- 首をポキポキ鳴らす
- 筋肉や血管がピンと張りつめる
- しゃがれたうなり声を上げる
- 両足を大きく開く
- ささいなことに突然カッとなる
- 人を突く、押す
- 戦闘態勢に入るかのように、肩や首を回す
- あざができるほど相手の腕をひねる
- 相手を侮辱して喧嘩をふっかける
- 脅しの意味で指の関節をポキポキ鳴らす
- 武器を取りだす、もしくは武器として使えそうなものを手近で見つける
- 相手に向かってわざとゆっくり近づいていく
- 叫び声やときの声を上げながら、相手に突撃する
- 危険を顧みずに戦う
- 物を投げつけたり、蹴飛ばしたりして壊す
- 叫び声を上げる
- 暴力を加えると脅す
- 殺害を脅迫する：「殺してやる！」
- 脅しの意味で相手を睨み倒す
- 人のパーソナルスペースに侵入する
- 人を操る

内的な感覚
- 耳鳴り
- 血流が極限まで増加する
- 脈が速くなる
- 息が切れて喉が渇く
- 後々まで残る痛み
- アドレナリンが体内を駆け巡る
- 体の力が増加したような感覚
- イライラして、落ち着かない感じ
- 視野が狭くなる、または目に怒りが宿る

精神的な反応
- 自分は虐待されている、もしくは不当な扱いを受けているのだという思い込みか

け

発展形
疑心暗鬼→p. 124、後悔→p. 174、復讐→p. 278

ら行動に出る
- 復讐したいという欲望
- 喧嘩をふっかける
- 誰かを傷つけたい、血を見たいと思う
- 暴力をふるったとき、解放感を味わう
- 結果など考えない、あるいは気にしない
- 征服したい、もしくはコントロールしたいと切望する
- 注意を払う、もしくは集中することができない

一時的に強く、または長期的に表われる反応
- 人を殴って気絶させる
- 暴力をふるう、殺人を犯す
- 暴力的にふるまう機会を求める
- 自己破壊的な行動に依存する
- 鬱
- 心臓疾患、心臓発作
- 潰瘍
- 時間をかけて小さな問題に取り組むことができなくなる
- 不眠症
- 疲労
- 所有物を破壊する

隠れた感情を表わすサイン
- 不自然なほど押し黙る
- コントロールできないほど体が震える
- 人ではなく壁やものを殴る
- 歯を食いしばる、歯ぎしりする
- 顎が痛むほど歯を食いしばる
- 微笑んでいるが目は笑っていない
- (ハンドルのような) 何か頑丈なものを掴んで激しく揺さぶる
- 柔らかいものを殴る、バラバラにする
- 攻めの姿勢で運動に取り組む

この感情を想起させる動詞

攻撃する、大声を上げる、壊す、責める、食いしばる、しがみつく、爆発する、紅潮する、睨みつける、掴む、叩く、浴びせる、傷つける、やじる、蹴る、怒鳴りつける、絶叫する、捕らえる、叩き潰す、悪態をつく、なじる、張り詰める、脅かす、投げる

書き手のためのヒント

ある環境の中で起きている事態に、キャラクターが感情的な反応を見せる場合、感覚のディテールが重要だということも頭に入れておこう。たとえば、緊張感が高まっているために、急に服の肌触りが心地悪く感じたりするのではないか？　あるいは、普段なら気づかないような音に気づくのではないだろうか？

け

後退形

怒り→p. 74、罪悪感→p. 190

決意

〔英 Determination〕

【けつい】

目標を達成するという、固い意志。断固たる姿勢

け

外的なシグナル

- 一番に口を開く
- 相手のパーソナルスペースに入る
- はっきりした物言い、短く、かつ印象的な言葉
- 落ち着いた、低い調子の声
- 顔をしかめる
- 筋肉がこわばる
- 警戒の眼差し
- 歯を食いしばる
- しっかりアイコンタクトをとる
- 素っ気なく頷く
- 尖塔のように両手を合わせる
- リーダーの動作を真似る
- 肯定的な言葉を使う：「はい」「そうしようと思う」
- 唇をぎゅっと結ぶ
- 拳をぎゅっと握りしめる
- ものを整理し、準備を整えておく
- 準備万端でしっかりと立つ
- 大きく股を開いて立つ
- 手を膝の上に置いて身を乗りだす
- 顎を高く上げ、首もとをあらわにする
- 腕まくりをする
- 肩を後ろにそらし、強気の姿勢を見せる
- きちんとした動作
- 鋭い手の動き（強調するために指を突きつけるなど）
- 速い足取り
- 鋭い質問を投げかける
- 膝を組まずに足をまっすぐ伸ばす
- 胸を突きだす
- 力強く握手する
- 鼻から深く息を吸い込み、口から吐きだす
- 落ち着いて集中している様子
- スキルを磨く
- 支度する、体調を整える
- 調べる、情報を集める
- 自分を高めるために批判を受け入れる

内的な感覚

- ソワソワする
- 体温が上昇し、心拍数が増える
- 準備を整え、体の筋肉がこわばる

精神的な反応

- 立ちはだかる障壁について考え、その克服方法を練る
- 成功するよう自分を励ます
- 周囲の言葉に耳をよく傾ける

発展形

希望→p. 132、自信→p. 196、満足→p. 294

- 目的意識を強く持ち、目標を設定する
- 気を散らすもの、不快なものを無視する
- 目標に対してしっかりと精神を集中させる
- 自分が言うべきこと、すべきことをおさらいする
- 悲観的な思考を捨て去る

一時的に強く、または長期的に表われる反応

- 課題に向けて事前に調子を整える
- 歯を食いしばる
- 頭痛、筋肉痛
- 痛み、ストレス、その他外的要因を無視する
- 求める結果を達成するために、必要なことを犠牲にする

隠れた感情を表わすサイン

- わざと気怠げな様子を示す
- 無関心を装う（あくびをする、肩をすくめるなど）
- 無意味なジェスチャー（爪の甘皮をじっと観察する、枝毛がないか髪の毛を調べるなど）
- 両手をポケットに突っ込む
- 気さくな会話、リラックスした会話に興じる
- 無害な質問をする
- 笑い声を上げる、もしくは場の雰囲気を和らげるためにジョークを飛ばす
- 目を合わせない
- リラックスしているか、あるいは薬が効いてきたかのように目を閉じる

この感情を想起させる動詞

期待して待つ、奮闘する、競争する、調子を整える、対立する、反撃する、打ち込む、擁護する、果たす、専念する、着手する、闘う、集中する、たくましくなる、貫く、計画する、防ぐ、優先順位をつける、押す、抵抗する、研鑽する、強くなる、一生懸命努力する、取り組む、狙う、持ちこたえる

書き手のためのヒント

触覚のパワーを見くびることのないように。ものが肌に触れる感覚によって強い反応が引き出され（好意的な場合もあれば、否定的な場合もある）、その描写が読者の感情的体験をより豊かなものにするのだ。

後退形

自信喪失→p. 198、失望→p. 206、受容→p. 214、フラストレーション→p. 286

懸念

〔英 Apprehension〕

【けねん】
悪いことが起きるのではないかと不安を感じている状態

け

外的なシグナル

- 時計やドアを気にする（あるいはメッセージが送られてきていないか携帯電話をチェックする）
- 頬の内側を噛む
- 唇を舐める、噛む
- ぼんやり遠くを見つめながら、体を前後に少し揺らす
- どこに向かって行けばよいのかわからず、おろおろしてから動き出す
- 思い詰めて表情を動かさない
- 黙り込むことが増える
- 一瞬笑みを浮かべるが目は合わせない
- 落ち着きがない
- 両手を組んで、握りしめる
- 自分を何度もつねる
- 爪の甘皮をいじる
- 頬をかく、眉を擦るなど顔をしょっちゅう触る
- こわばった声
- 人にいらだつ
- 太ももを指でトントン叩く、軽く握った拳で唇をトントン叩く
- 時折、深く長いため息をつく
- 服の皺をのばす
- 外見で判断されるのを気にして服を頻繁に着替える
- 顔をゆがめ、苦しい表情をする
- じっとしていられず、やたらとものを触る
- 何かと計画したがる（選択肢を徹底的に話し合う、メモに書き留めるなど）
- 何か作業をはじめても集中できずに投げ出す
- 人付き合いがなかなかうまくいかない（リラックスできない、会話ができない、集団行動ができないなど）
- 食欲がなく食べ物をつつくだけ、あるいは逆に常に間食する
- コーヒー、煙草や電子煙草、マリファナの過剰摂取
- 心配で頭がいっぱいで会話が耳に入らない
- 寒くて仕方がないかのように体をさする
- 気持ちを整理するため人と話したくなる（見知らぬ人とでも）
- 今の状況をどう思うか他人に意見を訊く
- 自分が今置かれている状況を把握するため、情報収集に努める
- 同じ経験をした人に相談する
- 今後どんな問題や困難が起きる可能性があるのか書き出す

発展形
怯え→p. 96、危惧→p. 122、苦しみにもがく→p. 156

- 独り言を言う

内的な感覚

- 胸が締めつけられ、うずく
- しきりと唾を飲み込むせいで口が渇く
- じっとしているときでも動悸が激しい（血圧が上がる）
- めまい
- 腹痛
- 普段より痒みを感じる

精神的な反応

- 心配の種が頭から離れない
- 悪い方向に向かうのではと、そればかり考えてしまう
- 過去に単なる杞憂に終わらなかったことを思い返す
- 万が一厄介なことになった場合に備え、事前対策を練る
- 前向きかつ楽観的に物事を考えられるよう独り言を呟く（大した効果は得られない）
- 大きな物音や聞き慣れない音に敏感になる
- つい考えてしまう
- 時間が早く過ぎてほしいと願う
- 眠れない、あるいは眠りが浅い
- 念には念を入れる（事前調査をする、軽い荷造りができない、資料を何度も確認するなど）

一時的に強く、または長期的に表われる反応

- 自分の判断や行動をくよくよと後悔する
- 危険を避け、石橋を叩いて渡る
- 迷信を信じたり、「用心するに越したことはない」と言ったりして決断を覆す
- 他人にイライラし、失礼な態度をとる
- 小さなことで人に食ってかかる

隠れた感情を表わすサイン

- 心配または恐れていることに関してまどろっこしい質問をする
- 心配を振り払おうと忙しくする
- 独り頷きながら楽観的な口調で話す
- 人目を引く異常な行動をとったことを謝罪し、言いわけする
- 疲れたふり、退屈なふりをして、くつろいでいるかのように装う
- 微笑んでも、笑みが凍りついて見えたり、すぐに消えたりする

この感情を想起させる動詞

動揺する、握りしめる、隠す、告白する、装う、気が進まない、いじくる、騒ぎ立てる、増幅する、すがる、つきまとう、考えすぎる、うろうろする、つねる、疑いをはさむ、やり直す、見直す、考え直す、覆す、急に襲われる、移り変わる、ぎょっとする、緊張する、こわばらせる、おののく、取り消す、平静を失う、声に出す、待つ、見守る、おどおどする、心配する

書き手のためのヒント

「懸念」は感情のスペクトルが非常に広いが、明らかな懸念の感情だけが描写されることが多い。もっと冒険してみよう！　滋味に富んだ読書体験を読者に提供できるよう、懸念そのものだけでなく、それと絡み合うさまざまな感情も取り入れて描写してみよう。

後退形

安堵→p. 72、心配→p. 224、脆弱→p. 228

嫌悪

〔英 Disgust〕

【けんお】
何か不快なものをひどく嫌うこと。強い反感

け

外的なシグナル

- 口をゆがめる
- 口を開き、舌をやや前に突きだす
- 鼻筋に皺を寄せる
- たじろぐ、後ずさる、または身震いする
- ゴクリと唾を飲んで、唇をつまむ
- 体をのけ反らせ、首をひっこめる
- 喉元をなでながら険しい表情をする
- 対象に背を向ける
- 冷たい目、生気のない目、無表情な目
- 見るのを拒む
- ブツブツ呟きながら首を横に振る
- 落ち着きを取り戻すためにその場から離れる
- つま先を丸める
- 襟で口や鼻を押さえる
- 唾を吐く、むせ返る、えずく、または嘔吐する
- 片手で制止のポーズを取りながら、後ずさる
- 人が言ったことを、わざと感情を込めずに繰り返す
- 両手を擦り合わせる
- 口元に拳を押しつけて、頬を膨らませる
- 自分のむき出しの腕を擦る
- 口元を覆う
- 喉を詰まらせたような音をわざと出す（ウェーッと言う）
- 対象に触れてパッと離れる、もしくは触れるという考えだけでも嫌で距離をとる
- 腹に両手を押しつける
- 相手に、話すのをやめる、もしくは今やっている行為を中止するよう要求する
- 服の着心地が不快であるかのように、激しく肩を回す
- かばんや上着を盾に使う
- 曖昧な返事をする
- 目を伏せて両方の眉をつまむ
- 両膝をくっつける
- 身を縮こめる（両足をぴったりくっつけるなど）
- 顔が青ざめる
- 鼻もしくは口を擦る
- 落ち着かない声で話す
- 自分が何を言ったかわからなくなる
- 対象から逃れようとする
- 眉をひそめ、不愉快そうな表情をする

内的な感覚

- 唾がうまく飲み込めない、または喉が詰

発展形
怒り→p. 74、危惧→p. 122、戦慄→p. 238、冷笑→p. 316

まっているような感覚
- 唾液が過剰に出て、唾を吐きたくなる
- 口の中が酸っぱい、もしくは苦い
- 吐き気、もしくは胃が重たい感じ
- 喉がヒリヒリする
- 皮膚がピンと張った状態（鳥肌が立つような感覚）

精神的な反応
- 逃げたいという衝動
- 相手やものを不潔だと思ってしまう
- どこかほかの場所にいたいと願う
- 見たものが頭の中で細かく再現されて、不快感を抱く
- 物事に集中できない
- 匂い、あるいは人に触られると敏感に反応する

一時的に強く、または長期的に表われる反応
- 潔癖（シャワーを浴びる、肌を擦るなど）
- 極端なまでにパーソナルスペースを守ろうとする
- 嫌悪の対象が近くにいるとビクビクする、神経質になる
- 返事をしなくなる、あまり喋らなくなる
- 嫌悪の対象から逃げ出したいと強く願う

隠れた感情を表わすサイン
- 安心できる距離を保ちながら、気の抜けた笑みを向ける
- 嫌いな相手に無理矢理近づこうとしているが、ためらっている
- どんなにつらくても目を背けないようにする
- 問題ないというように手を振る
- 体に両腕をしっかりと巻きつけたまま、ゆっくりと近寄る
- 離れたところに立って、片手を伸ばす
- 動作が重い、ビクビクしている

この感情を想起させる動詞

（感情を）こじらせる、ゾッとする、正気を失う、逃げる、顔をしかめる、胸を激しく上下させる、吐き気を催す、粛清する、ひるむ、拒絶する、追い払う、反吐が出る、荒れ狂う、ガタガタ震える、縮み上がる、身震いする、吐き気がする、唾を吐く、つっぱねる、唾を飲み込む

書き手のためのヒント

一瞬のうちに闘争、もしくは逃避反応の引き金を引くような極端な感情を描くときは、そのキャラクターの性格的にどちらの反応が当てはまるのかを把握することが重要だ。どんな行動も、この選択に基づいて描こう。

後退形
衝撃→p. 216、心配→p. 224、不本意→p. 282、用心→p. 304

嫌疑が晴れる

〔英 Vindicated〕

【けんぎがはれる】
自分が正しかったことが証明されて罪を免れ、
晴れて自由の身になること

外的なシグナル

- 背筋を伸ばして立つ
- 堂々と頭を上げる
- 堂々と胸を張る
- 胸いっぱいに息を吸い込む
- 目を閉じたまま頭をのけ反らせ、せいせいした気持ちを味わう
- 顔がほころび、笑みが満面に広がる
- 胸に拳を当て、しばらくそのままでいる
- 笑顔を見せるのを怖がり、両手で顔を覆う
- 感涙にむせぶ
- その場で踊り出す、または飛び跳ねる
- 震える唇を押さえつつ、頷く、または目を閉じる
- 愛する人々と祝福する（抱き合う、手を取り合う、くるくる回るなど）
- 大声で叫ぶ
- 手を叩く
- 緊張が解け、へなへなと座り込む
- 普段より明るい大声で話す
- オープンな姿勢をとる（両腕を広げる、足を広げる、頭をのけ反らすなど）
- 敵をなじり、自分の勝利を見せつける
- 頭を垂れ、心の中で感謝の祈りを捧げる
- 手足が落ち着かない
- 拳を突きだす
- 嬉しさあまって走り回る
- しゃがみこんで自分を抱きしめる
- 慎重に希望を見せる（失望させられた経験があり、疑い深くなっている場合）
- 微笑みが消えない
- 声音が高くなる
- これまで怖くて踏み出せなかった目標や夢に向かう
- これまで公には話せなかったが、口を開くようになる

内的な感覚

- アドレナリンが放出する
- 心臓がドキドキする
- 力が湧いてきて、じっとしていられない
- 眠くない
- やっと無実が証明され、安心できるという実感が湧き、疲れが押し寄せる
- 多幸感
- 平和な充足感に心が洗われる
- 笑いが止まらず、顔の筋肉が伸びきった気がする

発展形
恐れ知らず→p. 92、自信→p. 196、多幸感→p. 240、満足→p. 294

精神的な反応

- 将来に楽観的になる
- 世の中が急に明るく美しく見える
- これまで気づかなかったささいなことに気づく
- 考えがまとまらなくなる
- ひとつのことに専念できなくなる
- 再び宗教を信仰する、または人や社会を信じる気持ちになる
- 自分や自分の子どもたちにとって明るい未来が待っていると実感し、恐れなくなる

一時的に強く、または長期的に表われる反応

- これまでは反対していたことや挑戦できなかったことにも、勇気を持って本心を示せるようになる
- 嫌疑を晴らしたい人々を助けようとする
- さらに賠償金などを求める
- 自信を強める
- 健康に気をつかって食事する、自分のために時間をとるなど、ポジティブな変化が起きる
- 生意気になる
- ほかの人たちへの刺激になる
- これまでは考えられなかった将来を考える

隠れた感情を表わすサイン

- 微笑みを隠そうとしても隠しきれない
- 体を動かさないようにする
- つい手が動いてしまうのを押さえるため、両手を組む
- 表情を読み取られないように、ずっとうつむく
- 心を落ち着かせるため呼吸する
- 背を向け、すばやく逃げようとする
- 口を割らないように唇を噛みしめる
- 嫌疑が晴れて狂喜するあまり、何事にも手がつかなくなる
- 自分の味方をしてくれる人々とちらりと視線を交わす

この感情を想起させる動詞

目を輝かせる、浮かれる、握りしめる、祝福する、踊る、打ち解ける、晴れやかになる、感謝の気持ちを伝える、ハグする、飛び上がる、浮かれ騒ぐ、耽る、だらっとする、叫ぶ、ため息をつく、胸がいっぱいになる、ぐるぐる回る、声を上げて喜ぶ

書き手のためのヒント

視点となるキャラクターが長期間混乱していると、読者がストーリーについていけなくなるので、混乱は一時的なものにするか、もしくはほかの感情を伴わせてみよう。

後退形

怒り→p. 74、懐疑→p. 98、希望→p. 132、屈服→p. 152、決意→p. 162、幻滅→p. 172、失望→p. 206、弱体化→p. 212
絶望→p. 234、敗北→p. 260、反感→p. 266、フラストレーション→p. 286、無力感→p. 300、落胆→p. 310

謙虚

〔英 Humbled〕

【けんきょ】

自分を謙遜し、控えめであろうと意識する

外的なシグナル

- 首をすくめる
- 顎を引く
- 目をぎゅっと閉じる
- 一歩後ろに下がる
- 人の後ろに立つ
- 両手で目を覆う
- 腰に手を当て、うつむいて立つ
- 真相を認めるかのようにゆっくりと頷く
- 髪を手でかき上げながら背を向ける
- 口の前で、両手の指の腹を合わせる仕草
- 普段より静かな声で話す
- 言葉に詰まる
- 頭をのけ反らせ目をしばたいて、涙をこらえる
- 自己弁護しない
- 他人を立てて、自分は目立とうとしない
- 頭を振り、鼻から荒く息を吐く
- いらだったときは唇を噛みしめる
- 身動きしない
- 人から離れ、背後でうろうろする
- 体を小さくする
- 腕を組む
- ボタン、小銭、髪の毛、イヤリングなどをいじる
- 表情を曇らせる
- 人の目を見ない
- 顎の筋肉がこわばる
- 歯を噛みしめる
- ゆっくりと小さな円を描くように歩き回る

内的な感覚

- 胸が締めつけられる
- 胃が重い
- 喉が締めつけられる
- 目がチクチクする
- みぞおちのあたりがムカムカし、吐き気がする
- 筋肉がこわばる

精神的な反応

- 事態を把握しようと、さまざまなことが頭の中を駆け巡る
- 新情報が入り、どうしてよいかわからなくなり、頭の中が真っ白になる
- 不信感をいったん脇に置く
- 頭の中で自分を責める
- 隠れたい
- かつて謙虚な気持ちになったときのことを何度も思い出す

発展形

打ちのめされる→p. 84、拒絶→p. 142、屈辱→p. 150、後悔→p. 174、自己嫌悪→p. 192、恥→p. 262、反感→p. 266、防衛→p. 290

一時的に強く、または長期的に表われる反応

- 自分を疑う
- 自分を孤立させる（恥が絡んでいる場合）
- 誇りを傷つけられ謙虚にならざるを得なかった場所を避ける
- 情熱をかけてやっていたことなのに参加しなくなる
- 自分の外見に構わなくなる
- リスクを避ける
- 注目されるのを避ける
- 自分にやたらと厳しい
- 完璧主義（再び誇りを傷つけられたくない）
- あることで誇りを傷つけられ、自分の価値を証明したくて意固地になる
- 決意を新たにし、ものの見方が変わる

隠れた感情を表わすサイン

- 真相を否定する
- へりくだっている人に対し嫌悪感や怒りを覚える
- 起きたことに対し言いわけをする
- 大したことじゃないと笑い飛ばす
- 過補償
- 人に対し、繰り返し自分を証明しようとする
- 生意気な態度をとる

この感情を想起させる動詞

卑しめる、承認する、是認する、謝る、肝をつぶす、立証する、畏れる、へまをやる、台無しにする、やり損なう、苦労で鍛えられる、容認する、告白する、祝福する、くじく、達しない、寝返る、しくじる、まごつく、過失を犯す、読み誤る、白状する、撤回する、認める、とちる、踏み外す、卑下する、おぼれる

書き手のためのヒント

キャラクターには悪習悪癖があるだろうか。感情を隠そうとすると顔を引きつらせる癖があったりするだろうか。もしそんな癖があるなら、その癖を描いて、キャラクターが本心を隠そうとしている姿を表現してみよう。

後退形
感謝→p. 114、屈服→p. 152、決意→p. 162

幻滅

〔英 Disillusionment〕

【げんめつ】

信じていたことが嘘だった、あるいは見込み違いの相手を信用していたことが発覚し、傷つき失望する

外的なシグナル

- 表情はよどんでいるのに、目だけは激しくまばたきする
- 突然発覚した事実を飲み込めず、硬い表情で首を傾げる
- 姿勢がこわばり、ヨダレが出る
- 事実を飲み込めるようになり、少しよろめく
- 自分の胸に手を当て、その手でシャツの胸元を握りしめる
- 何か言おうとするが言葉に詰まる
- 息が荒くなり、胸が激しく上下する
- 幻滅させられた相手から一度目をそらし、もう一度、まったく信じられないという表情で見る
- 両手で頭を抱え込む
- 思わず「まさか」「そんなはずがない」と言葉が出る
- 落ち着かせるように自分を抱きしめる
- 頭を突きだして目を丸くする
- 口をぽかんと開くだけで言葉が出ない
- 今まで信じていた言葉を引証する：「やめるって約束したくせに！」
- 手で払いのける仕草
- 上を見上げ、呼吸が速まる
- 唇が震える
- 体全体が震えているのがわかる
- 頭を振りながら、両手で唇を挟み込む
- 後退りして、距離を置く
- 自分の信念を象徴するもの（十字架のペンダントやプレゼントされたものなど）を握りしめる
- 周囲に注意が回らず、後退りして転びそうになる
- 慰めようとする人々から離れる
- 知らせを伝えた人を疑う：「あなた、何か勘違いしているんじゃない？　あの人は絶対そんなことしないもの」
- ショックを声に出す
- 苦痛と怒りにゆがんだ表情で相手を公然と見つめる
- 取り乱さないように、かき上げた髪を少し引っ張る
- 顔面蒼白になる（ショック）、顔が真っ赤になる（怒り）
- 今まで信じてきたことにしがみつく思いで言いわけめいたことを言う：「でもあの人たちに強要されたんでしょ？」
- 罪悪感を感じているのだろうかと前に乗りだし、相手の顔色をうかがう

発展形

怒り→p. 74、裏切られる→p. 88、屈辱→p. 150、嫌悪→p. 166、根に持つ→p. 258

け

- 幻滅させられた相手や物事からよろめきながら離れる
- 事実関係を整理しようと、頭を振り相手の話を遮る

内的な感覚

- 体中が冷たくなる
- 動揺して、胸が重苦しく痛む
- 胃が締めつけられる
- 胸が締めつけられる
- 身震いする

精神的な反応

- 最初に信用したときの出来事や瞬間がフラッシュバックする
- 当時は見逃していた兆候をあれこれと思い出し、あれだ、あのときだ！と思う
- 証拠を信じたくないあまり、言いわけに走る
- 告発が真実かどうかがわからず、記憶を辿る
- ほかにも騙されていたことがあるのではないかと思いはじめ、混乱する

一時的に強く、または長期的に表われる反応

- 立っていられなくなり、もたれかかる、あるいは椅子に座る
- 辛辣な言葉で人を傷つけたくなる
- 相手を苦しめたくて秘密をばらす
- 怒りがこみ上げ、相手を怒鳴り、指差して非難する
- 暴力で食ってかかる（相手めがけて走る、危害を加えようとするなど）
- 耐えきれず逃げ出す（逃避反応）
- かつて忠誠を誓った相手や組織、信念に対し苦々しい思いを抱く

隠れた感情を表わすサイン

- 拒絶（頭を振る、弁明する、反論するなど）
- 自分が騙されていたことを暴露した人に度を超えた怒りを覚える
- この件に関して他人は間違っていると信じ込み、言いわけする
- 聞く耳を持たず、怒ってその場を去る

この感情を想起させる動詞

見捨てる、痛む、非難する、壊す、打撃を被る、混乱する、損なう、弾劾する、悩ませる、うっちゃる、捨てる、屈辱を与えられる、傷つく、怪我をする、侮辱される、麻痺する、疑いをはさむ、やめる、かき乱される、放棄する、ショックを受ける、叫ぶ、唾棄する、言葉を失う、妨害する、おののく、痛手を負う

書き手のためのヒント

緊張の走る場面でキャラクターの感情がエスカレートしていく様子、または移り変わっていく様子を必ず描写すること。うまく捉えられれば、次に何が起きるのか読者に予感させることができる。

後退形

懐疑→p. 98、きまり悪さ→p. 134、失望→p. 206、ネグレクト→p. 254、恥→p. 262、劣等感→p. 318

後悔

〔英 Regret〕

【こうかい】
自分がコントロールできる、
または修復できる範囲を超えた状況でわき起こる悲しみのこと

外的なシグナル

- 片手で顔全体を擦る
- 胸骨の前に片手を置く
- 深いため息をつく
- 口をへの字に曲げる
- 猫背
- お腹の前で腕を組む
- 腕は重く、肩を低い位置に落とした様子
- 謝る
- 説得しようとする、もしくは説明しようとする
- 両眉を寄せる
- 苦痛にゆがんだ表情
- 両手を体の脇にだらんと下ろす
- 足元をじっと見下ろす
- 両手で顔を覆う
- 目をぎゅっと閉じる
- 両手を上げてから、力を抜いて落とす
- 目を閉じたまま鼻筋をつまむ
- 表情を曇らせる、顔をしかめる
- 痛みを感じているかのごとく、胸をさする
- 犠牲者を避ける（恥ずかしさから）
- 和解を求める（正しい状態に戻そうと決断する）
- 自分のとった行動や選択を責める
- 会話の筋道がよくわからなくなる
- 髪で顔を隠す
- 首を横に振る
- 声に力がない
- 言葉が切れ切れになる、話しているうちに声が小さくなる
- 舌打ちする、あるいは遺憾の気持ちを呟く：「残念だな」
- その状況が周りに及ぼした影響を尋ねる：「彼女はその知らせをどう受け止めた？」
- 言われたことやされたことを覆そうとして、情報を集める
- 周りと距離を置く
- 社交の場で目立たなくしていようと努める
- 自分を卑下する

内的な感覚

- 胃が締めつけられる
- 不眠症
- 胸いっぱいに空気を吸うことができない
- 腹が弱くなる
- 食欲不振
- 胸の鈍痛
- 重みを感じる

発展形
意気消沈→p. 76、自己嫌悪→p. 192、自己憐憫→p. 194、恥→p. 262、フラストレーション→p. 286

精神的な反応

- 自分は力不足だと感じる
- 自己嫌悪
- 自分は痛みや審判を受けるべきだという気持ち
- 後悔の原因である人や出来事にこだわる
- 過去の出来事を思い返す
- 思考が内向きになる
- 出来事自体を忘れようとする
- 誰にも注目されたくないと思う
- 注意力が散漫になる
- 出来事が起こらなければよかったと思う

一時的に強く、または長期的に表われる反応

- 体調管理を怠る
- 体重の減少
- 社会から身を引く
- クラブやグループから抜ける
- 趣味や気晴らしにも楽しみが見出せなくなる
- ほかの対人関係で過大に償おうとする
- 泣く、嗚咽する
- 自己破壊的な行動
- 薬物、アルコール依存症
- 安全ではない性行為
- 虐待関係
- 自分のためにならないような恋愛関係に陥る
- 潰瘍
- 人と親密になれない
- 自分が許せない

隠れた感情を表わすサイン

- なんとかして新しく人間関係を築こうとする
- 人の気を引くために、自分の業績について語る
- 人生をやり直そうと、生活を変えるような決断を下す（転職、引越しなど）
- 人気者のようにふるまう
- 作り笑い

この感情を想起させる動詞

回避する、泣く、否定する、大したことないかのようにふるまう、すり抜ける、はぐらかす、たじろぐ、隠す、孤立する、極小化する、呟く、(人生の) 道に迷う、もがく、歩き回る、顔が引きつる

書き手のためのヒント

気づいたら何度も使ってしまっている表現に注意しよう。緑という色が登場しすぎていないだろうか？　あるいは、音に関する描写（風で木の葉がざわめく）があちこちのシーンに重複して登場していないだろうか？　同じ表現の使いすぎを避けるために、こうしたディテールについて把握しておこう。

後退形
悲しみ→p. 112、きまり悪さ→p. 134

好奇心

〔英 Curiosity〕

【こうきしん】
積極的に物事を知りたがる状態。何かを知りたいと思う欲求

外的なシグナル

- 首を傾げる
- 両眉を上げる
- 身を乗りだすような姿勢
- ゆっくりと顔に笑みが広がる
- 言われたことを疑問形で繰り返す
- 身を乗りだす、椅子を近づける
- いったん考え込む
- 一瞬眉をひそめる
- まばたきをする
- 好奇心をそそられるものを急にじっと見つめる
- それまでの何気ない会話から、具体的な質問に移る
- 戸惑っているかのように、声やトーンが弱まる
- 観察しながら腕組みをする
- 詮索する、嗅ぎ回る
- 鼻筋に皺を寄せる
- 「もしもこうだったら」と仮定に基づいて質問する
- ゆっくりと触れる
- 注意を払うため途中で動作を止める（フォークを口に運ぶ手を止めるなど）
- 耳を澄ませる、人々に静かにするよう促す
- 盗み聞き
- 片手で肘を持ち、もう一方の手を唇に当ててトントンと叩く
- よく見えるように、目を細める、またはメガネを押し上げる
- 近づこうとして体を曲げる、ひざまずく、しゃがむ
- 体を対象の方に傾ける
- すり足、忍び足などでジリジリと近づく
- 五感を研ぎ澄ませる（匂いを突き止めるために嗅ぐなど）
- 興味があると言葉で示す：「わー、あれを見てよ！」「素敵じゃない？」
- 仲間に入れる、あるいは入れてもらおうとして、人の服の袖を引っ張る
- じっと観察するために動きを止める
- わずかに口を開く
- ゆっくりと頷く
- 対象をつっつく
- 独り言を言いながら新たなアイデアや考えを整理する

内的な感覚

- 呼吸が乱れる、一瞬止まる
- 脈拍が速まる

発展形
畏敬→p. 78、怖気づく→p. 90、葛藤→p. 110、驚嘆→p. 138、熱心→p. 256

- 首の付け根がうずうずする

精神的な反応

- 知りたい、触れたい、わかりたいという欲求
- 言おうとしていたこと、やろうとしていたことを忘れる
- 目新しいものを求めて回り道せずにはいられないという衝動
- 心配、気を揉むといった、それまでやっていたことをいったん停止する
- 調べてみたい、試してみたいという欲求
- 知覚的な情報に敏感になる
- 好奇心の対象となるものについて、どうやって動くのか、なぜそこにあるのかなど疑問や興味を持つ
- 現状で満足し、さらに学んで成長したいと思わない人にイライラする

一時的に強く、または長期的に表われる反応

- 気を揉む、けいれん症状が出る
- 興味の対象について非常に敏感になる
- 強迫観念
- 鋭い質問や、無礼な質問さえも投げかける
- 知りたいという欲求を満たすためにこそこそ嗅ぎ回る
- ひたむきに情報を集めて知識を追求し、人をあっと言わせる
- 自分の努力が邪魔されたり、答えを見出せなかったりするとイライラする

隠れた感情を表わすサイン

- 視線を下に向ける
- 両手を膝の上に置く
- 目を合わせない
- 長居をして対象に近づくために言いわけをする
- 好奇心をそそるものをわざと無視したり、気づかないふりをしたりする
- 横目で見る
- 興味があることを悟られないように、髪で目元を隠す
- 退屈を装う

この感情を想起させる動詞

近寄る、尋ねる、引きつける、忍び寄る、欲求する、検討する、探検する、魂を奪われる、あとを追う、問い合わせる、関心を示す、興味をそそられる、調査する、招く、もたれかかる、耳を傾ける、驚嘆する、じっと見る、つつく、軽く押す、追求する、質問する、手を伸ばす、試す、触れる、目を奪われる

書き手のためのヒント

匂いは記憶を呼び覚ますきっかけになるもの。このことを生かして、嗅覚に関する描写を練っていくのがよいだろう。そうすれば、話に引き込まれた読者が自分もその場面を体験しているかのような気分を味わえる。

後退形
失望→p. 206、無関心→p. 296、落胆→p. 310

肯定

〔英 Validated〕

【こうてい】

自分の考えや意見が人に受け入れられ、
その価値を認められたと感じること

外的なシグナル

- 満面に笑顔が広がる
- 呼吸が安定し深くなる
- 表情が明るくなる
- 認められたアイデアを詳細に解説する
- 熱心に頷く
- 人の話に熱心に耳を傾ける
- アイデアをさらに快く共有する
- 顎を上げ、肩を後ろに引く
- 胸を張る
- 背筋を伸ばして立つ
- 人の目を見る
- 人に話しかけるときは面と向かって話す
- 周囲はザワザワしているが、話をしている人に注意を払おうとして、しかめ面になる
- 人に話しかけるとき身を乗りだす
- ほかの人が話しているとき、椅子に深々と座るなど、悠長に構える
- 手を動かし、生き生きとした仕草をする
- テーブルの上に肘をつき、組んだ手の上に顎を乗せる
- 肯定されて余裕ができ、注目されたいとも思わず、穏やかになる
- 神経質そうな仕草が止まる
- 落ち着いた自信のある声で話す
- 早口で話す
- より寛大になる（人に感謝する、優しい仕草をする、援助の手を差し伸べるなど）
- 興奮した熱心な声になる
- 何かを思い出すかのように上を見やる
- 人の話を熱心に聞いているような眼差しを向ける
- 正直かつ真面目に質問に答える
- 対等な一員としてグループに参加する（雑用係や影の薄い存在としてではなく）
- 以前より進んで人の意見に同意あるいは反対するようになる
- 手を動かさないように、両手を組んだり、手を後ろで組んだりする
- 認めてもらえたことを人に話して聞かせる、あるいは会話の中で繰り返しそのことを持ちだす
- 会話に貢献できると思ったら、すぐに会話に飛び込む
- 興奮しているのにそれを隠そうとして冷静を装う
- 何かを飲んだり食べたりできるほど、くつろぐ

発展形

安堵→p. 72、うぬぼれ→p. 86、価値がある→p. 106、自尊心→p. 202、満足→p. 294

内的な感覚

- 興奮しすぎて神経過敏になる
- 体全体にアドレナリンが漲る
- 感覚が非常に敏感になる
- やっと肯定され、心に安堵感が一気に広がる
- 胸が膨らむ

精神的な反応

- 機会をうかがっては、自分の知識を会話に散りばめる
- 自分が肯定されたときのことを思い返す
- 言えたのに言わなかったことを振り返る
- 人々と友好を深める、知識を深めようと勉強するなど、自分のチャンス拡大を狙う
- 人の話を聞いているふりをして、実は次に何を話そうかと考える
- 自分の価値を認めてくれた人に親近感や忠誠心を持つ
- 過去に自分に冷淡だった人々のことをよく思わない

一時的に強く、または長期的に表われる反応

- 自信過剰になる
- よく考えずに話し出し、自分の信用を落とす
- さらに知識を深めようとしない（人に認められることが「最終目標」だった場合）
- 自分の意見や考えにそぐわない人々を見下す
- 人に肯定された経験をまた味わえるよう、勉強して成長したいと意欲を燃やす

隠れた感情を表わすサイン

- ポケットに手を突っ込み、リラックスしているように見せかける
- 心の中で自分が肯定されたときのことを思い返しているので、気が散っている
- 愚かなことを口走ってせっかくの成功を台無しにしないよう、人と距離を置く
- いろいろと質問する（自分のことは話したくないが、人の話は聞きたい場合など）

この感情を想起させる動詞

加入する、議論する、断言する、自慢する、お喋りする、話し合う、関与する、盛んに身振りを使う、ジェスチャーを交える、助ける、親しく付き合う、加わる、申し出る、すまし顔をする、追求する、もったいぶって歩く、話す、手を振る

書き手のためのヒント

緊迫した状況になってもキャラクターの感情が動かないと、読者はそこに現実味を感じなくなり、ストーリーへの関心を失ってしまう危険がある。たとえ意外な形であっても、必ずキャラクターに反応させ、何か感じている姿を描写すること。キャラクターが反応しない場合は、なぜ無反応なのかをきちんと表現すること。

後退形

あやふや→p. 68、緊張→p. 146、自信喪失→p. 198

幸福

〔英 Happiness〕

【こうふく】
健康で安心なこと、あるいは嬉しい満足感

外的なシグナル

- 表情が明るくなる
- 微笑む
- 鼻歌を歌う、口笛を吹く、歌う
- リラックスした様子
- 冗談を言い、よく笑い声を上げる
- （笑って）頬骨が上がる、突き出る
- 目が躍る、輝く、光る
- はしゃいだ声、明るい声
- 早口で話す
- 人に贈り物を買う、あるいは親切な行ないをする
- 足を大きく伸ばし、広々と構える
- 人に親指を立てる仕草をする
- 姿勢を正しくして、周囲に注意を向ける
- 柔らかな物腰
- 丁寧なふるまい
- 相手を褒める
- 歩きながら両腕を振る
- 軽い足取りでスキップしたり、その場で体を左右に揺らしたりする
- 進んで人にボディタッチをする
- 前向きな言葉が出てくる
- 話し好きな態度を示し、見知らぬ人にも丁寧な態度をとる
- おおらか
- 足の上などで（まるで音楽に合わせているかのように）指を軽く叩く
- 軽快なリズムで足をブラブラさせる、あるいは足で地面を叩く
- 満足げに、ネコのような伸びをする
- 五感の喜びを表現する（音楽にのる、料理を味わうなど）
- 頷いたり、身を乗りだしたりして人の話に耳を傾ける（積極的に関心を示す）
- つま先を上下に弾ませる、元気よく手を振る
- 人を励ます、支援する
- ためらいのないすばやい動作
- 顔が輝いている、はつらつとしている
- 世界にハグするかのように、両腕を大きく伸ばす
- 思い立って親切な行為に出る
- 饒舌になる

内的な感覚

- 胸の奥が熱くなる
- 手がうずく
- 手足が軽くなり、体も心も軽くなったような感覚

こ

発展形
感謝→p. 114、高揚感→p. 184、満足→p. 294

精神的な反応

- 前向きな思考
- 喜びを広めて、人の気分をよくしてあげたいと熱望する
- ささいなことに気づく（バラの香りを嗅ぐなど）
- 人の力になりたいと思い、忍耐強くなる
- 満たされて、気楽に生きる
- 明るい見通し（楽観視）
- 愛する人たちや友人と過ごしたいと思う
- 恐れを知らない
- 愉快な気持ちを台無しにするようなリスクは取らない

一時的に強く、または長期的に表われる反応

- 嬉し涙
- 興奮で震える
- 動きが大きい（飛び跳ねる、ガッツポーズをする、走り回る、踊るなど）
- 愛情を示す、喜びのあまり叫ぶ、大声を出す、笑い声を上げる、クスクス笑う
- 笑い皺ができる
- 寛大で思いやりがあり、他人の生活をよくしたいと思う

隠れた感情を表わすサイン

- 笑みを隠そうと唇をぎゅっと結ぶ
- その場で軽く飛び跳ねる
- 落ち着いて深呼吸をする
- 幸せに向かおうとせず、じっとして何かにしがみつく
- 注意深く表情を隠すも、目から本心が溢れ出ている
- 嬉しい思いをひとまず追いやって、後にとっておく
- ものや人にひたすら集中する
- 髪の毛で喜びの表情を隠す
- 口元に手をやって、こぼれる笑みを隠す
- 自分をつねり、喜びを抑えるために痛みに集中する

この感情を想起させる動詞

活発に動く、真価を認める、目を輝かせる、晴れやかに見える、愛撫する、声援を送る、手を叩く、抱擁する、取り囲む、精力を与える、自分の気持ちを表わす、手を伸ばす、満ち足りる、(人が) 集まる、赤らめる、呼びかける、助ける、もてなす、分けへだてしない、飛び上がる、笑う、光り輝く、嬉しがる、感じとる、味わう、共有する、微笑む、ワクワクする、乾杯する、手を振る、歓迎する

書き手のためのヒント

場面の緊張感を高めていくには、まず自分のキャラクターを衝き動かしているものは何かを考え、続いてその邪魔をする感情はいったい何かを考えてみよう。それから、キャラクターが避けたいと願っている感情が湧いてきてしまうような出来事を、あえて生みだすのだ。

後退形
価値がある→p. 106、触発→p. 222、喜び→p. 308

興奮

〔英 Excitement〕

【こうふん】
活力が与えられたり、刺激されたりすることで、
行動せずにはいられない状態

外的なシグナル

- 満面の笑み
- 光り輝く目
- 片足ずつ飛び跳ねる
- 叫び声を上げる、わめく、大声を上げる、笑い声を上げる
- ジョークを飛ばす
- 人と胸をぶつけ合う
- 大きな声
- 歌う、鼻歌を歌う、文句を繰り返し唱える
- 試合やイベントの後で、ゴミをダンクシュートで捨てる
- グループでペチャクチャお喋りする
- 自分を扇ぐ
- 一瞬、ぎゅっと握りしめた両手を胸に当て、体をこわばらせる
- 気絶するふり
- 他人を笑わせようと、ふざけて自分をぎゅっと抱きしめる
- 遠慮なく考えや気持ちを口にする
- 人を持ち上げる、振り回す
- ふざけてハイテンションになる、子どもっぽくふるまう、ばかみたいにふるまう
- 顔が真っ赤になる
- じっとしていられず動き回る
- 優しく相手を押す、突く
- 両腕を大きく動かしながら、感情をあらわにする
- 足でリズムを刻む
- ハグをする
- 人の腕を掴んで握る
- 仲間と肩をぶつけ合う
- つま先で立つ、もしくは飛び跳ねる
- 情報を共有する、もしくは興奮を分かち合うために電話をかける、メールを送る
- 人と頭を寄せ合って、早口で喋る
- しゃがれた笑い声を上げる
- 笑ってはいけないところで笑う
- 気さくな要求:「教えて!」「見せて!」「行こうよ!」
- 常に体を動かしている(頷く、頭を上下に振る、ふらふら歩く、あたりを行ったり来たりするなど)
- 早足で颯爽と歩く
- 人の目を見て話す(自信を見せる)
- 友人や愛する人たちに愛情表現をする

内的な感覚

- 胸が軽くなる
- 心拍が速まる

こ

発展形
驚嘆→p. 138、幸福→p. 180、高揚感→p. 184

- 体内が震えるような感じ
- 口が渇く
- 五感が研ぎ澄まされる
- 息切れ
- アドレナリンが出て、やる気満々になる

精神的な反応

- 他者との仲間意識
- 起こりうることを想像する
- みんなで取り組むことを楽しむ
- 短気
- 自分が感じているエネルギーと共鳴するアイデアや提案に賛同する

一時的に強く、または長期的に表われる反応

- 走る、ジャンプする、叫ぶ、雄叫びを上げるという欲求が出てくる
- この気持ちを人と分かち合いたいと切望する
- はじけるような笑顔
- 心臓がドキドキする
- 汗をかく
- 叫ぶ、大声を上げる、もしくはわめきすぎて声がかれる
- コントロールがきかない

隠れた感情を表わすサイン

- あえて動作を抑え込む
- 笑みをこらえる
- 笑い声や喜びの声を上げるのをこらえる
- 興奮した自分をなだめるかのように、服をなでつける
- 目の奥が輝く
- 話すよりも頷く

この感情を想起させる動詞

弾む、弾ける、盛り上がる、ざわつく、(リズムをとって) 叩く、満たす、赤らめる、固く握る、(性的に) 腰を回す、高まる、小刻みに体を揺する、飛び上がる、笑う、跳躍する、浮き立つ、激しく鼓動する、はち切れる、活気づかせる、わななく、気が焦る、キャーキャーと声を上げる、じっとしていられない、抑制する、押し寄せる、胸がいっぱいになる、うずうずする、おののく、うち震える、ぐるぐる回る、声を上げて喜ぶ、わめく

書き手のためのヒント

ある感情を描くのに手間取る場合は、その場面のイメージを頭の中ではっきりと思い浮かべてみよう。次に、頭の中で場面を展開してみて、キャラクターたちがどのように動くのか、どうふるまうのかを観察してみるのだ。

後退形

失望→p. 206、満足→p. 294

高揚感

〔英 Elation〕

【こうようかん】

意気揚々としていること。ウキウキした状態

外的なシグナル

- 血色がよく、顔に赤みがさした様子
- 抑えきれない笑顔、歯を見せて笑う
- 笑い声を上げる
- 金切り声を上げる、叫ぶ、大声を出す、わめく
- 崩れ落ちて膝をつく
- その場で飛び跳ねる
- 我先にと人が話し終わる前に話しだす
- 両手でVサインを作る
- 頭をそらし、天を見上げる
- ウイニングランをする
- 顔を紅潮させ、輝かせる
- 人々をハグする
- その場で踊る
- 大きな雄叫びの声を上げる
- 人がどう思おうと気にしない、自意識がなくなる
- 集団の一員だと意識し、その中にいることに幸せを感じる
- 興奮して同じ言葉を何度も繰り返す：「わー！」「すごい！」
- 手足を広げ、自分のスペースを大きくとる
- 胸を突きだす
- 目を見開く、燃えるような目
- 「信じられない」というように、片手で頭の端を掴むジェスチャーをする
- 活力に溢れる（はつらつと歩くか走る、スキップするなど）
- ハグやキスなど、愛情を示す動作をする
- 突然走りだす
- 喜びの涙で頬を濡らす
- 帽子、本、紙吹雪、ヘルメットなど、ものを空に向かって投げる
- 汗をかく
- 深く息を吸い込む
- 天に拳を突き上げる
- 両腕を広げ、その場でくるくると回る
- 自分のパーソナルスペースに人を招き入れる（両腕を広げるなどのオープンな姿勢）
- 拳で胸を叩き、仲間（チームメイトなど）に向かってその拳を突き上げる
- 非常に饒舌になり、表情豊かになる

内的な感覚

- 体中が熱くなる
- 心臓がドキドキする
- 胸が高鳴る
- 目がバッチリ覚めるような感覚、アドレ

発展形
感謝→p. 114、自尊心→p. 202、多幸感→p. 240、他人の不幸を喜ぶ→p. 242

ナリンが高まり元気を取り戻す

精神的な反応

- 思考がまとまらない。興奮しすぎてまともに頭が働かない
- 家族や友人に囲まれたいと思う
- 努力、犠牲、苦労がすべて実ったという気持ち
- この瞬間を迎えるまでに乗りこえてきたハードルを思い出す
- この状況を可能にする手助けをしてくれた人々への、感謝の気持ちを抱く
- この瞬間に貢献してくれた人々に感謝したい、またはその貢献を認めたい
- この瞬間に結びついている象徴的なものに触れたい（トロフィー、勝利した競技場の芝生など）

一時的に強く、または長期的に表われる反応

- 涙が頬を伝う
- 体から緊張感が抜け、のろのろした動作になる
- 筋肉が震える
- 疲れて地面に沈み込む
- 息切れ
- 叫び、わめきすぎて声がかれる
- 言葉を失う

隠れた感情を表わすサイン

- どんなに頑張っても笑顔をこらえることができない
- いったん落ち着こうと呼吸を封じ込める
- 気持ちを抑えようと自分を抱きしめる
- 目を閉じて口元を覆う
- 自分を抑えようとして小刻みに震える
- はにかみを隠そうと下を向く

この感情を想起させる動詞

目を輝かせる、豪語する、はやしたてる、握りしめる、歓声を上げる、泣く、踊る、惑わされる、爆発する、自分の言いたいことを言う、満ち溢れる、紅潮する、赤らめる、にっこり笑う、固く握る、ハグする、得意がる、酔わせる、笑う、うっとりする、はち切れる、嬉しがる、叫ぶ、舞い上がる、押し寄せる、胸がいっぱいになる、感謝する、ワクワクする、飛び跳ねる、手を振る、声を上げて喜ぶ

書き手のためのヒント

キャラクターの感情表現に使う体の部位を書き出してみよう。まったく使わない部位はあるだろうか？　もしあるなら、何度も使っているジェスチャーの代わりに、使っていない部位のひとつを使って、感情を表現できるか挑戦してみよう。

後退形

幸福→p. 180、平穏→p. 288、満足→p. 294

孤独

〔英 Loneliness〕

【こどく】
孤立感、あるいは周囲と切り離されているような気持ち

外的なシグナル

- もの欲しそうな眼差し
- 自分の見た目に無関心（服装に無頓着、つやのない髪など）
- 人目を引こうと、外見に細かく気をつかう
- うなだれた肩
- だらんとした姿勢
- 抑揚のない口調
- 人前でうつむきながら歩く
- 人々の様子をそっとうかがう
- 無表情、笑みのない顔
- ブスッとした表情
- 人の機嫌をとろうと気前よくふるまう
- 自分も状況を把握しようと、人々を密かに観察する、もしくは話を盗み聞きする
- 中断する時間がないように、スケジュールを仕事やボランティアで埋める
- 本、ネット、テレビなどに逃避する
- 人々がイチャイチャする姿を見て、不味いものを食べたような表情になる
- 自分を抱きしめる
- 人と目を合わせない
- 強がってみせる
- 涙、悲しみ
- 深いため息をつく
- 独り言を言う
- たとえ迷惑メールでいっぱいでも、メールがたくさん届いていると安心する
- 自分を愛撫する（ぬくもりを求めてぼんやり自分の腕をさするなど）
- 人目を引こうとして、または明るくいようとして、派手な服や奇抜な服を着る
- 人やものを溺愛する（隣人、ペットなど）
- 人とのつながりを感じたくて、見知らぬ人に話しかける
- 好奇心があるわけではないが、人と話がしたくて質問をする
- 人と話したり関わったりする機会を楽しむ（郵便配達人が来たときなど）
- 人と会話するとき、とりとめもなく話す
- 出会い系アプリのようなものを試す
- 毎日同じことをするのにこだわる（同じ食事を摂る、同じ公園を訪れるなど）
- 気分を盛り上げるため、自分にプレゼントを買ったり、おいしいものを食べたりする
- 匿名やアバターを使ってもう一人の自分を楽しむ（ソーシャルメディア、ネットのゲームなどで）

発展形

怒り→p. 74、意気消沈→p. 76、悲しみ→p. 112、苦痛→p. 148、屈服→p. 152

内的な感覚

- 喉が苦しくなり、涙が出てきそうになる
- 切望の感情が強まって、心の痛みや苦悩に発展する
- 不眠症
- 疲労

精神的な反応

- 人混み、大きなイベント、社交の場を避ける
- 仲間に入りたい、求められたいと切望する
- 怒り、苦痛
- 交流を持ってみたい人たちについて空想に耽る
- 自分は価値がないという思い

一時的に強く、または長期的に表われる反応

- 自分を疑う、自信喪失
- 体重の増加
- 自分には魅力がない、もしくはつまらない性格の人間だと思い込む
- 涙が止まらない
- 自分を変えることを諦める
- 高血圧
- ワーカホリックの傾向
- 孤独を埋め合わせる行動に出る（飲食、飲酒、買い物、ギャンブル）
- ペットをたくさん飼う
- 自殺願望

隠れた感情を表わすサイン

- 自分に興味を示してくれた人に対し、あまりにも急速にのめり込む
- 独りでいるよりは、たとえ後ろ向きでも異性との関係を選ぶ
- 親しげにふるまいすぎて、相手に必死な印象を与える
- 家族や友人に頻繁に電話をかける
- 人との触れ合いを切望しているのがうかがえるようなことを一人でする（ベランダから人を眺めるなど）

この感情を想起させる動詞

心を痛める、避ける、延々と（何かを）する、すがりつく、はぐらかす、泣く、そらす、かわす、溺愛する、引きずる、うなだれる、盗み聞きする、それらしく見せる、耐える、強がる、空想に耽る、隠す、（酒などに）おぼれる、元気がなくなる、怠ける、思い焦がれる、真似る、塞ぎ込む、何も感じなくなる、とぼとぼ歩く、装う、一歩避ける、前かがみになる、崩れ落ちる、卑下する、涙を流す、望む、切望する

書き手のためのヒント

動作は、決して思いつきで描いてはならない。目標を達成するため、感情をあらわにするため、もしくはその人となりを特徴づけるためなど、キャラクターの動作ひとつひとつにはっきりと目的があるのだ。

後退形
自信喪失→p. 198、ネグレクト→p. 254、評価されない→p. 274

混乱

〔英 Confusion〕

【こんらん】

困惑、当惑した状態

外的なシグナル

- 作業を終えるのに支障をきたす
- へまをする
- 「ええと」「うーん」などためらいの言葉や、あやふやな口調で返事する
- 顔をしかめる、眉間に皺を寄せる
- 過剰に唾を飲み込む
- 頬や額をかく
- 顎を擦る
- 言われたことを疑問形で返す
- 首の付け根に触れる
- 手のひらを上に向けて肩をすくめる
- 口ごもる、あるいは何か言おうとしても言葉が見つからない
- それまでの姿勢が揺らぐ、へたり込む
- 首を傾げながら唇をぎゅっと結ぶ
- 頭をやや後ろにそらせる
- 話しながら次第に声が小さくなる
- 髪をかき上げる
- 眉をひそめる
- 耳を引っ張る、ぐいっと引く
- 言われたことに対し、もう一度言ってくれと頼む
- ぼんやりと、心ここにあらずという視線
- 額や眉を擦る
- 時間稼ぎのため質問をする
- 唇を噛む
- 激しくまばたきをする
- 口や顔を両手で触る
- 答えを求めるかのように周りを見回す
- 考えごとをするため、近くをうろうろしてから戻ってくる
- 心の中を整理するために背を向ける
- 弱々しく首を横に振る
- 状況を人に話して頭を整理する
- 口を開くも言葉が出てこない
- 頬を膨らませてから息を吐きだす
- 無表情、力のない表情
- 地面をじっと見つめる
- 確認のため相手に尋ねる:「確かなのか?」
- 拳で唇をトントンと叩く
- 舌で頬の内側を押す
- 両手を擦り合わせる

内的な感覚

- 体温の上昇
- 胃が落ち着かない
- 胸が締めつけられる
- 体の火照りを感じる

発展形

屈服→p. 152、自信喪失→p. 198、フラストレーション→p. 286、狼狽→p. 320

精神的な反応

- 思考の停止
- 答えを先延ばしにしたくて、何か邪魔が入ることを期待する
- 答えを求めて思考がフル回転する
- 自分がさらけ出され、決めつけられているような気がする

一時的に強く、または長期的に表われる反応

- 逃避反応
- 落第
- 人に信用されず、責任のある仕事や判断を任されない
- 作業が終わらず、ミスが目立つことで、人からの信頼を失う
- 約束を破る、果たさない
- 生産性が低下し、自尊心が失われる

隠れた感情を表わすサイン

- 注意を引きたくないがために頷く、同意する
- 自信があるように装う
- すべて順調だと人に断言する
- 手をひらひらさせながら微笑んで頷く
- 人を安心させるためのジェスチャー（背中や肩をポンと叩くなど）
- 会話を別の話題に誘導する
- 慌ただしく活動しはじめる
- 約束する
- ほかのことに突然興味を示す
- 顔が赤くなり、汗が吹き出る
- 時間稼ぎのために、つなぎ言葉を使用する

この感情を想起させる動詞

頭の中が空っぽになる、分析する、はたと困る、戸惑う、複雑化する、考慮する、どこにいるのかわからなくなる、中断させる、念を入れる、疑う、困らせる、もつれる、はぐらかす、弁解する、紅潮する、うろたえる、挫折する、まごつく、激昂する、嘘をつく、間違った方向に行く、誤報が伝わる、誤解する、当惑する、思案する、質問する、繰り返す、行き詰まる、どもる、考える、迷う、おどおどする、目を奪われる、心配する

書き手のためのヒント

感情の感じ方や表わし方には、男女差があることが多い。異性のキャラクターを書くときは、そのキャラクターの反応、考え方や感情に真実味があるかどうか、第三者に意見を求めよう。

後退形

安堵→p. 72、好奇心→p. 176、受容→p. 214

罪悪感

〔英 Guilt〕

【ざいあくかん】
とがめられるべき罪（実在するもの、または想像上のもの）について、責任を感じること

外的なシグナル

- 視線をそらす、あるいは下に向ける
- 背を向ける、体をモゾモゾさせる
- 顎が胸につくほど背中を丸める
- 赤面する
- 顔をひっかく
- 身構えるように反応する、怒りっぽくなる
- 制酸薬を飲む
- 何度も唾を飲み込む
- 嘘をつく
- 汗をかく
- しかめ面をする、唇を噛む
- 人や場所を避ける
- 喋りすぎる、あるいは早口で喋る
- 一定の距離を保つ
- 鼻を擦る、または襟を引っ張る
- 肘を両脇につけて、まっすぐ立つ
- 両手を閉じる、あるいは指を手の中に丸め込む
- 赤面しながら口ごもり、何か言おうとしても声がかすれる
- 場の雰囲気を明るくするため、あるいは事実から人の気をそらせるために冗談を言う
- 安心感を求めて自分の髪、首、服などに触れる
- 腹部に両腕を押しつける
- 不自然なほど押し黙る、じっとして動かない
- 顎が震える
- 涙ながらにブツブツと自分に言い聞かせる
- 不安げな動作（指を髪に通す、あたりを行ったり来たりするなど）
- 深く苦しげなため息を漏らし、目を閉じる
- うつむいて自分の足元をじっと見つめる（座っている場合は膝を見つめる）
- 両手を隠す（ポケットに突っ込む、後ろで握るなど）
- 不当な扱いを受けた人の方をチラッと見る
- 不当な扱いを受けた人のあとを追い、事実を告白しようとする
- 罰として自分に苦痛を与える
- 自分の所有物を壊す
- 楽しいことに参加したり、友人と一緒にいたりすることができない
- 青ざめた顔、苦しみ、あるいは何かにとらわれている表情
- 職場や学校に姿を見せない
- 自分に濡れ衣を着せたと思われる人たちを避ける

さ

発展形
葛藤→p. 110、後悔→p. 174、自責→p. 200、恥→p. 262

- 人前で徹底的に自分をこき下ろす（人を不快にさせる自己卑下）

内的な感覚
- 胸が締めつけられる
- 肌が敏感になる、もしくはいつもより肌に痒みを感じる
- 喉の奥が痛む
- 胃のむかつき、食欲不振

精神的な反応
- 起きたことを頭の中で再現し、さらにそれを誇張する
- 自己嫌悪に満ちた思考
- もう一度その場に戻り、起きたことを変えたいと願う
- 不安に押しつぶされそうで、心の痛みや重荷を人に告白したい、あるいはそれを人と分かち合いたい
- 考え込んで心の内にこもってしまい、人と会わなくなる
- 周囲が事実を知っていて、自分のことを批判しているのだと疑心暗鬼になる
- ほかのことに集中できない

一時的に強く、または長期的に表われる反応
- 自分の格好や健康に気をつかわなくなる
- （忘れるために）意識を失うまで飲酒する
- 極度の疲労状態で、不眠症に悩まされることもある
- 鬱
- 悪夢
- 泣く、うめく、呼吸が乱れる
- 逃避反応（起きたことに対処しきれず逃げ出す）
- 引きこもりがちになり、人との接触を断つ
- 自傷
- 自己嫌悪
- 現実逃避の手段として、自殺願望が芽生える（自殺を試みることもある）

隠れた感情を表わすサイン
- 先の過ちの埋め合わせとして、物事に全力投球する、あるいは人の役に立つ
- ソワソワする、咳払いをする
- 手で口元を隠す
- 話題を変える、注意をそらす
- 自分はその出来事と一切関係ないと否定する

この感情を想起させる動詞

無罪放免になる、認める、重荷を背負う、隠す、告白する、否定する、逃れる、心につきまとう、ほのめかす、軽減する、投影する、証明する、罰する、粛清する、謎を解く、苦悩する、滲み出る、苦しめられる、責め苦を味わう

書き手のためのヒント

自分のためのキャラクター事典を作っておけば、登場人物それぞれの髪や目の色、服装などに、物語の最初から最後まで一貫性を持たせることができる。

後退形
あやふや→p. 68、疑念→p. 130、後悔→p. 174、不本意→p. 282

自己嫌悪

〔英 Self-loathing〕

【じこけんお】

自分をひどく嫌う、あるいは憎みすらしている状態

※自己嫌悪は対照的に表面化する。キャラクターが罪悪感に苛まれ、自分は苦しんで当然だと思うこともあれば、自分を憎む気持ちや低い自尊心を必死で隠そうとすることもある。

し

外的なシグナル

- よく泣く、よく泣きそうになる
- 失敗やミスを犯すと謝る
- 人を喜ばせようと痛々しいほど頑張る
- 人の後押しが要る：「これで合ってますか」「これ、やっておいた方がいいですか」
- 自分自身に無理な期待を背負わせる
- 疑問にも思わず罰を受け入れる
- 自分のあら探しをする（余分な脂肪がないのにお腹をつまむ、ニキビを気にするなど）
- 人からの残酷な言葉を信じる
- 喜びや幸せを感じると罪悪感を感じる
- うつむいて歩く
- 軽度の自傷行為（腕をかきむしる、肌をぎゅっとつまむ、肌に爪を立てるなど）
- 自己破壊的な行動（喋りすぎて止められない、誰も信じないような嘘をつくなど）
- 猫背
- 脇をしめ、場所をとらないように縮こまる
- 社交の場を避ける
- パーソナルスペースを広くとり、心の壁を作る
- 決まったスケジュールを守る
- 褒められても喜ばない：「別の人ならもっといい仕事をしたと思うよ」「冗談でしょ？私のプロジェクトなんてひどいものよ」
- よくないこと（深酒など）をして人の注意を引こうとする
- 無反応になる、ほとんど口を利かなくなる
- 似合わない服を着るなど、悪い意味で目立つ
- やる気のない仕草（何かを手で指し示すのではなく、首を動かすだけなど）
- 自分を卑下する：「僕が触ると、なんでも壊してしまう」「僕が君の髪を直そうものなら、台無しになるだけだよ」
- 微笑みや表情がない
- 見つかって罰せられるのを期待して、愚かな危険を冒す
- 薬をしょっちゅう飲む、喫煙や飲酒など、体に悪い習慣を身につける
- 悪い人たちと付き合う（意地悪な噂話をする、人をいじめるなど）
- 議論をふっかける
- 人との接触を避ける
- 皮肉な言葉で人を傷つけ、自分に近寄らせない

発展形

意気消沈→p. 76、絶望→p. 234

内的な感覚

- 体が痛み、重く感じる
- 疲労
- 胃の調子が悪い
- 痛みを無視する（自分は痛い思いをして当然だと思い込む）

精神的な反応

- ネガティブ思考：「自分はなんてばかなんだ」「自分は何をやってもだめだ」
- 人を羨むが、後で人のものを欲しいと思った自分に罪悪感を感じる
- 常に自分に厳しい：「こんなシャツは着られないわ。見てよ、腕がこんなに骨ばってるもの！」
- 友情が欲しいのに、自分はそれに値しないと思う：「私ったら何を言ってるんだろう。あの子は私のことなんて見向きもしないのに」
- 自分の人生をよくしたいという気にならない
- 心の苦しみや体の痛みに意識を集中させる
- 逃げたい、消えてしまいたい

一時的に強く、または長期的に表われる反応

- 摂食障害を発症する
- リストカットなど自傷行為に走る
- 自殺を考える
- 自殺を試みる
- ドラッグやアルコールを過剰摂取する
- 自分を大切にできない生活から逃げられない（風俗業で働く、虐待をするパートナーがいるなど）

隠れた感情を表わすサイン

- やたらと頑張る（高い目標を設定し、目標を達成しても喜びを感じない）
- 自分を罰するかのように限界を超えたハードルを課す
- 人を避ける、人間関係を築きたがらない
- ものをため込む

この感情を想起させる動詞

酷使する、けなす、非難する、いじめる、罵る、堕落する、嫌悪する、信用を落とす、憎む、屈辱を味わう、嘲る、罰する、あざ笑う、さぼる、嘲笑する、恥じる、なじる

書き手のためのヒント

後悔は難しい感情である。一度後悔すると長く引きずることもあるからだ。キャラクターがどんな後悔を引きずっているのか、それによって行動や判断がどう左右されてしまうのか。キャラクターが後悔を振り払う姿をストーリーの中に取り入れる方法を考えてみよう。

後退形
価値がない→p. 108、葛藤→p. 110、希望→p. 132、自信喪失→p. 198

自己憐憫

〔英 Self-pity〕

【じこれんびん】
問題や不満を抱えた自分のことで頭がいっぱいで、
自分を憐れんでいる状態

外的なシグナル

- うつむき加減の表情
- 顔をしかめる
- 筋肉が弱々しくたるむ
- 肩をすくめる
- 猫背
- 足を引きずるように歩く
- とぼとぼと重い足取りで歩く
- 輝きを失った瞳
- 深いため息
- 抑揚や感情のない声
- 背中を丸め、頭を抱え込んで椅子に座る
- 眠りすぎ、または睡眠不足
- 紙に落書きする、机の上を指でなぞる
- 自分の置かれた状況に不平を述べる
- 自分の状況を嘆き、泣き出す
- 自分の問題について話していると、生き生きしてくる
- 自分のことを深刻に捉えすぎて、笑い飛ばせない
- 自分の方がよっぽど不幸だと思う：「あら、そんなことぐらいで?　私なんてもっと大変なんだから代わってほしいぐらいだわ」
- 褒めてほしいことをほのめかす
- 同情や関心を寄せてほしくて、ソーシャルメディアに謎めいた投稿をする
- 外見を構わない
- 引きこもる
- 「大丈夫だよ」と人から慰めの言葉をかけてもらい、肯定してほしい
- 何かあると芝居がかった反応を示す
- 他人や他人の問題には無関心
- 人をごたごたに巻き込もうとする
- つらいことが起きると、「助け」を求めて友人にしょっちゅう電話する
- 自分の不幸を他人のせいにし、自分の行動に責任を取らない
- いつも会話を自分の方に持っていく
- 将来に意識を向けたり、現状を改善したりせず、過去の栄光を話してばかりいる（人生が横ばい状態になる以前の話をする）
- 敵視している相手（特定人物や団体、宗教など）を非難する
- 深酒や薬物乱用など、自己破滅的な行動をとる
- ちょっとした手違いを指摘されただけで攻撃されたと思うなど、過剰な反応をとってしまいがち
- 気分を上げるために享楽におぼれる（自分へのプレゼントを買う、甘いものを食

し

発展形
意気消沈→p. 76、価値がない→p. 108、自己嫌悪→p. 192、敗北→p. 260

べるなど）

内的な感覚

- 体が重く感じ、気分が上がらない（心の痛みが身体に表われる）
- 自分の不幸について話していると、エネルギーが漲る（アドレナリン放出）
- 泣きすぎて、あるいは泣くのを我慢して喉が痛む

精神的な反応

- 他人に感情移入できない
- 自分の状況と他人の状況を比べる
- なんらかの形で自分が迫害されている、狙われていると信じ込む
- 何もよくならないと思い込み、絶望感を抱く
- 何事も悪いところしか目につかない
- 最悪の事態が現実になると思い込む
- 自分の現実をあるがままに見ることができず、誇張しがちになる
- 自分は無能だ、被害者だ、ばかだ、などと勝手に思い込んでしまう
- より幸せな道を歩みたいのに、その道を追求するのが怖い（失敗や傷つくことを恐れて）

一時的に強く、または長期的に表われる反応

- 孤立する
- 同情してくれたり支えてくれたりする人に共依存する
- 故意あるいは無意識に、悪い結果が出るような選択をする（いつまでも自分を気の毒がり、人から同情を得たいため）
- 鬱になる
- いつもネガティブなせいで、友人を失う
- 長年の目標や夢には手が届かないと思い込み、諦める
- わだかまりや反感を持つ
- 自己嫌悪（肯定欲求が不健康なほど強いのはわかっているが、自分を変えられない）
- 過去のすれ違いや不公平に拘泥し、前進できない

隠れた感情を表わすサイン

- 人の問題を知りたがり、関心があるふりをする
- 無理して人と付き合う
- 人と話さない（自分の問題に注意が向けられるのを避けるため）
- よく微笑み、笑う
- 明るい幸せそうな声で話す
- わざと快活そうな体の動きや仕草をする
- 自分の問題は棚に上げ、ほかのことには否定的な発言をする

この感情を想起させる動詞

非難する、くよくよ考える、すがりつく、文句を言う、どっぷりつかる、弁解する、ふらつく、喪失する、悲嘆に暮れる、愚痴をこぼす、不満を言う、正当化する、嘆く、塞ぎ込む、嘆き悲しむ、口をとがらす、やきもきする、ふくれる、おぼれる、泣き言を言う

書き手のためのヒント

読者からなんらかの感情的な反応を引き出したいなら、言葉を慎重に選ぶこと。言葉次第で読者が感じる雰囲気は変わるし、何を感じ取るのかにも影響を及ぼす。

後退形
自信喪失→p. 198、無力感→p. 300

自信

〔英 Confidence〕

【じしん】
自分の影響力や能力を信頼すること

外的なシグナル

- 強気な姿勢（肩を後ろに引く、胸を突きだす、顎を高く上げるなど）
- 安定した足取りで大股で歩く
- 清潔で、身なりがきちんと整っている
- 体の後ろで緩く手を組んでいる
- 両手の指を合わせる（コツコツとリズムを刻む、尖塔のように指先を合わせるなど）
- 目がキラリと光る
- 微笑み、あるいはいたずらっぽい笑顔を見せる
- ウインクする、ゆったりと頷く
- 手をポケットの外に出しておく
- 鷹揚に構える（壁にもたれかかる、鼻歌を歌うなど）
- 場所をとる（両足を大きく開く、腕を体の脇でだらりと下ろすなど）
- 自然に人に近づき、自分のパーソナルスペースに人を招き入れる
- 相手の目をじっと見る
- 歩きながら腕を振る
- 端ではなく真ん中を選ぶ（ソファでも、部屋でも）
- 注意を引くために大げさな動きをする
- よく響く笑い声
- 頭を後ろにそらせる
- 陽気に喋る
- ウィットに富んだコメントをする
- 密かに知っていることをほのめかすように、やや肩をすくめてみせ、にやりと笑う
- 悪意のないからかい
- 口説く
- 力強い握手
- 頭の後ろで手を組んで椅子にもたれる
- おおらかな態度
- 伸びをする
- 人と近い距離で接することで、くつろいだ雰囲気を示す
- ためらわず、自分から直接人に話しかける
- 冗談を言う
- 会話に加わる、あるいは会話をリードする
- イベントを主催する（サッカーの試合に仲間を集める）
- オープンな態度で接する
- 人にどう思われようと気にしない様子
- 話したり耳を傾けたりするために身を乗りだす
- 自分のエゴは棚に置き、知識を深めようと質問する
- スキンシップ、ボディタッチが増える

し

発展形
うぬぼれ→p. 86、軽蔑→p. 158、自尊心→p. 202、満足→p. 294

- 手を髪に通す、髪をかき上げる
- 自分の長所に視線が集まるような姿勢をとる
- 人の後ろをついていくよりも、人を先導する

内的な感覚
- 緊張が解け、腕や肩をだらりと下ろす
- 落ち着いた呼吸
- 胸が軽やかな感じ

精神的な反応
- 落ち着いていて、楽な感覚
- 肯定的にものを捉える
- 世の中のことになんでも興味を示す
- 自分のスキルを使って何かを改善したり要望に応えたりして、人を助けたい
- 自分の力を伸ばせるように、さらに大きな目標を目指す

一時的に強く、または長期的に表われる反応
- 不安になったり心配したりせずに、いつもとは違うことをやってみる、言ってみる
- 喜んで新しいことに挑戦する
- 必要とあらば新たな役割を引き受けるなど、順応性を見せる
- ある功績やものについて夢中になって語る
- 自分に関する能力を攻撃されると、怒りや嫉妬の反応を示す
- 自慢する、目立ちたがる

隠れた感情を表わすサイン
- 他人への称賛を最低限に留める
- 謙遜する
- 別の人に注目が集まるよう話題を変える
- 自分の快適度よりも、周りの人々をよい気分にしてあげることを優先する
- 人に意見やアドバイスを求める
- 称賛を独り占めしない：「みんなの助けがなければできなかった」「団結力のあるすばらしいチームだ」

この感情を想起させる動詞

行動に出る、目標を狙う、断言する、手を貸す、公言する、目を輝かせる、確信する、豪語する、支持する、築く、指揮する、確約する、委任する、力を与える、励ます、自信に溢れる、勇気づける、助ける、影響を与える、鼓舞する、率先する、刺激する、説得する、反抗する、復活させる、具現化する、舵を取る、ぐいっと引く、ウインクする

書き手のためのヒント

人前では、自分の本当の感情を抑えたり隠したりするのは自然なことだ。葛藤を抱える主人公について描くときは、まずその人がその場で建前として相手に伝えたい感情を、動きを通じて表現しながら、同時に本心が読者にわかるように描こう。

後退形
あやふや→p. 68、疑念→p. 130、後悔→p. 174、不本意→p. 282

自信喪失

〔英 Insecurity〕

【じしんそうしつ】
自分に確信が持てなくなる気持ち、もしくは自信の欠如の表われ

外的なシグナル

- 服の皺をなでつける
- 自分を卑下するように笑う
- 目をそらして肩をすくめる
- 両手をポケットに隠す
- モジモジする
- 口臭を確認する
- 咳払いをする
- 見た目にもはっきりわかるほど赤面する
- 聞き取れないような小声で話す
- 下唇を舐める、もしくは噛む
- 自分の髪をなでる、すく（自分を安心させるためのジェスチャー）
- 自分を覆う（上着をしっかり体に密着させる、両肘を抱えるなど）
- 膝や足をぎゅっと抱える
- 周囲に合わせようとして、人の行動を真似ようとするがぎこちない
- タイトで露出度の高い服よりも、ゆったりした服を選ぶ
- 人に元気づけてもらう
- 褒められても聞く耳を持たない、または謙遜する（自己卑下）
- 下を向きながら歩く
- 集団の端に留まる、人でいっぱいの部屋の中で隅を探す
- 両手を肘の後ろに隠す
- 手首をひねる
- 笑わない、もしくは笑みを見せるがすぐ消える
- 見た目にもわかるほど筋肉がこわばる
- 額を擦る
- 何を言うべきか、すべきかについて、人のアドバイスや指示を必要とする
- 大きすぎる声で笑う、もしくは変なタイミングで笑いだす
- 本、バインダー、財布などをぎゅっと胸に抱きしめる
- 自分を落ち着かせるために足をトントンと叩く
- 髪で顔を覆う
- 爪を噛む
- 人から離れ、距離を置く
- 話しながら片手を顔のそばに近づける
- うまく話せない、もしくは意見がうまく言えない
- 唇を擦る
- 厚化粧をする
- 慌てて早口で話す、またはどもりながら話す

発展形
怖気づく→p. 90、気がかり→p. 120、疑心暗鬼→p. 124、疑念→p. 130、
きまり悪さ→p. 134、孤独→p. 186、心配→p. 224、防衛→p. 290、用心→p. 304

- 気まずい状況で汗が滲んでくる

内的な感覚

- ものや人に直面したとき、心臓がドキドキする
- 腹の中がかき乱されるような感覚
- どうしようもなく体が火照る
- 喉の違和感、喉が渇く

精神的な反応

- 優柔不断、問題のことを考えすぎる
- 自分の欠点、至らないところにこだわる
- 対立を避けるため、あるいは受け入れられたくて、賛意を示す
- 人の才能や長所に固執する
- 人と自分を比べては、自分の至らないところを見つける

一時的に強く、または長期的に表われる反応

- 安心させてくれるものにしがみつく（特別なアクセサリー、写真など）
- 猫背
- 気づかれたり話しかけられたりすると赤くなる
- 社交的な場を避ける
- 人前で臆病になる
- 人前に出るとパニック発作が起きる
- 物事に独りで対処するのを好む
- 目立ちたくないがために、飾り気のない服を着る
- 友だちができない
- 部屋の奥や人から離れたところに座る
- 対面よりもオンラインでの交流を求める

隠れた感情を表わすサイン

- 髪を振り払う
- 胸を突きだす
- 肩を怒らせて偉そうに立つ
- アイコンタクトを自分に強いる
- 質問や心配の声をそらせる
- 決断力があると示すために、結論を急ぐ
- リスクを負う
- 嘘をつく
- 自分も会話に加わる

この感情を想起させる動詞

目立たないようにする、赤面する、同調する、疑う、ふらつく、いじくる、やきもきする、騒ぎ立てる、躊躇する、過補償になる、くよくよする、よろよろ歩く、言葉に詰まる、よろめく、どもる、曖昧なことを言う、おどおどする、引きこもる、心配する

書き手のためのヒント

どの場面も、それだけが独立して成り立っているわけではない。だから、時間の経緯に沿った設定、思考、セリフを入れるように努めよう。

後退形
あやふや→p. 68、緊張→p. 146、評価されない→p. 274

自責

〔英 Remorse〕

【じせき】
悪事を働いたことから罪悪感に苦しむこと。
自分の行ないを取り消したい、修正したいと切望すること

外的なシグナル

- 心から謝る
- 話をさせてほしいと頼む
- 被害者のフォローをする
- 以前ある出来事が起きた場所に何度も戻る
- うなだれて、目だけ上を見る
- 目に涙が溢れる
- 片手で口元を覆う
- 両手で頭を抱える
- 涙を隠そうとしない、抑えようとしない
- 沈黙
- 補償を申し出る、もしくは約束をする
- 被害者がいる前で、彼らの名前を会話に持ちだす
- ありのままの事実を告げる
- 答えるとき、躊躇せずに話す
- 顎が震える
- 腹部を抱きかかえる
- 胸の前で肩を丸める
- 攻撃されてもやり返さない(口でも体でも)
- 力なく崩れた姿勢
- 地面をじっと見下ろす
- 膝の上で両手を握る
- 震える
- 許しを請う
- 肩を震わせながら嗚咽を抑え込む
- 懇願する口調
- 顔色が悪い、青白い
- 目の下にクマがある
- こけた頬
- 触れようと手を伸ばすが、自分にその資格はないというように手を引っ込める
- 罰もしくは判決に、ためらうことなく同意する
- かすれた声
- 起きたことに対する責任を口にする
- 質問に対して、静かに答える
- 両腕を脇にだらんと下ろす
- 手足をじっと動かさない
- 服従
- 突然泣きじゃくる
- どう償うべきか、人に助言を請う

内的な感覚

- 胃が締めつけられるような感じ
- 鼻水
- 吐き気
- 睡眠不足から、目がゴロゴロする、もしくは目が乾く
- 悲しみで喉を詰まらせる

発展形
打ちのめされる→p. 84、価値がない→p. 108、決意→p. 162、後悔→p. 174、自暴自棄→p. 210、恥→p. 262

精神的な反応

- 自分のとった行動や間違った決断を、心の中で責める
- 結果がどうであれ、受け止めようと思う
- 借りを返す方法を見つけることに固執する
- 相手と、彼らが経験したことに共感する
- この状況での自分の役目について正直になる
- 自分が犯した過ちをすべて白状したことで安心する

一時的に強く、または長期的に表われる反応

- 体重の減少
- 頭痛
- 心臓疾患
- 自分は幸せになる資格がないと信じ込み、自己破壊的な行動に出る
- 両者のバランスを保ちたい、あるいは事態を解決したいと躍起になる
- まったく新しい生活をはじめる(チャリティ活動、神を信じるなど)

隠れた感情を表わすサイン

- (集団で行動に出た場合) 自分と同じく悪事を働いた仲間を避ける
- 気持ちに嘘をつく
- 被害者にも少しは責任があると主張する
- その場を離れるために言いわけをする
- 嘘の口実を作り、活動、学校、職場を辞める
- 引っ越す

この感情を想起させる動詞

謝る、懇願する、告白する、縮こまる、萎縮する、泣く、悲嘆に暮れる、卑屈にふるまう、哀願する、元気がなくなる、混同する、しつこくする、嘆願する、探る、縮み上がる、すすり泣く、降参する、声に出す、そうあってほしいと願う

書き手のためのヒント

場面の出来事は、順を追って書き進めていくのが読者に一番伝わりやすい。まず行動(要因) を示し、次にそれに対するリアクション (反応) を描くことで、どうしてAからBに至ったのかがはっきりするのだ。

後退形
罪悪感→p. 190、自信喪失→p. 198

自尊心

〔英 Pride〕

【じそんしん】
意義ある成果、あるものの所有、人との交際などから生じる真っ当なプライドのこと

外的なシグナル

- 顎を高く上げる
- 肩を後ろにそらす
- 胸を突きだす
- 足を大きく広げ、背筋をピンと伸ばして姿勢よく立つ
- 目の奥がキラリと光る
- わけ知り顔でニヤッと笑う
- 完璧主義
- 人の反応を観察する
- ここに至るまでの浮き沈みを語る
- 成果をあげたことを伝えるために、友人や愛する人たちに電話する
- 真正面から、もしくは集中してアイコンタクトをとる
- よく響く笑い声
- 歯を出して大きくにっこり笑う
- お喋りになる
- 惜しみなく人に褒め言葉をかける
- 自分の成功で人を勇気づける：「僕がやれたんだから、君にもできるよ」
- 言葉を強調しながら少しつま先立ちになる
- 会話をリードする、または支配する
- 話を聞いてくれる人がいると、より生き生きしてくる
- 秘密を明かしながらニッと笑う
- 行事やディベートの最中に割り込む
- 満足げな笑顔
- 開放的でおおらかな気持ちになる
- ベルト通しに親指をかけ、腰を前に突きだす
- 深く息を吸い込む
- 自慢の品の欠点については無視する、見て見ぬふりをする
- 自分のルックスにこだわる
- 両手を交差させて脇の下にはさんで立ち、親指は上に向けて覗かせる
- 髪をかき上げる
- セクシー、もしくは自分の長所に視線が集まるような姿勢をとる
- 人にどう思われようと気にしていない様子
- 考えるより先に口が開く（よく考えるべき場合でも）

内的な感覚

- 背が高く、大きく、強くなったような感覚
- 深く満足げな呼吸で肺が膨張する

精神的な反応

- 自分のことをポジティブに捉える

発展形
うぬぼれ→p. 86、軽蔑→p. 158、自信→p. 196

- 自分の成果や成功に夢中になる
- 世界征服できるような気持ち
- 支えてくれる愛する人たちに囲まれたいと思う
- この達成感を人と分かち合いたいと切望する
- 自分の物差しで人のことを判断しがち
- 自分の能力を過大評価する
- 人を見くびる
- 自分には資格があるという感覚
- 優位に立とうとする、利益を追求する
- 失敗を恐れる（成功して当たり前の場合）
- 人の期待を超えるにはどうしたらいいか考える

一時的に強く、または長期的に表われる反応

- 人の間違いを証明することが楽しい
- 自分の功績もしくは所持品について自慢する、そのことばかり喋る
- 自分も関わっていることを周囲に知らしめるために、グループの業績を讃える
- 自分の能力を非難されると怒りや嫉妬の反応を見せる
- 今後の目標について、行きすぎた宣言もしくは約束をする
- 自分を元気づけようと、偉業を達成するもとになった人や場所を訪れる

隠れた感情を表わすサイン

- 賛辞を払いのける
- 功績をほかの人に引き渡す
- 自分に注目が集まらないようにする
- 検証のために、ほかの人々の意見も訊く
- 控えめを装う

この感情を想起させる動詞

浸る、豪語する、自慢する、素直に語る、対立する、守る、結果を出す、見下す、却下する、誇示する、笑う、すまし顔をする、胸を張る、大いにもてなす、にやにや笑う、冷笑する、もったいぶって歩く、威張る、胸がいっぱいになる

書き手のためのヒント

キャラクターはどんな感情でも平気で表わせるタイプなのだろうか。人には見せたくない感情を持ってはいないだろうか。キャラクターが感情を見せるときに複雑なニュアンスを持たせるため、隠された感情がないかどうかを探ってみよう。

後退形
あやふや→p. 68、自信喪失→p. 198、喜び→p. 308

嫉妬

〔英 Jealousy〕

【しっと】

ライバル、もしくは利益を満喫していると思われる人に対し、
敵対心を抱くこと

外的なシグナル

- むっつりした表情
- 喉からうなり声を上げる、不満げな音を出す
- ライバルにほかの人たちが好意的に反応しているのを見て苦々しく思う
- すばやく、機敏な動作（頬の涙を拭う、目元の髪をはねのけるなど）
- 唇をぎゅっと結ぶ、一文字に結ぶ
- 胸の前で腕組みをする
- 歯を食いしばる
- 小声で悪口を呟く
- 噂を広める、意地悪な行動に出る
- 自分のパワーや支配する能力を感じたくて、弱い者いじめをする
- あざ笑う
- 不快な笑い声を上げる
- 侮辱する、悪口を叫ぶ
- 拳を握りながら一歩近づく
- 見た目にもわかるほど頬を紅潮させる
- 表情がゆがむ
- 筋肉がこわばる
- ライバルの動作を真似る
- 相手よりも一枚上を行こうとする
- リスクを含んだ挑戦をライバルに叩きつける
- 批判する
- ライバルのいる方向に唾を吐く
- 悪態をつく
- 近くにあるものを蹴る
- 目立とうとする
- 注目を集めるような行動に出る、悪ふざけをする
- 無礼な態度をとる、卑劣なことを言って攻撃する
- 無謀なふるまい
- くじけたり弱みを見せたライバルの姿にほくそ笑む

内的な感覚

- 胸や胃が燃えるような感覚
- 胃が締めつけられる
- 呼吸が荒く、速くなる
- 視界に斑点が現われる、視界が一瞬揺らぐ
- 顎が痛むほど歯を食いしばる

精神的な反応

- ライバルがいかに価値のない人物か、周囲に言いふらしたいと思う

発展形

怒り→p. 74、軽蔑→p. 158、決意→p. 162、自暴自棄→p. 210、羨望→p. 236、憎しみ→p. 252、復讐→p. 278

- 決断を急ぐ（チームを辞める、パーティーを飛びだすなど）
- ライバルの話題が出ると怒りが湧く
- ライバルの評判を落としたい、力を奪い去ってしまいたいと切望する
- 相手に不幸が訪れることを願う、または復讐したい
- 否定的な感情を抱いて混乱する
- ライバルの欠点にのみ焦点を当てる
- 他人がライバルと比べて自分をどう思っているのかを想像する
- ライバルに譲る（別の女性または男性を追うことにする）

一時的に強く、または長期的に表われる反応

- 冷やかす、批判する、いじめる
- 喧嘩をふっかける
- ライバルに対して行きすぎなほど執着する
- 軽犯罪を犯す（ライバルの車をロックするなど）
- 感情を解放したくて自傷行為に走る
- 自分の日常生活にもマイナス思考が及ぶようになる
- 自己不信、自信喪失
- 異性との関係が後ろ向き、受動攻撃的、批判的
- 表裏のある態度を長く続けているため、不愉快になる
- 自分にも人にも不誠実な態度をとる
- 卑劣な手段でライバルを攻撃し、結果的に人前でライバルを貶めるパターンを繰り返す

隠れた感情を表わすサイン

- ライバルの前では普通にふるまうが、裏で批判的なことを言う
- ライバルの姿を密かに見つめる
- 求められていることに対し、自分も秀でようと対抗する
- 自分と同じように求められていることが欠けている人たちと、仲間になる
- よい仲を保つことで認めてもらおうとして、媚びへつらう
- ライバルのことを意識しないようにする
- 関係ないと自分に言い聞かせる
- ライバルに関して前向きに捉えようと試みる

この感情を想起させる動詞

避ける、燃える、隠す、自分のものにしたがる、熱望する、損なう、糾弾する、罠にかける、空想に耽る、ほくそ笑む、うまく逃げきる、侮辱する、色目を使う、誘い出す、嘲る、つきまとう、恋い焦がれる、挑発する、追求する、恨む、妨害する、蔑む、誘惑する、中傷する、ぶち切れる、いがみ合う、だめにする、ひっくり返す、弱体化させる、求める、切望する

書き手のためのヒント

どの場面でも、「光」について考えてみよう。太陽の光がたっぷり注いでいるのか、すべてを灰色に変えてしまうようなくすんだ曇り空なのか、夕陽の時刻なのか、暗がりなのか……。光と影は、キャラクターの気分にも影響を及ぼし、ストレスの度合いや目標に向かう姿勢にまで作用することもある。

後退形
屈服→p. 152、自己憐憫→p. 194、自責→p. 200、恥→p. 262、不満→p. 284

失望

〔英 Disappointment〕

【しつぼう】

裏切られて落胆している状態

外的なシグナル

- 頭を垂れる
- 唇をぎゅっと結び、顔をしかめる
- 肩を落とす、少しうなだれる
- 猫背
- 両手を上げて「なぜ僕なんだ？」というように空を見上げる
- 椅子やベンチに崩れ落ちる
- 期待をくじかれ、首を横に振る
- 苦笑い
- 深いため息
- 一瞬手で顔を覆う
- 目をそらす
- 首を前方へ曲げる
- ゆっくりと首を横に振る
- 顎を下に傾けて眉をひそめる
- ブツブツ言う、または喉の奥を鳴らす
- 懸命に涙をこらえる
- ドアや壁に寄りかかる
- 気持ちを鎮めようと、誰かに連絡を取る
- 目を閉じてうなだれる
- 歩いている途中でつまずく
- 表情が緩み、やや青ざめる
- こめかみに手を押し当てる
- 髪の毛に手を入れて、髪を引っ張る
- 顔をしかめる、または無表情になる
- 涙を溜めた目、考え込んでいる眼差し
- ビクッとする
- 口を少し開く
- 混乱して、あるいはショックを受けて周りを見回す
- 隠れようとする（頭を覆う、顎を引く、背を向けるなど）
- 手が生気を失ったかのようにだらりとなる
- 何をすべきかわからなくなってしまったかのように、手が宙を舞う
- 足を引きずる、あるいは地面を蹴る
- 首の後ろを擦る
- 小声になる、黙る
- 「嫌だ」とささやく、あるいは小声で悪態をつく
- 唇を噛む
- 自分にしがみつく（両肘をしっかり掴む、両腕を擦るなど）
- 腹部に片手を当てる
- そっと立ち去る（逃避反応）

内的な感覚

- 心臓が縮んでいくような感覚
- 胃が締めつけられた後、突然の吐き気に

発展形
怒り→p. 74、意気消沈→p. 76、敗北→p. 260、反感→p. 266、劣等感→p. 318

襲われる
- 胸が締めつけられ、息苦しくなる
- 呼吸が乱れる、あるいは息をするのを一瞬忘れる
- 体が重い

精神的な反応
- 不安もしくは絶望の気持ち
- 自分を敗北者だと思い、否定的な独り言を呟く
- 独りになりたいという願い
- すべてに価値がないという感覚

一時的に強く、または長期的に表われる反応
- 頬を赤らめる（恥ずかしさから）
- 自分を非難する
- 失望にどっぷりつかる（深酒、憂鬱な歌を聴くなど）
- なぜこうなってしまったのか、しつこく考える
- 前に進めない
- 確実に達成できない目標は設定しない

隠れた感情を表わすサイン
- 唇を軽く結ぶ
- 肩を落としてから、再びぐいと引き上げる
- 嘘の声援を送る、弱々しい笑みを浮かべる
- 失望を冗談でごまかす
- 予備のプランやほかの手段を挙げる
- 約束する
- 膝の上で両手を組む
- 勝者を祝福する

この感情を想起させる動詞
壊す、どんよりとする、はぐらかす、押しつぶされる、そがれる、打ち負かされる、やせ細る、ふいにする、落胆する、引きずる、うなだれる、失敗する、ふらつく、喪失する、挫折する、嘆き悲しむ、拳を叩きつける、ため息をつく、緩慢になる

書き手のためのヒント
むき出しの感情を体験しているとき、キャラクターは何も考えずに反応していることが多い（会話であれ動作であれ）。そうした性急なふるまいから、場の緊張感を高め、衝突を生むような「嵐」を巻き起こすことができるのだ。

後退形
屈服→p. 152、受容→p. 214

執拗

〔英 Obsessed〕

【しつよう】

誰か、あるいは何かに過度な懸念や関心を示す

※キャラクターは、人やグループ（恋の相手やスポーツチーム）、目標（学級委員に選ばれる、監禁から逃亡する）、趣味（エクササイズ、スクラップブッキング）など、さまざまな物事や人に長期にわたって取り憑かれたようになる。

し

外的なシグナル

- 心を奪われて耳を傾ける（前のめり、瞳孔が開く、何度も激しく頷くなど）
- 声が高くなる
- 瞳孔が開き、瞳が輝く
- 射るような眼差し
- 身なりを構わない（髪をとかさない、しわくちゃの服を着る、目の下にクマを作るなど）
- 関心の対象について話すと、勢い込むので言葉がつかえる
- 勢い込んで話す（手を振り回す、かかとを浮かす、指をせわしなく動かすなど）
- 人を差し置いて自分の意見を言い、会話を独占する
- 関心の対象を憧れの目でじっと見つめる
- 呼吸が速くなる
- 関心の対象に人混みをかき分け近づき、一目見たくてつま先立ちになる
- 関心の対象にちなんだ服、アクセサリー、ジュエリーなどを身につける
- 関心の対象を追求しやすくするため引っ越す
- 関心の対象を真似た服やヘアスタイルを選ぶ、あるいはその人の気を引こうと真似る
- 聞いてくれる人なら誰にでも自分の関心事について話す
- 缶バッジ、首ふり人形、カードなど、関心の対象にちなんだグッズを集める
- ファンクラブに入会する
- 関心の対象が登場するイベント（会議、本のサイン会など）に参加する
- 同じことに関心を持っている仲間を探す
- 関心の対象が蔑ろにされると怒る
- 人と会話をしていたりしても、気が散ってしまう
- 関心の対象をストーキングする
- 関心の対象について知り尽くす
- 夢中になりすぎて、家族や友人を蔑ろにする
- 夢中のあまり、道徳的な一線を超える
- 拒絶や失敗にもめげず、突き進む
- 時間やお金、エネルギーを過度に注ぎ込む
- 何を話しても、すぐに自分の関心事に話題を変える

内的な感覚

- 関心の対象が現われたり、話題に出たり

発展形
裏切られる→p. 88、絶望→p. 234

すると、興奮する
- 関心の対象を追いかけられないと、胃が締めつけられる
- 関心の対象が現われると心臓がバクバクする

精神的な反応
- ひとつのことだけに集中する
- 関心の対象を追いかけたい、所有したい衝動に駆られる
- 関心の対象のことを常に考えてしまう
- 同じ出来事を繰り返し何度も心の中で再現する
- 関心の対象のことを空想する
- 関心の対象がこの世に存在しなければ、人生はつまらないと思い込む
- (関心の対象に関して) 自分が成功したか失敗したかによって気分にむらが出る

一時的に強く、または長期的に表われる反応
- 疲労
- 高血圧
- 関心の対象のそばにいない、あるいは追いかけていないと、心身の調子が悪い
- 筋肉が引きつる
- 自分のことを構わなくなり、不潔になる
- 孤立し、長期間人と関わらない
- 強迫の表われと見られる行動をする
- 関心の対象を何よりも優先しようとし、自分を見失う
- 自分の感情がわからなくなる
- 不健康な執着ぶりを人に注意されると、怒ったり身構えたりする

隠れた感情を表わすサイン
- 他人が周りにいるときは冷静を装う
- 人に怪訝な顔をされないよう、関心の対象を話題に出すのを避ける
- 本当は関心を持っているのに、そのことをきっぱり否定する
- ほかのことに注意を向けようとするができなくて、注意力散漫になる
- グループに所属したり、仲間と出かけたりするが、心から楽しめない
- (関心を持っていることが) 人にばれたら自分がどう思われるか心配でたまらない
- 関心の対象を人にばかにされ、不愉快な気持ちを隠そうとする（唇を噛みしめる、腕を組む、背を向けるなど）

この感情を想起させる動詞

夢中になる、没頭する、心を奪われる、固執する、集中する、心を掴まれる、つきまとう、頭がいっぱいになる、追求する、しつこく追い回す、一生懸命努力する、狙う、困らせる

書き手のためのヒント

感情表現の手法としてのユーモアにはさまざまな使いみちがある。いつも楽観して嫌な状況を笑い飛ばす人もいれば、問題を直視せず、気を紛らすためにユーモアに頼る人もいる。ユーモアをどう使えば、キャラクターの心が晴れるのか考えてみよう。

後退形
畏敬→p. 78、興奮→p. 182、崇拝→p. 226、熱心→p. 256、無関心→p. 296、欲望→p. 306

自暴自棄

〔英 Desperation〕

【じぼうじき】

絶望的な状況で、無分別な行動を引き起こす

外的なシグナル

- 熱っぽく、ギラギラとした目
- ソワソワとした目つき
- すばやい動作
- あたりを行ったり来たりする
- 不眠、食欲不振
- 指がけいれんするなど、衝動的で反復的な動きをする
- ぎこちない歩き方
- 助けや支持を求めて相手の方に手を伸ばす、触れる
- 真っ向から危険と対峙する
- 自分を極限まで追い込むような行為に出る
- 落ち着かない様子でブツブツ独り言を言う
- 自分の髪を鷲掴みにして引っ張る（その痛みに意識を集中させる）
- 感極まった声
- ソワソワした手の動き
- うめき声を上げる
- 震える声
- 体を前後に揺らしながら、組んだ両腕をさする
- 人の無関心や怒りのサインを無視し、話しかけたり近寄ったりしようとする
- 動揺して震える
- 頭に両腕を巻きつける
- 顎を胸につけて自分の肩を抱く
- 首がこわばり、首筋が浮き立っている
- 腕が張る
- 潤んだ瞳でソワソワとあたりを見回す
- 下唇を噛む
- 両手を揉み合わせる、または指を何度も丸めたり開いたりして拳を作る
- 肩を丸める、猫背
- 首を横に振って拒絶を示す
- 身を守るような姿勢（顎を胸につける、両腕をぎゅっと体に巻きつけるなど）
- 頬に爪を立てて引っかき、跡をつける
- 腕を組みながら、前腕をぎゅっと握りしめる
- やたらと汗をかく
- 声をだんだん荒らげて罵る

内的な感覚

- 心臓がドキドキする
- 口が渇く
- 懇願、号泣、せがみ続けたことで喉が痛くなる
- 痛みに対する抵抗力が高まる
- 胸が締めつけられる、痛む

発展形

怒り→p. 74、怯え→p. 96、苦悩→p. 154、決意→p. 162

- 異常なほどの活力

精神的な反応

- しきりに計画を立て、それについて思い悩む
- 理不尽な考え方、判断力の低下
- なんでもするという意欲
- 法や社会的価値を無視する
- モラルや正しい判断を放棄する
- 必要なら人を犠牲にする、あるいは大したことのない目標や欲望、ニーズも犠牲にする
- 自分の目標を阻むような人の気持ちには、注意を払わない

一時的に強く、または長期的に表われる反応

- 泣く、号泣する、うめき声を上げる、叫ぶ
- 自分が怪我をするまで拳で何かを殴る
- 懇願する、へりくだる、自分の価値やプライドを捨てる
- 極度のリスクを負う
- 交換条件を出す：「俺を連れていけ」「俺が行くから、お前はここにいろ」
- 必要な力を引き出そうと、限界まで無理をして頑張る
- 説得に応じない

隠れた感情を表わすサイン

- 自分の体をぎゅっと抱きしめる
- 希望を与えてくれるような嘘にすがる
- 引きこもって、自分の殻に閉じこもる
- じっと座っていられない
- 何度も時計に目をやる
- 人を安心させる
- 動じていない様子を示すために髪や服を直す
- 娯楽を利用する（映画やテレビを見るなど）
- 手でぎゅっと拳を握る

この感情を想起させる動詞

懇願する、裏切る、すがりつく、しがみつく、追い詰められる、泣く、思い切る、否定する、駆り立てる、闘う、逃げる、強いられる、博打に出る、掴む、しっかりと握る、模索する、嫌がらせをする、哀願する、嘆願する、飛び込む、祈る、約束する、助けを求める、リスクを冒す、這い上がる、捜索する、盗む、緊張する、努力する、奪い取られる、脅かされる、泣き叫ぶ

書き手のためのヒント

服装はキャラクターごとに異なり、その人物のイメージを映しだすものだ。そこで、独自の感情的なボディランゲージを作る場合、心の不安やむなしさ、あるいは自尊心を表現するのに、キャラクターの服装をどのように活かすことができるか検討してみよう。

後退形

圧倒→p. 66、感謝→p. 114、希望→p. 132

弱体化

〔英 Emasculated〕

【じゃくたいか】
自分のアイデンティティに結びついている権力や支配力、
または役割を剥奪されたと思って気持ちが萎えている状態
※英語の「Emasculation」は従来男性について使われた単語だが、権力や支配力が奪われ骨抜きにされる経験は、どのジェンダーにも共通している。

外的なシグナル

- 肩を落とし、うつむく
- 背中を少し丸める
- チラっとしか目を合わせない、あるいはまったく目を合わせない
- 首の後ろをさする
- 耳たぶを引っ張る
- 燃えるような眼差しをしているが、うつむいたまま顔を上げない、または権力を奪った相手から目をそらす
- 顔や首筋が紅潮する
- 突然表情が動かなくなるが、顎の線に緊張感が見て取れる
- ポケットに手を突っ込むなどして手を隠し、うつむく
- 重要なアイデアがひらめいても人に言わない
- しきりと唾を飲み込む
- 汗が出る
- しょっちゅう顔を触る
- 肩をすぼめ、少し体を縮める
- 緊張が特に前腕に見て取れる
- 自分のことを決めつけたり権力を奪ったりする相手とは距離を置く
- 出口の方を見やる
- 黙り込む、またはぼうっとした表情をする
- こわばった体を周囲にはわからないほど小刻みに揺すっている
- 腕をさするなど、自分を落ち着かせるようなささいな仕草をする
- 会話に参加しなくなる
- 口実をつけ中座する：「そろそろ失礼します。やることがたくさんあるので」
- 嫌な思いをするぐらいなら、相手に同意する
- 謝る、ボソボソと返事をする
- 目の前の状況が一刻も早く終わってほしくて、からかわれても微笑んで済ます
- 震えている手をぎゅっと握って隠す（ポケットや背中に）
- 食ってかかる：「わかったような口を利くな！」「そっとしてくれ、こっちだってやれることはやっているんだ」

内的な感覚

- 体や首筋、顔が火照る
- 首の後ろが不快にうずく
- 歯を噛みしめているせいで顎がこわばる
- 喉にしこりがあるような気がして唾をうまく飲み込めない

し

発展形
怒り→p. 74、屈辱→p. 150、自己嫌悪→p. 192、自信喪失→p. 198、恥→p. 262、復讐→p. 278

- 鼓動が耳にまで届く
- 胸が痛い
- 胃が締めつけられる

精神的な反応
- 平和を保とうと黙っているが、そんな自分に腹を立てる
- 自尊心を損ねるようなネガティブな独り言を言う
- 時間の感覚がゆがむ（つらい時間は長く感じる）
- いつまでもくよくよし続ける
- 肯定してもらいたくて、人に助言や意見を請う
- 後でうまい言い返しを思いついたが、なぜあの場で思いつかなかったのかと自分に腹を立てる
- 相手に報復したり天罰が下るのを夢見る
- 自分の行動や考えは重要ではないと思い込み、自分の存在が小さく無意味に感じられる
- 成功し尊敬され、外見も美しく、親や配偶者を感心させるような、自分より「優れている」と思う人に嫉妬する

一時的に強く、または長期的に表われる反応
- 人や自分を失望させたくないから、大きな目標は持たない
- リーダーではなく、人に追従するタイプになる（リーダーになりたい願望はあっても）
- 自分の人生に幸せを感じられず、不満を抱いている
- 鬱
- 秘密を持つ（隠し銀行口座、後ろめたい喜びをもたらすものや誰も知らない関心事があるなど）
- 感情をあらわにする（暴力をふるう、危険な行動をとる）
- 将来に悲観的になる

隠れた感情を表わすサイン
- 他人を無力化して排除することで、自分の不安を人に投影する
- 安全な環境にいるとわかっているときは、自慢話で会話を独占し、自分の意見を曲げない
- タイミング悪く会話に割り込む（会話を乗っ取る、訊かれてもいないのに助言するなど）
- おべっかを言う
- 過補償（もの、あるいは自分の体型や趣味などにこだわる）
- 人前で恥をかかされ、支配されないよう、相手に同調する

この感情を想起させる動詞

壊す、ぼろぼろになる、淘汰する、身を切る、そがれる、衰える、曇らせる、精根尽きる、褪せる、ふらつく、しなだれる、傷つく、孤立する、失う、抑える、苦しむ、赤くなる、低下する、退く、蝕む、恥じる、縮み上がる、沈む、盗む、よろめく、どもる、鎮める、揺れる、気弱になる、しおれる、しぼむ、痛手を負う

書き手のためのヒント

キャラクターは感情的になると、考えてから行動するタイプなのか、それとも考えずに行動するタイプなのか。いずれのタイプにせよ、普段とは逆の行動に出てしまう状況を作り、そこにキャラクターを置いてみる。

後退形
唖然→p. 64、あやふや→p. 68、安堵→p. 72、感謝→p. 114

受容

〔英 Acceptance〕

【じゅよう】
バランスよく他人や事象を理解するため、
偏見やこだわりを水に流して変化を受け入れる

外的なシグナル

- 緊張がほぐれ、肩や体の筋肉が少し緩む
- 穏やかな気持ちで深呼吸する
- 頷く
- 微笑みが花咲く
- 緊張を解くため、ストレッチしたり、腕を振ったり、肩を回したり、足の指を動かしたりする
- 顔を上げ、相手と目を合わせる
- 視線が定まる
- 前進する決意をし、瞳が輝き出す
- 変化を受け入れる決意を言葉に出す：「それでいいよ」「これでうまくいくさ」
- 人と距離を置く必要がなくなり、人との距離が縮まる
- 手を差し伸べる、手招きするなど、自分から人との距離を縮める
- 相手のボディランゲージを真似る（面と向かう、仕草を真似るなど）
- 握手する
- 雰囲気を明るくするため冗談を言う
- 心の底からにっこり微笑む
- 和解のきっかけを作る：「お昼に一緒に行かない？　おごるよ」
- 親近感を込めてボディタッチする（腕や肩に軽く触れるなど）
- 相手の言葉にじっと耳を傾け、礼儀を示す
- 両方の手のひらを上に向けて座る
- 自分の手を胸に当てる
- 会話に参加する
- 明るい声
- オープンな姿勢（両手を広げる、足を少し広げる、胸を張るなど）
- 相手を抱擁する、あるいは人を受け入れる
- 正直な気持ちで接する
- 屈託のない笑い
- 相手としっかり目を合わせ会話する
- 心から助言が欲しいと思っているから、または相手を尊重して、アドバイスを請う
- 人と話し合って計画を立てる

内的な感覚

- ほっとする、胸が軽くなる
- 息苦しさが薄れる

精神的な反応

- 過去の苦しみや困難を振り返ることが減る
- 慎重ではあるが楽観的
- 今後どんな新しいことが起きるのだろうと将来に思いを馳せる

し

発展形
興奮→p. 182、つながり→p. 246、平穏→p. 288、満足→p. 294

- 不安やストレスから自分を解放できると気づき、前向きになる
- 前進するため、自分または他人を快く許す
- 人と時間をともにしたくなる
- 気持ちを次に向け、前進するには何をするのがベストなのかを考える
- 今まで引きずってきた気持ちを水に流す覚悟ができる
- もっとじっくり考える時間が欲しいと言う

一時的に強く、または長期的に表われる反応

- 自信
- 幸福を感じ、目標があって心に張りが出る（進むべき方向が明確になる、追求すべき目標が見えるなど）
- 強固で、偽りのない人間関係を築く
- 頭が冴え、楽観的になる
- 怒りや不安を覚えてもすぐに忘れられる
- 以前よりも人や社会と深いつながりを感じる
- 人、プロセス、自分の判断などを快く信頼する

隠れた感情を表わすサイン

- 物思いに沈んだ深いため息
- 指を唇に当てながら考えに耽る
- さらに説明を求めて、または返事を遅らせる目的で、質問を重ねる
- 与えられた選択肢を熟慮するかのように、唇を噛みしめ首を傾げる
- 茶化す：「ここに住んでくれてもいいよ。どのみち猫のトイレを掃除してくれる人が必要だし」
- 意地悪な条件を付ける：「まあ、家を出て行ってもいいが、毎週日曜日には必ず電話を寄越すこと！」
- 長々と話を続け、決断しかねるふりをする
- 本当は喜んでいるのにすねたふりをする
- 機が熟すまで、自分の選択や感情を口外しない

この感情を想起させる動詞

晴れやかに見える、気づかう、抱擁する、にっこり笑う、抱きしめる、願う、ハグする、参加する、笑う、気分が上がる、耳を傾ける、会う、頷く、計画する、明言する、立ち上がる、共有する、微笑む、ぎゅっと握る、からかう、触れる、歓迎する

書き手のためのヒント

ストーリーが佳境に入ると、視点となるキャラクターの感情も激しさを増す。その様子を表現するのを忘れずに。キャラクターがどんどん追い詰められていくと、その心の動きが重要になる。

後退形

あやふや→p. 68、疑念→p. 130、後悔→p. 174、脆弱→p. 228、不本意→p. 282

衝撃

〔英 Shock〕

【しょうげき】
トラウマを引き起こし、恐怖心を植え付けられるような出来事を経験した後に残る動揺

外的なシグナル

- 一、二歩下がる
- 目が飛び出るほど目を丸くする
- 一瞬凍りついたように体が動かなくなる
- 言葉が出ない
- 目や耳にしたものを頭で整理しようと、激しくまばたきする
- 口がぽかんと開く
- 眉がつり上がる
- 頭をぱっとのけ反らせる
- 手で口を覆う
- 信じられず、声が震える
- どこを見たらいいかわからず、目をきょろきょろさせる
- 拳で口を押さえる、または親指と人差し指で唇をつまむ
- 座る、あるいは何かにもたれかかろうとする
- 額を擦り、頭を横に振る
- 突然の知らせを飲み込めず、質問する
- 悪い知らせに目が涙でいっぱいになる
- 背を向け、顔を隠す
- 目の前のものが信じられず、目を擦る
- 震えながら呼吸する
- 自分を落ち着かせるため、喉元を軽く押さえたり、喉をさすったりする
- 胸をさする
- がっくりしなだれた姿勢（肩を落とし、背中を丸める）
- 後退りして人から離れ、届いた知らせを頭で整理する時間が必要
- 言いたい言葉が見つからず、言葉に詰まる
- 手で両耳を押さえる
- 拒絶して頭を横に振る
- よろめく、または足を引きずりながら歩く
- さっきまで自分が何をやっていたか忘れる
- 体が少しふらつく
- お腹を腕で抱える
- 感情的になり、声がかすれたり裏返ったりする
- 声に出して拒絶する
- 目をぎゅっと閉じる

内的な感覚

- 突然、全身に悪寒が走る、または体が重くなる
- 筋肉が弱々しくなる、あるいは麻痺する
- ふらふらする
- 不快感で肌がひきつる
- 少し胸が痛む、胸が締めつけられる

し

発展形
怒り→p. 74、屈辱→p. 150、苦悩→p. 154、嫌悪→p. 166、不信→p. 280

- 胃が重苦しい

精神的な反応

- 目にしたものを信じようとしない
- ショックな出来事ばかり考えてしまう
- 目にしたものを頭で再現する（または耳にしたことを想像する）
- 時間の流れが遅いような気がする
- これが真実や現実でなければいいのにと願う
- 何も知らなかった状態に戻りたいと思う
- どうしてこういうことになったのか理由が知りたい

一時的に強く、または長期的に表われる反応

- 心を閉ざし、無感情になる
- その状況から逃げる
- ショックに耐えかね、倒れる
- 否定
- すすり泣く
- 喉がひどく痛むので、しきりと唾を飲み込む
- 同じショックを経験した人たちと慰め合ううち、親近感を抱く

隠れた感情を表わすサイン

- とっさのことで目が飛び出そうになる
- 筋肉が無意識にこわばり、なんとかして緊張を解こうとする
- 起きたことに対して無関心を装うため、忙しくする
- 人にじろじろ見られるのを避けるため、すぐに逃げ道を探す
- 手が小刻みに震える
- 突然動作がぎこちなくなる

この感情を想起させる動詞

心を痛める、度を失う、後ずさる、失神する、なだめられる、不信感が募る、気が進まない、落ちる、たじろぐ、ぽかんと口を開ける、しっかりと握る、抱きしめる、ゾッとする、ぐいっと引く、すがる、何も感じなくなる、疑いをはさむ、救いの手を求める、後戻りする、後悔する、退く、ガタガタ震える、叫ぶ、なでる、よろめく、どもる、トラウマになる、おののく、気弱になる、くぐり抜ける

書き手のためのヒント

感情が突然揺さぶられると、今まで気づかなかった自分に気づかされることもある。過去の出来事に関して深い真実を知ることもあれば、混沌とした現在がはっきり見えてくることもある。やがてそれは、キャラクター自身の成長や変化につながっていく。キャラクターの心が揺さぶられる瞬間は時間をかけて描写しよう。

後退形

悲しみ→p. 112、屈服→p. 152、後悔→p. 174

称賛

〔英 Admiration〕

【しょうさん】

温かく承認し、真価を認める

外的なシグナル

- 潤んで輝いた眼差しを向ける
- じっと目を合わせる
- 目を見開く
- 小首を横に傾げる
- 前のめりになる
- にっこり笑いながら軽く頷く
- 紅潮した頬
- 称賛の的に近寄る
- 褒める
- 軽く頭を下げる
- 熱のこもった温かい挨拶をする
- 自分のパーソナルスペースに相手を招き入れる
- 相手のことを思い出し、笑いながら首を軽く振る
- 熱心に耳を傾ける（頷きながら）
- 相手のボディランゲージを真似る
- 相手の背中や肩に手を添える
- 後ろで手を組む
- 体を乗りだす
- オープンな姿勢（面と向かう、歓迎の姿勢）
- 腕をリラックスさせる
- 握手のとき温かい手で強く握りしめる
- 質問をし、意見を請う
- 質問を重ね、相手に返答を考える時間を与える
- 愛想がいい
- 好印象を与えようと服の皺をのばす
- いつもよりよく笑う
- 世話を焼く：「飲み物か何かお持ちしましょうか？」
- 讃える：「演壇でのスピーチ、堂々としていて見事でした！」
- 温かな声音
- 親近感
- いつもよりよく喋る
- 相手の話を遮らない
- いつもより頑張る（遅くまで残る、多忙期のために時間をあけておくなど）
- 相手の時間を尊重する：「ほかにもあなたに会いたがっている人が大勢いらっしゃるでしょうから、私は失礼します」
- 急かされて会話の時間が短くなっても理解を示し、許す

内的な感覚

- 胸の鼓動が少し高鳴る
- 胃のあたりがソワソワする
- 体が火照る

し

発展形

触発→p. 222、崇拝→p. 226、羨望→p. 236、熱心→p. 256

- 体中の筋肉が緩む

精神的な反応

- 相手の意見や行動をより重んじる
- 広い心を持ち、人を信用する
- 相手の内情に通じたがり、その人の個人的な意見から学ぼうとする
- 相手が目の前にいると幸福を感じる
- 相手と一緒に時間を過ごす機会に恵まれたことを感謝する

一時的に強く、または長期的に表われる反応

- 拍手や声援を送る、拳を突き上げる
- 両手で握手
- 敬慕する：「いつか私もあなたのようになりたい」「すばらしい技術ですね。あなたの背中を見て学びたいぐらいです！」
- 親しくなろうとする：「いつか夕食にお招きしたいです」
- 相手を優先し、その人のために時間を作る
- 相手を話題にし、褒めちぎる

隠れた感情を表わすサイン

- 一瞬目をそらす
- じっと見ているところを見られないよう、忙しいそぶりをする
- グループの隅に留まり、称賛する相手に近づこうとしない
- 高鳴る鼓動を抑えようと深呼吸する
- 称賛する相手の会話にそばで聞き耳を立てる
- 少しためらってから、会話に割り込んで自己紹介する

この感情を想起させる動詞

敬慕する、拍手する、目指す、捧げる、自慢する、高まる、手を叩く、推挙する、祝福する、羨む、おだてる、見つめる、呼びかける、光栄に感じる、模倣する、招く、長居する、驚嘆する、褒める、明言する、認める、推薦する、尊敬する、敬礼する、感謝する、保証する、見守る、歓迎する

書き手のためのヒント

キャラクターが何かにくじけそうになったら、努力を続ける理由を与えること。キャラクターはどんな信念を持って一生懸命努力するのか、どんな不正や非道さに直面すると道徳的に許せないと思ってしまうのか考えてみる。

後退形
価値がある→p. 106、好奇心→p. 176、満足→p. 294、喜び→p. 308

情欲

〔英 Lust〕

【じょうよく】

強い性的な欲望

※自然の摂理から言うと、情欲の表われには男性的あるいは女性的なものがある。
キャラクターの性的指向や嗜好に合った表現を選ぶこと。

外的なシグナル

- じっと相手の目を見て、目をそらさない
- 背中をそらす
- 胸を突きだし、首筋を伸ばす
- 肩にかかる長い髪を背中にやる
- 相手の目を見つめたまま、胸の谷間や、開いた胸元を指でなぞる
- 相手を舐めるような、思わせぶりな眼差し
- 自分を愛撫する仕草（太ももにゆっくりと手を這わせる、腕を抱くなど）
- 両足を少し開いて座る
- 相手に自分の体を押しつける、あるいは相手のなすがまま抱き寄せられる
- 手の甲で相手の頬に触れ、その手をなで下ろす
- 服の上から相手の腕に手のひらを這わせ、腕をぎゅっと握る
- もたれかかって小首を傾げる
- 向こうにその気があるかどうかを試すため、唇に優しくなでるようなキスをする
- ディープキス（舌を舐め、だんだん激しく押し合うように口づけし、舌を軽く絡ませる）
- 相手の体をぐっと引き寄せ、自分にその気があることを伝える
- 相手のベルトに手をかけ、ウエストラインから下へと指を這わせる
- シャツのボタンの隙間から手を忍ばせ、温かな地肌を触る
- 息がだんだん荒くなる
- 互いの髪をなで合い、胸やお腹、背中に手を這わせる
- 体の線を指でなぞりながら、体を揉みしだく
- 眼差しを唇に向ける
- 手足を絡ませる
- 口を開いて吐息を漏らす、あえぐ
- 目を閉じ、高まる興奮に身を任せる
- 相手の体を離さないよう、強く掴む
- 首筋や肩に唇を這わせて濡らす
- 頭をのけ反らす
- ボタンやフックを外す、ベルトを外す、ファスナーを下ろすなどして服を脱がせる
- 慌てているため、ボタンやファスナーに手間取る
- 肌がビクッとする
- 相手の頭を腕に抱きながらキスする
- 相手が感じる場所に唇を這わせる（乳首、耳たぶ、前腕、お腹など）
- キスをしながらふざけて相手の下唇を甘

発展形

愛情→p. 62、高揚感→p. 184、嫉妬→p. 204、失望→p. 206、根に持つ→p. 258
恥→p. 262、フラストレーション→p. 286、冷笑→p. 316

噛みする
- 声を出す（吐息やあえぎ声、触ってほしいところやしてほしいことをささやくなど）
- 体を絡み合わせる
- コントロールを失い、体を震わせながら相手の体（肩や腰、ウエスト）を思わず掴む

内的な感覚
- 体が火照り、熱っぽく感じる
- 胸やお腹がソワソワするような感覚
- 触られたり舐められたりすると敏感に反応する
- うずくような歓びが体中を駆け巡る
- 鼓動が激しくなる
- 歓びや欲望に体が震える
- 性器が濡れはじめて（女性）敏感になり、もっと激しい動きを欲しがる
- 相手の体を貪欲に触る
- 性的な興奮に体が震え、うずく
- 股間から体全体に温かな血潮が突然流れる
- 歓びに体が震え、体を押さえないと震えが止まらない

精神的な反応
- 匂いに、あるいは触られると過敏に反応する
- 過去の性体験をぼうっと思い出したり、来たる性的関係を空想したりする
- 体の歓びに意識を集中させる
- 体をひとつに重ね合わせたい欲望に圧倒される
- オルガズムに達すると、頭の中が真っ白になる
- 幸せや満足感に包まれる

一時的に強く、または長期的に表われる反応
- 性的に押しが強くなる
- 性的解放感を得ることしか考えられない
- 相手やタイミング、場所などお構いなしに性的欲求を満たしたい

隠れた感情を表わすサイン
- 頭の中で性的空想に耽る
- 落ち着かず、じっと座っていられない
- 集中力が低下し仕事に専念できない、眠れない
- 好みの性的魅力を持っている人につい目が奪われる
- ささいなことで腹を立てて言い争うなど、極端に怒りっぽくなる

この感情を想起させる動詞
欲情する、浴びる、触れ合う、突く、燃える、愛撫する、あやす、うずくまる、成り行きに任せる、ほとばしる、探り当てる、ぐいっと動く、ちらつく、軽く触れる、固く握る、舐める、押し出す、体をさする、必要とする、少しずつ噛む、つねる、歓びを与える、押しつける、脈打つ、わななく、揺する、擦る、急に襲われる、震える、身震いする、かすめ見る、なだめる、らせんを描く、ぎゅっと握る、なでる、吸う、押し流される、ドキドキする、ぐいっと突く、傾ける、うずうずする、跡を残す、おののく、絡ませる、温める、ささやく

書き手のためのヒント
キャラクターの心の奥を表面化させるには好奇心を描くのが一番だ。キャラクターが何に興味をそそられ、引き込まれるのかは、それぞれに違うはず。好奇心を利用して、キャラクターの性格、関心や欲望を浮かび上がらせること。

後退形
満足→p. 294、欲望→p. 306

触発

〔英 Inspired〕

【しょくはつ】
他人や芸術作品、格言や教えなどから刺激を受け、
何かをしたい、よりよい人間になりたいと思う気持ち

外的なシグナル

- なるほど！　と思った瞬間、表情が突然動かなくなる
- 口をぽかんと開ける
- 表情が明るくなる
- 目を見開く
- ひらめいたアイデアを逃すまいと、考え込んだような眼差しになる
- 突然動き出す
- 興奮冷めやらぬ状態が長く続く
- 寝食を忘れる
- 生産性が非常に高まる
- 呼吸が速くなる
- 聞いてくれる人なら誰にでも、自分のアイデアやそれがひらめいた経緯を話す
- 両手を振り回す
- 考え込みながら、またはアイデアを口に出しながら歩き回る
- よく微笑む
- 人に話しかけるとき身を乗りだす
- 真剣そのものの表情になる
- 話しかけられても反応しない
- 約束や予定を忘れる
- 人に割り込まれるといらだちを見せる
- 普段より早口、大声で話す
- 図やイラスト、設計図を描く
- 作業に夢中で部屋がぐちゃぐちゃになる（中断して掃除したくない）
- 身なりを構わない（しわくちゃの服、シャツのボタンをかけ違える、寝癖のついた髪など）
- 長期間行方をくらます
- 生産性を高めるためコーヒーや栄養ドリンクなどを飲む
- 足でリズムをとる
- ひらめいたアイデアを誰かに話しに行く
- アイデアの詳細を独り言を言いながら考える
- 重要だとは思えない仕事や作業から口実をつけて逃れようとする
- 自分のビジョンを理解できない人にすぐいらだつ

内的な感覚

- やる気に溢れる
- 刺激物の摂りすぎや睡眠不足から神経過敏になる
- 軽くふわふわとした気持ち
- 次々と小さなひらめきがあり、鼓動が激しくなる

発展形
執拗→p. 208、多幸感→p. 240

精神的な反応
- 心がすっきりする
- 異常な集中力を見せる
- 内にこもる（人に邪魔されたくない）
- さまざまなアイデアが常にぐるぐると頭の中を駆け巡る
- アイデアが次から次へと浮かぶのに、作業が追いつかずいらだつ
- 時間の感覚を失う
- 忘れっぽくなる
- 私生活の義務から解放されると安堵する（配偶者が寝ていると遅くまで仕事できるなど）

一時的に強く、または長期的に表われる反応
- 自分の健康を顧みない
- 非常に不潔になる（伸ばし放題の爪、洗濯した服がないので下着姿でいるなど）
- 日光にあたっていないので血色が悪い
- 睡眠不足で目が充血している
- 体重が減る
- 世の中で劇的な事件が起きているのに気づかない

隠れた感情を表わすサイン
- 表情や姿勢が不自然に固まっている
- 生き生きとした目（きょろきょろとした眼差し、激しいまばたき、輝く瞳など）
- 手足が落ち着かない
- 仕事に戻って自分のアイデアに取り組みたいからと口実をつけて中座する
- すぐに気を取られる（触発された経験をつい考えてしまうから）
- 笑みを隠そうとして唇が引きつる

この感情を想起させる動詞
達成する、称賛する、奮起する、生み出す、築く、挑戦する、創作する、発展させる、専念する、駆り立てる、それらしく見せる、精力を与える、活性化する、作り出す、鼓舞する、活気づく、たきつけられる、刺激される、プロデュースする、誘発する、押す、根付く、覚める、ひらめく、刺激を与えられる、燃え上がる、引き金を引く、目を奪われる

書き手のためのヒント
肩をすくめる、顔をしかめるなどの一般的な仕草や表情は、キャラクターの心情をわかりやすく伝えるが、「そのまま」書き表わすと精彩を欠いた描写になりかねない。キャラクターの性格やその性格が許す範囲内で、キャラクターの反応に手を加え、読者にとって新鮮なイメージを描き出すこと。

後退形
自己憐憫→p. 194、自責→p. 200、失望→p. 206

心配

〔英 Unease〕

【しんぱい】
体もしくは心が落ち着かない状態

外的なシグナル

- 首を横に振る
- 腕や足を組んだりほどいたりする
- 椅子の上で姿勢を変える
- 服をいじる、引っ張る
- 両手をポケットに滑り込ませる
- 頭を動かさずに横目で見る
- 「チッ」という音を出す、あるいは喉元で音を立てる
- 対象から体をそらす
- 体を引く
- 自分を小さく見せる
- じっと耳を傾けるために止まる
- 心配の種をちらりと見るが、すぐに目をそらす
- 爪を噛む、甘皮をむく
- 口を一文字に結び、唇を噛む
- 過剰に唾を飲み込む
- 声が震える
- 服をいつもより強く引っ張り、身なりを整える
- 髪をかき上げる、指で髪をすく
- 前髪で表情を隠す
- 不自然なほど静かにしている
- 咳払いをする
- しかめ面
- 皿の上で食べ物をもてあそぶ
- その場から早く立ち去りたくて、食べ物を流し込む
- 人の注意が自分に向くのを避けようとする（椅子に沈み込む、会話から身を引くなど）
- 仕方なくゆっくりと振り返る
- ものをぎゅっと掴む、もしくはそれを盾にして握りしめる
- 渋々口を開く、あるいは人に近づく
- 喋りが堅苦しい、途切れがち
- かかとで地面をコツコツ叩く
- メールや時間を見るために、携帯電話をチェックする
- アクセサリーや小物をいじる
- ブラブラさせていた片足を、突然止める
- 椅子やソファにうずくまる
- 対象を待つときに、安全な場所を選ぶ
- 雑誌をパラパラめくるも、読んではいない
- 自信があるように見せるため、顎を高く上げる
- リラックスするために、わざと手足を強く押す
- 唇を舐める

し

発展形

怯え→p. 96、気がかり→p. 120、危惧→p. 122、緊張→p. 146、不安→p. 276

- 手が落ち着かない
- 組んだ足を何度も組み替える
- 両手で拳を握り、それから手を緩める
- 硬い姿勢
- 緊張した仕草（マニキュアを剥がす、小声でブツブツ言うなど）
- ジーンズの前の部分で汗ばんだ手を拭く
- 片時もじっとしていない（リップグロスを塗る、いろんな人にメールする、ハンドバッグの中をガサゴソするなど）
- 平静を取り戻すために、その場から立ち去る
- 目を見開く
- 一瞬、作り笑いを浮かべる
- 慎重に、相手を見ないようにする
- 一定の距離を保つ
- 早口で喋る
- 大声の言い争いなど、気まずい状況に気づかないふりをする

内的な感覚
- やや寒気を感じる、もしくは身震いする
- 身の毛がよだつ
- 頭皮がチクチクする
- 胃がけいれんする

精神的な反応
- 誰かに見られているような感覚
- 否定：「おかしなところなんて何もないよ」「大騒ぎするのはやめてよ」
- イライラする
- 時間がゆっくり過ぎていくように感じる
- ひどく用心深くなる

一時的に強く、または長期的に表われる反応
- じっとしていられず、ソワソワと足を動かす
- あたりを行ったり来たりする
- 何かがおかしいという感覚が拭えない
- 自分でもわからないまま、とにかくここを離れなければと思う
- 体の調子がおかしいと感じる

隠れた感情を表わすサイン
- 呼吸のペースを落ち着かせようとする
- 肩を回して緊張をほぐそうとする
- 懸命に心を落ち着かせようとしていて、焦点の定まらない視線

この感情を想起させる動詞

いらつく、ソワソワする、躊躇する、うろうろする、落ち着かせる、理性を取り戻す、疑いをはさむ、さする、引っかく、感じる、足を組み替える、身をよじる、かき回す、どもる、コツコツ叩く、触る、ひねる、声に出す、心配する、じたばたする

書き手のためのヒント

ある感情に対して、読者から強い反応を引き出すためには、ただキャラクターの反応を描くだけではなく、何が原因でその感情が引き起こされたのかをきちんと表現することに集中しよう。

後退形

安堵→p. 72、屈服→p. 152、受容→p. 214

崇拝

〔英 Adoration〕

【すうはい】

賛美する行為。

すばらしい存在だとみなすこと（人またはものを対象とする）

す

外的なシグナル

- 唇を開く
- 表情が和らぐ
- 距離を縮めようと足早に近づく
- 相手のボディランゲージを真似する
- 自分の口または顔に触れる
- 対象に軽く触れる、当たる、掴むために手を伸ばす
- 瞳孔が開いた目で相手の目をじっと見つめる
- 身を乗りだす
- 相手に触れる代わりに自分の首や腕をなでる
- 体とつま先を相手の方に向け、オープンな姿勢をとる
- 赤面する、幸せそうに頬を紅潮させる
- 深く息を吸い込んで相手の匂いを嗅ぎ、自分を落ち着かせる
- 人の話に頷く、微笑む
- 感心してため息を漏らす
- 心臓の位置に手を置く
- 唇をしょっちゅう舐める
- 頬に手のひらを軽く押しつける
- 顎のラインを指でかすめる
- 目を輝かせる
- 賛意を示す（そうだと呟く、支持の言葉をかけるなど）
- 称賛の言葉をかける
- 崇拝する人やものにちなんだものや写真を大切に保管する
- 周りの人に対して、対象となる人やものの話を頻繁に持ちだす
- 心が奪われ、放心状態になる（顔を上げる、身動きしない、姿勢を崩さないなど）
- 周りやほかの人のことが目に入らない
- 見た目にもわかるほど震える
- まばたきの回数が減る
- この体験を十分に満喫しようと目を閉じる
- 柔らかな口調で話す
- 胸がいっぱいで声がうわずる

内的な感覚

- 鼓動が速まる
- 息切れ
- 喉元で脈打つ鼓動を感じる
- 口が渇く
- 喉が苦しくなってくる
- 体温が上がり、体が温かくなる
- 神経がうずうずしてくる

発展形

愛情→p. 62、苦痛→p. 148、執拗→p. 208、フラストレーション→p. 286、欲望→p. 306

精神的な反応

- 対象となる人やものに近づいたり触れたりしたいという欲求
- 対象のことばかり考える
- しっかり話に耳を傾ける、観察する
- 邪魔が入っても無視する
- 対象の欠点、至らない点が目に入らなくなる

一時的に強く、または長期的に表われる反応

- 執着、独占欲
- 空想
- 対象と思いが通い合っていると信じ込む
- (二人はつながっているのだという）運命を感じる
- ストーカーと化す
- 手紙、メール、プレゼントなどを送る
- 対象に近づくためならリスクも負う、法も犯す
- 体重が減る
- 睡眠不足
- 崇拝する人と交流を深めている人たちに嫉妬する
- 対象の特徴や癖を頭に入れる
- 崇拝のしるし（写真や宝石類）を持ち歩く

隠れた感情を表わすサイン

- 発汗や震えを隠すため、手をぎゅっと握りしめる、隠す
- 対象に関する話題を避ける
- 遠くから見つめる、観察する
- 対象から距離を置く
- 顔を赤らめる
- 落ち着かない声
- 対象のことをこっそり盗み見る
- ばったり出会う状況をこしらえる
- 秘密の手紙を書く、個人的な日記をつけるなど
- 対象となる人やものに抱く本当の気持ちを明かさず、嘘をつく

この感情を想起させる動詞

敬慕する、畏れる、自分のものにしたがる、熱望する、魔法にかけられたようになる、心を奪われる、しっかりと握る、心酔する、のぼせあがる、必要とする、つきまとう、恋い焦がれる、手を差し伸べる、魅了される、なでる、しつこくせがむ、触れる、拝礼する、焦がれる

書き手のためのヒント

動作は強いイメージを引き出すものである。もしも動作が長々と続いたり複雑だったりする場合は、それが意図する感情を読者に伝えられなくなってしまうので、気をつけよう。

後退形
葛藤→p. 110、きまり悪さ→p. 134、失望→p. 206

脆弱

〔英 Vulnerability〕

【ぜいじゃく】

心の壁が低くなり、自分の内面がさらけ出されたような気持ちになること

※脆弱になることは、ポジティブでもありネガティブでもある。またその両方が入り混じった経験をすることもある。既に心が傷つき脆くなっている人なら自分を守ろうとするかもしれないし、希望を持っている人なら内面をさらけ出して、もっと楽観的でオープンな行動をとるかもしれない。また、キャラクターが安心できる環境にいるなら、頑なな心を少しずつ開いていくのが普通だ。

外的なシグナル

- 顎を引いて首を引っ込める
- アイコンタクトを避ける、目が合ってもすぐにそらす
- 落ち着かせるかのように自分を抱きしめる
- 呼吸が浅い
- 静かな声
- ためらいがちに話す
- 肘を体の両脇にぴったりくっつける
- 何をするにもかすかな動きをする
- 目を少し見開く
- 両手を服になすりつける
- 尖らせている神経をなだめようと、ネックレスや時計などをいじる
- ある質問に答えるのを避けたり、遠回しに答えたりする
- 話題を変える
- ゴクリと唾を飲み込む
- 唇を唾で濡らす
- ためらいがちに前に進む
- 神経質な微笑み
- 相手との結びつきを試すため、恐る恐る相手の腕や肩に手を置く
- 雰囲気を明るくするため、面白半分に自虐的な冗談を言う
- 一歩後ろに下がって自分のパーソナルスペースを広げる
- 手首を覆い隠す
- 自分の内面をさらけ出すようなことをしたり言ったりする前に、深呼吸する
- ちょっと目を閉じてから胸を張り、行動する
- 外見に非常に気をつかう
- ためらってから人に近づき、恐る恐る手を伸ばす
- スピーチをしなければならない場合などは、何度も練習し、準備に余念がない
- 相手も内面をさらけ出せるよう、個人的な質問をする
- 場所をとらないように背中を丸める
- 股間の前など繊細な部位の前で両手を組む
- 人前に立つときは、真正面に立たず、少し斜めに立つ

内的な感覚

- 胸がうずく
- 胃がソワソワする
- 口が渇く
- 胸が締めつけられる

せ

発展形

幸福→p. 180、自信喪失→p. 198、敗北→p. 260、満足→p. 294、無力感→p. 300

- 体が重い
- 筋肉がこわばる

精神的な反応

- 人を信用したい気持ちと不安が入り混じり、どう行動するのが一番なのか考えあぐねる
- 人を信用して、自分の弱さをさらけ出したい
- 安心し、個人的なレベルでつながりたいから、体に触れ、相手との距離を縮めたい
- 逃げ出したい
- いろいろな意見を歓迎する
- 正直になんでも話したいが、自分をさらけ出すのが怖い

一時的に強く、または長期的に表われる反応

- 深い、本物の人間関係を築く
- 心の底から自分を受け入れたという思い
- 恐怖に支配されず、自分らしい人生の選択をする
- 人と親密な関係を築けるようになる
- 信頼する人々と秘密やアイデア、恐れていることを共有する
- 自分を受け入れた結果、脆弱さも強みのひとつと見なすようになる
- 内面をさらけ出しすぎて、また傷つく危険がある

隠れた感情を表わすサイン

- 強がる（虚勢を張る、空威張りなど）
- 気にしないふりをする（顎をこわばらせる、目をそらすなど頑なな姿勢を見せる）
- 侮辱の言葉を浴びせかけたり、喧嘩をふっかけたりと、自分が傷つく前に人を傷つける
- 声高に否定する：「あら、私は大丈夫ですよ、本当に。なんでもないですって」
- 自分が安心できる、あまり個人的でない話題にすり変える
- 状況から逃げ出す
- 嘘をついて騙す

この感情を想起させる動詞

受け入れる、承認する、是認する、気を許す、気にする、選択する、気持ちを伝える、告白する、通じ合う、貢献する、取り囲む、許す、育む、恵まれる、与えられる、躊躇する、招く、参加する、すがる、つなぐ、差し出す、オープンになる、押す、手を差し伸べる、明かす、共有する、触れる、信頼する、歓迎する

書き手のためのヒント

キャラクターが感情を抑えている場合、その鬱積した感情はいつか大打撃をもたらす。キャラクターが鬱憤を晴らすなど、事態が悪化していく場面を必ず描くこと（人間関係にひびが入る、突然病気になる、神経が衰弱する様子など）。

後退形
安堵→p. 72、驚き→p. 94、きまり悪さ→p. 134、失望→p. 206

切なさ

〔英 Wistful〕

【せつなさ】
あることを切望しているが、どうせ無理だろうと悲しみや後悔に胸が締めつけられること

外的なシグナル

- 弱々しく、物思いに沈んだ微笑み
- 唇を噛みしめ、うつむく
- 遥か彼方を見ているような眼差し
- 物静かになる
- ゆっくりとした深い呼吸
- 顎を少し引く
- ゴクリと唾を飲み込む
- 希望と悲しみが入り混じったため息をつく
- 心の奥にある切なる思いを口に出す:「私、こんな人間じゃなかったらよかったのにって思うんだよね」
- 自分を抱きしめるように腕を組み、親指で腕をさする
- 顔を少ししかめながら、ゆっくりと頷く
- 人との結びつきを求める（肩を掴む、手を取るなど）
- 感情的になって声が締めつけられる
- この気持ちを理解してくれる（同じ切なさを感じている）人と悲しそうな微笑みを交わす
- 自分の手にもう一方の手を重ねる
- 独り言を言う（複雑な気持ちを整理するため、または人前では言いにくい言葉を呟いて安心感を得るため）
- 両手を軽く組む
- 昔を思い出すと、表情に明るさと幸せが戻る
- 気持ちを入れ替えるため、目を閉じて深呼吸する
- 少し背中を丸め、だらりとした姿勢
- 肩を少し落とす
- 作業の手を止め、しばらくじっと座っている
- 足首あたりで足を軽く組む（座っている）
- 手で胸を押さえる
- 本当はこうなってほしかったと思っていることを誰かに話す
- 神の思し召しに当惑するが、信仰心は捨てない（宗教を信じている場合）
- 物思いに沈みながら、喉元を軽くさする
- 椅子に深々と座り、リラックスして考えごとをする
- 日々の心配ごとをつかの間忘れ、世の中に目をやり、何か深遠なことに思いを馳せる
- 夢に向かうことが許されていた幸せだった頃のことを人に話す
- 現状を憂うより、楽観的に考えようとして自分を慰める：「僕なら市長にほかの

せ

発展形
切望→p. 232、不満→p. 284

人を選んだと思うけど、この町にはあの人でいいのかもしれないな」

内的な感覚

- 胸が少し重く感じる
- 喉に小さなしこりがあるような感覚
- 腕やうなじがうずくような感覚
- 気温や室温に過敏になる

精神的な反応

- 少しの間、過去に埋没する
- 象徴的なものや感覚刺激がトリガーとなり、切ない思いを蘇らせ、心が痛む
- こうでなければよかったのにと思う
- ひょっとしたら違う道を歩んでいたかもしれない自分を思い浮かべる
- 現状にすっかり慣れてしまい、憂鬱になる
- 過去の苦しみを思い出し、思い通りに人生は進まなかったが結果的には楽になったと思う（希望は捨てていない）
- 今の自分を顧みて、人生これでよかったし有意義だったと思う
- 過去は変えられないと悔やむ

一時的に強く、または長期的に表われる反応

- 涙がはらはらと流れる
- 苦しみに喉が締めつけられる
- 切ない気持ちが長く続くと、現実に戻って今を生きるのが難しくなる
- 違う人生をよく想像する
- 悲しみや満たされない気持ちを引きずりながら人生を送る
- いつまでも過去を振り返らないように、引越しする
- これからは後悔しない人生を送ろうと決意する

隠れた感情を表わすサイン

- 自分の人生に欠けているものに拘泥せず、自分に今あるものに意識を向け、ポジティブなことを口にする
- 咳払いをして頭を切り替え、現実に戻る
- 話題を変えたり、関係のない質問をしたりする
- 過去を振り返って空想している自分（または他人）を叱る
- 仕事などに没頭し、努力を倍加させる（心を彷徨わせないようにするため）

この感情を想起させる動詞

心を痛める、苦しみに耐える、大切にする、自分のものにしたがる、熱望する、欲求する、夢見る、心に描く、羨む、褪せる、空想に耽る、成長する、想像する、むずむずする、思い焦がれる、嘆き悲しむ、物思いに耽る、必要とする、恋い焦がれる、後悔する、思い出す、探し求める、話す、凝視する、もがく、鎮める、渇望する、そうあってほしいと願う、引きこもる、目を奪われる、切望する

書き手のためのヒント

キャラクターには自分を誇れる部分があるだろうか。もしあるなら、キャラクターが自分の性格や能力を疑い、感情がぐらつく場面を作り出し、葛藤する姿を描くこと。

せ

後退形

悲しみ→p. 112、受容→p. 214

切望

〔英 **Longing**〕

【せつぼう】

まだ手に入れていないが、どうしても欲しくてたまらないものがある

※キャラクターが恋しがるのは人であることが多いが、その対象は人に限らない。退屈な仕事から逃れたい、世直しをしたい、自分の文化を知りたいなど、無形の何かを切望することもある。人を対象とする場合は「欲望」の項目（p. 306）も参照のこと。

外的なシグナル

- 目を閉じる
- 深呼吸をする
- 窓の外を眺める
- 空想に耽る
- 切なそうに微笑む
- 開いた唇
- 考え込んでいるような眼差し
- 上の空でネックレスや指輪などを指でもてあそぶ
- シャツの襟の端を指でなぞる
- 長時間黙ったまま身動きもせず、考え込む
- 切望しているものについて話すときは、小声で話す
- 切なそうな声音
- 胸を手のひらでさする
- 気を紛らそうと趣味や仕事に没頭する
- なんの会話をしているのかわからなくなることが多い
- 身近な物事に気づかない
- かつて夢中になっていたことへの関心が薄れる
- 独りで時間を過ごす
- 切望しているものについて調べる（旅行サイトを訪問する、学習コースを調べる、自分と同じような人たちが集まるフォーラムの話し合いに頻繁に参加するなど）
- 最終的に自分の心を満たすには、どういう進路を取るべきか人に相談する
- グループに属しているが、心ここにあらずという感じで過ごす
- 不眠症
- 食欲不振（または食べることを忘れる）
- 切望しているものが話題に出ると表情が明るくなる
- 切望しているものを手に入れる計画を立てる
- 切望しているものをよく話題に出す
- 切望しているものが写っている写真やビデオ、思い出の品を見る

内的な感覚

- 胸が重苦しい
- 手足が重い
- 頭痛
- 感覚が鈍くなる
- 切望しているものに手が届きそうになると、突然生き生きし出す

せ

発展形

屈服→p. 152、苦悩→p. 154、興奮→p. 182、高揚感→p. 184、執拗→p. 208
自暴自棄→p. 210、根に持つ→p. 258、満足→p. 294、落胆→p. 310

精神的な反応

- 目標に向け集中するため、気が散るものを排除する
- 切望しているものから自分を遠ざける諸々の障害にいらだつ
- 切望しているものを夢見る、空想する
- 自分の夢が叶うことはないと思い込み、絶望する
- 時間が非常にゆっくりと流れている気がする
- ほかの物事に集中できない
- 切望しているものばかり考えてしまう
- 切望しているものをあえて考えないようにする

一時的に強く、または長期的に表われる反応

- 孤立
- 鬱
- 体重の激減または激増
- 切望しているものを追いかけるため、引越しや退学など大きな決断をする
- 今がどんなに充実していても、切望しているものを執拗に追いかける
- 切望しているものを追いかけ、それ以外のすべて（貯金、仕事、自尊心など）を犠牲にする
- 自分の幸せを享受できない
- わだかまりや反感を持つ
- 切望が軽蔑や侮蔑に変わる

隠れた感情を表わすサイン

- 自分の関心を否定する
- 切望しているものを避ける
- 人を欺くため、別のものに関心があるふりをする
- 本当は密かに切望しているものを無視する、侮蔑する
- 無理に笑う

この感情を想起させる動詞

心が痛む、憧れる、計算する、なんとかする、自分のものにしたがる、熱望する、欲求する、傷つく、必要とする、気がつく、恋い焦がれる、計画する、練る、追求する、しつこく追い回す、努力する、欲しい、見守る、懇願する、切望する

書き手のためのヒント

キャラクターの気が散っていると、当たり前のことを見逃し、人との対立や波乱を巻き起こしてしまう。キャラクターが見過ごしかねない重要なことを作り出すため、ストーリーの設定やほかのキャラクターの行動、会話の内容を見直してみよう。

後退形
好奇心→p. 176、称賛→p. 218、無関心→p. 296

絶望

〔英 Despair〕

【ぜつぼう】
すべての望みを失い、落胆する

外的なシグナル
- 肩を落とし、腕にもまったく力が入らない
- 背中を丸める
- よどんだ表情
- うなだれる
- 深いため息をつきながら目を閉じる
- 眉間に皺を寄せる
- 苦しい表情
- ぽかんと口を開け、言葉が出ない
- ぐったりと倒れ込む、椅子に沈み込む
- お手上げだと弱々しく諦める
- 太ももをさするように手を膝に置く
- だらりと膝に手を当て、前かがみになる
- 人に聞こえてしまう浅いため息をつく
- 両手をだらりとさせながら椅子にもたれかかって座る
- 天を仰ぐように頭を後ろにそらしてから、がくんとうなだれる
- 髪が顔にかかる
- 足を引きずり、一歩ずつよろめきながら歩く
- 目が充血する
- 流れる涙を拭こうともしない
- 手で顔を覆う
- 痛みを止めようとするかのように手のひらの根元で胸を揉む
- 髪を鷲掴みにし、両手で頭を抱え込む
- 膝に力が入らなくなり、がくんとなる
- むせび泣く、声を出してすすり泣く
- こらえきれず泣く、あるいはうめく
- 力が抜けて、椅子に崩れ落ちる、テーブルや壁にもたれかかる
- 「どうしよう」「まさか」と呟く
- 目を閉じて頭をゆっくり左右に振る
- 口を固く結び、顔をゆがめる
- テーブルに突っ伏す
- 慰めてくれる人の背中に弱々しく腕を回す
- 身を縮ませる
- 殻に閉じこもる（人に何か訊かれても答えない、触られても反応しないなど）
- 相手が誰だろうと気に留めず、思ったことを口に出す：「人類は破滅する」

内的な感覚
- 急に体が重く感じたり、しびれたりする
- ふらふらする
- 頭がズキズキ痛む
- 心臓が痛む
- 疲れで手足がうずく
- 喉が締めつけられる

せ

発展形
意気消沈→p. 76、打ちのめされる→p. 84、根に持つ→p. 258、敗北→p. 260、悲嘆→p. 272

- 口から心臓が飛び出すくらい鼓動が激しい
- 瞳が潤んで視界がぼやける
- 唾液がたくさん出て、口がベトベトする

精神的な反応

- 時間の感覚を失う
- 暗いことを何度も思い返す：「そう、彼女はもういないんだ。僕独りなんだ。彼女なしではこんなことできっこないよ」
- あまりにも急に物事が起きて頭の整理がつかない
- 心が麻痺状態で、誰に見られていようと気にしない
- 周囲がぼんやり霞んで見える（何かが動いてもゆっくりとしか反応しない、言われていることを頭で処理できない、人をすぐに認識できないなど）
- 心を閉ざす

一時的に強く、または長期的に表われる反応

- 鬱状態になる
- アルコールやドラッグに走る
- 自殺を考える、自殺を図ろうとする
- 無遠慮な態度をとり、人を傷つけるようなことを言って憚らない

隠れた感情を表わすサイン

- 明るく装おうとする（笑っても笑みがすぐ消える、わざと楽しそうにするなど）
- 何かに没頭して嫌なことを考えないようにする
- ほかの人たちを失望させたくないから、余計なことを言わない
- 動揺しているのになんでもないよと嘘をつく

この感情を想起させる動詞

へこむ、ぼろぼろになる、泣く、身を切る、打ち負かす、士気をくじく、精根尽きる、気が進まない、うなだれる、倒れる、失う、何も感じなくなる、苦しむ、毒づく、落ち込む、縮み上がる、緩慢になる、よろめく、降参する、気弱になる

書き手のためのヒント

感情があらわになる場面はパワフルだが、あまり頻繁に使うと効果が失われてしまうことも。そういう場面は感情を噴出させたいときに取っておくこと。

後退形

悲しみ→p. 112、希望→p. 132、脆弱→p. 228、無力感→p. 300

羨望

〔英 Envy〕

【せんぼう】

自分以外の人が持っている利益を恨みがましく思うこと。
その利益を自分も得たいと熱望する気持ちを伴う

※羨望の的になるのは、人やものだけでなく、
無形のもの（人気度、ライフスタイル、仕事、功績など）である可能性もある。

外的なシグナル

- じっと見つめる、睨みつける
- 口をへの字に曲げる
- 唇をわずかに開く
- 目の下がこわばる
- 口をぎゅっと結ぶ
- 顎を突きだす
- 横目で見る
- わずかに歯を見せる
- 下唇を突きだす
- 胸の前で腕組みをする
- 背中を丸める
- 体を寄せる
- 自分の欲しいものへ手を伸ばす
- 鼻の穴を膨らませる
- 羨望の対象にもの欲しげな視線を向ける
- 見たところ特に理由もなく、不機嫌もしくは失礼な態度をとる
- ポケットに両手を突っ込む
- 両手がピクピク動く
- 両手でぎゅっと拳を握る
- 筋肉が膨れる
- 羨望の対象に背を向けて大股で出て行く
- 頻繁に唾を飲み込む
- 服の上から両手を擦る
- 小声で不公平だと呟く
- 羨望の的の真正面に立つ（体も足のつま先もそこに向けて）
- 下唇を舐める、吸う
- 手汗をかく
- 顔が赤くなる
- 胸を擦る、あるいはマッサージをする
- 喉元をなでる、あるいはつまむ
- 自分が欲している人もしくはものに向かって、一歩近づく
- 強迫行動（ストーカー、羨望の対象を得るためのプランを練るなど）

内的な感覚

- 鼓動が速まる
- 胸が締めつけられる
- 体温が上昇する
- 腹部が引っ張られるような感覚
- 食いしばった歯の間から息を吸うせいで、口が渇く

精神的な反応

- 触れたい、抱きかかえたい、所有したいという強い欲望
- 自分が置かれた状況の不公平さや不正に

せ

発展形

怒り→p. 74、意気消沈→p. 76、決意→p. 162、嫉妬→p. 204、反感→p. 266

腹が立つ
- 羨望の対象を所有する人に、意地悪な考えを抱く
- 欲求不満
- 羨望の対象と同じものを得ようと画策する
- 自己嫌悪
- 羨望の対象について空想する
- ほかのことに力を注ぐことができない、集中できない
- 自分が持っているものに不満を抱く
- 資格がある気持ちになる：「俺が手に入れて当然だ」「あれは私のものだ！」

一時的に強く、または長期的に表われる反応
- 羨望の対象が手に入らなければ生きる意味がない、という気持ちを抱く
- 羨望の対象を横取りする、もしくは盗む
- イライラを解消するために羨望の対象を所有する相手と喧嘩する、もしくは口論になる
- 羨望の対象の特性をわざとけなす、もしくは低く評価する
- 理不尽な考え方
- 自分以外の誰かを選んだ羨望の的に腹が立つ
- 要求する：「こっちに寄越せ」

隠れた感情を表わすサイン
- 羨望の的である人を祝福する、またはその人に褒め言葉をかける
- 作り笑い
- 羨望の対象を認めて褒める
- じっと見つめないようにする
- 離れたところから見る

この感情を想起させる動詞

称賛する、欲情する、燃える、告白する、夢中になる、自分のものにしたがる、欲求する、むさぼる、誘う、見つめる、すり減らす、挑発する、恨む、心がざわつく、かき回す、苦悩する、そそのかされる、滲み出る、困惑する、欲しい、望む

書き手のためのヒント

喧嘩の場面を描写するときは、細かく書かないほうが効果的であることを覚えておこう。詳細が多すぎるとまるで実況中継のようになってしまい、機械的な印象を与えかねない。

後退形
きまり悪さ→p. 134、自信喪失→p. 198、敗北→p. 260

戦慄

〔英 Horror〕

【せんりつ】
理解や想像を超えた嫌な経験をし、嫌悪と恐怖が入り混じった状態

外的なシグナル

- 何かをしていたのに体が凍りついて動かなくなる
- 上唇をめくりあげて口を開く
- 顔をしかめ、顔を背けたいができない
- 顔は遠ざけながらも、目を見開いて凝視する
- 話の途中で言葉が出なくなる
- 何か言おうとして口を開くが、言葉が見つからない
- ほかの人たちの反応を読み取って、自分が目の当たりにしていることを理解しようとする
- 言葉が途切れる：「この……彼が……どうして……」
- 拒絶反応に襲われ、左右にゆっくり頭を振る
- 肩をすくめて、首を引っこめる
- 震える指先で開いた口を塞ぐ
- 眉間と鼻に皺を寄せる
- 自分の喉元を掴む、胸を手で押さえる
- ゴクッと唾を飲み込む
- 戦慄の元から離れ、距離を置く
- 呼吸が不規則になり、ゆっくりと息を吸う（ゾッとしたり震えたりしているため）
- 目をぎゅっと閉じて顔を背ける
- 体を守る（体を横にひねる、胸の前で腕を交差させるなど）
- 手で口を押さえる
- 一、二歩後ずさる
- その場を離れようとして、つまずいたり転んだりする
- 手の甲を鼻に当て、顔を背ける
- 震える片手をかざす（制止しようとするポーズ）
- まばたきを忘れる
- 体を縮み上がらせ、手のひらを胸（心臓のあたり）に当てる
- 体を曲げる（膝を抱く、体をひねる、両腕を体に引き寄せるなど）
- 何かを拭き取るように両方の手のひらを服に擦りつける
- 耳をなでつけたり、引っ張ったりする（物音がする場合）
- ある雑音を遮断しようと耳のそばで手を叩く
- 故意に下や横を向いて目をそらす
- 深呼吸して平静を取り戻そうとする
- ゆっくり一言一言をはっきり話しながら（説得、駆け引き、鎮静化が目的）、緊迫

せ

発展形
恐怖→p. 140、無力感→p. 300

した雰囲気を和らげようとする
- 急な動きをせず、ゆっくりと動く
- 愛する人の身を守るため引き寄せる（子どもたちを集める、伴侶を引き寄せる）

内的な感覚
- 息をするのを忘れ、胸が苦しくなる
- 体がこわばる（胃が締めつけられるなど）
- 喉の奥が焼けつくような苦い味がする
- こらえきれず、体がガタガタ震える
- 体が突然冷たくなる
- 動悸が激しくなり、胸がドクドクと鳴る

精神的な反応
- 自分がどこにいるのかわからなくなる（手探りしたり、ぎごちない動きをしたり、つまずいたりするなど）
- 平静を取り戻そうと、呼吸など、ささいなことに意識を集中させる
- この事件の兆候だったと思われるさまざまな事柄を思い出し、その重大さに突然気づく
- 事態が悪化して危険が身に迫るかもしれないと神経を尖らす（生存本能）

一時的に強く、または長期的に表われる反応
- 最初のショック段階が過ぎ、息が荒くなる
- 失禁する
- その場で凍りついたように立ち止まってしまう
- 思わず涙が頬を伝い、震える唇まで流れる
- 逃げ口を探す
- 背を向け逃げる
- 心臓発作

隠れた感情を表わすサイン
- 唇を固く閉じたまま、ゴクリと唾を飲み込む
- 指先が小さく震える
- 声が一瞬裏返る
- 精神力で乗り切ろうと、にっこり笑おうとするが、頬が引きつる
- 神経質な声で笑う

この感情を想起させる動詞

食いしばる、隠す、体を震わせる、萎縮する、逃げる、立ちすくむ、喉を詰まらせる、息が止まる、固く握る、吐き気を催す、わななく、ひるむ、拒絶する、抑圧する、退く、急に襲われる、ガタガタ震える、縮み上がる、身震いする、凝視する

書き手のためのヒント

キャラクターの感情を描くにしても、キャラクターの自意識がはっきりしすぎると、逆効果になりかねない。心で何かを感じるとき、自分の体の反応を考えることはあまりない（たとえば、感動で胸がいっぱいのとき「息を吐くことができず肺が膨れ上がっている」とは考えない）。したがって、キャラクターの反応や行動をありのままに見せることに重点を置くようにしよう。

後退形
危惧→p. 122、嫌悪→p. 166、自暴自棄→p. 210、憎しみ→p. 252

多幸感

〔英 Euphoria〕

【たこうかん】
強い喜びや幸福が湧き上がってくる状態

外的なシグナル

- 微笑みや笑い声が絶えない
- 頭をのけ反らせ、目を閉じる
- 驚きに口を開く
- 目をまん丸にする
- 胸を張る
- ハッと息をのむ
- 体から力が抜ける
- 何度も軽く胸を手で押さえる
- ゆっくり深々と呼吸する
- いつもより愛情を表現する（ハグ、体を触るなど）
- 歓喜の涙や笑い
- 両手を高く上げて「V」の字を作る
- 飛び跳ね、拳を突き上げる
- 膝をつき、頭をのけ反らせる
- 祝福する（旗を振る、強く抱擁する、歓声を上げるなど）
- 一瞬息が止まる
- 少し呂律が回らなくなり、言葉が出ない
- 幸せを全身で感じたくてくるくる回る
- 鳥肌が立ち、腕をさすりながら喜びに震える
- 芝生の上に寝転んで手足を伸ばすなど、体を伸ばす
- 早口になり、舌を噛みそうになる
- ストレスから突然解放され、体が弛緩する
- 顔や首筋が紅潮する
- 頭を両手で抱え、のけ反る
- 声が変わる（声が高くなる、息切れ気味になるなど）
- 両手を横に広げ、手のひらを開く
- 幸せを噛みしめるように自分を抱きしめる
- 五感で幸せを感じる（特に触感）

内的な感覚

- 体が軽く感じる
- 全身に温かいものが流れる
- 頭や胸が幸せでうずうずし、それが体全体に広がる
- 胃のあたりがソワソワする
- 鼓動が高鳴る
- 胸が膨らむ
- めまい
- 視界が光でまばゆい

精神的な反応

- 心配ごとや悩みごとが頭から消える
- ワクワクし、夢見心地になる
- 五感が呼び覚まされる（色、匂い、手触

た

発展形
畏敬→p. 78

りなどを敏感に感じる）
- 忘我の境地に至る
- 痛みや不快感を感じなくなる
- 力が漲り、なんでもできるような気がする（怖いものなしの状態）
- 静謐で、自分は独りではないという意識に目覚めて、世界を見る

一時的に強く、または長期的に表われる反応
- 創造力が高まり、突然それを表現したくなる（文章や絵など）
- 怖いものなしで、力が漲っているので、リスクを恐れない
- やる気に溢れ、安らかな気持ち
- 幻覚を見る
- 楽しくて目が回るような感覚
- やっと人生が順風満帆に動きはじめたと思い込む
- この幸せを人と分かち合い、人との深い結びつきを求める
- 共感、思いやり、利他心が増す
- 立ち止まって、万物の美しさに気づくようになる

隠れた感情を表わすサイン
- たじろぐ、少し飛び上がってしまう
- 息をすっと吸い込む
- 自分の言動を見失う
- 喜びの笑みを隠そうと後ろを向く
- 真面目な顔をしようとしても笑ってしまう
- なんの会話をしていたかわからなくなる
- 口実をつける：「ごめん、ちょっとめまいがしちゃって」「さっき言ったこと、もう一回言ってくれるかな？」

この感情を想起させる動詞

浸る、浴びる、心を虜にする、登る、安らぐ、惑わされる、成り行きに任せる、得意になる、心を奪われる、満たす、浮遊する、満ち溢れる、吹き込む、息を吸い込む、酔わせる、跳躍する、うっとりする、溢れる、最高に到達する、光り輝く、狂喜する、収穫する、浸透する、共有する、きらめく、染み込む、舞い上がる、押し流される、おののく、涙を流す、歓迎する

書き手のためのヒント

キャラクターが自分の感情を回顧する姿を描くときは、常に、キャラクターの声、年齢、世界観、教育レベル、人生経験に合った言葉や言葉遣いを必ず用いること。

後退形
感動→p. 118、高揚感→p. 184、つながり→p. 246、満足→p. 294

他人の不幸を喜ぶ

〔英 Schadenfreude〕

【たにんのふこうをよろこぶ】
他人の苦しみや不幸を蜜の味だと喜ぶこと

た

外的なシグナル

- 冷笑を浮かべ、大声で笑う
- 細めた横目で見る（にんまりしながら）
- 手を握ったり開いたりを繰り返す
- 顔や首が喜びに紅潮する
- 目を丸くする
- 頭をそらす
- 意地悪な笑みを満面に浮かべる
- 拳を空に向かって突きだす
- 嫌な含み笑いをする
- 呼吸が激しくなり、胸が上下する
- 手もみする
- 人の注意を引く言葉を叫ぶ：「あれを見てよ！」
- 人の不幸につけ込んで言葉の暴力をふるう：「あんたはここには合わないね」
- 激しく頷く
- 唇を濡らす
- その場で弾んだり、体を左右に揺らしたりする
- 被害者に金を賭けるなどして、人の不幸から利益を得ようとする
- 露骨に嫌な顔をして困っている人をじろじろ見る
- 遠くからじっと様子をうかがう
- 横からいじめや暴力をそそのかす
- いじめや暴力に直接加担する
- 口を開け、大げさに驚いてみせながら自分の頬を叩き、喧嘩の相手を指差して笑う
- 苦しむ相手を見て仲間と喜ぶ（嘲ったように首を振る、ハイタッチするなど）
- 筋肉が震える
- 頬や顎の筋肉、首筋が引きつる
- 手を叩いてやじを飛ばす
- わざと相手を怖気づかせることを訊く：「準備はできているんだろうな？」
- 小声でささやく：「そうだ、やれ」「自業自得だな」
- ぎゅっと腕を組み、腕に爪を立てる
- しゃがみこんで、倒れている被害者の顔を見る
- 口の前で両手の指の腹を合わせ、心を奪われた状態で黙って見つめる
- 秘密をばらして喜ぶ：「お母さん、ジェスが先週お母さんの車にバックしてぶつけたの知ってる？」
- 助けを求めている人がいるのに応じない
- 被害者をもてあそぶ（助けの手を差し伸べておきながら、わざと手を引く）
- 被害者と目が合うと、口をすぼめ、気の

発展形
嫌疑が晴れる→p. 168、高揚感→p. 184、ヒステリー→p. 270、復讐→p. 278

毒がっている表情をする
- 後で友人と他人の不幸を笑う

内的な感覚
- 体に熱いものが流れる
- 興奮してめまいがする
- 胸が膨らむ
- 興奮してパワーが漲り、怖いものなしになる
- 手足に力が漲る
- 筋肉が引きつる
- 興奮が冷め、膝がガクガクする

精神的な反応
- 被害者に執着し、それ以外のことはどうでもよくなる
- 自分も加担して被害者を苦しめるところを想像する
- 報われた気持ちになる（過去に被害者に不当な扱いを受けたことがある場合）
- ほかにも悪質行為を働いて満足感を継続させたい（ホテルの部屋をめちゃくちゃにする、人の車にいたずらをする、人にいちゃもんをつけるなど）
- 過去の咎を蒸し返すなどして被害者を責め、自分の感情を正当化する

一時的に強く、または長期的に表われる反応
- 声がかすれるまで大声を出す
- 汗が吹き出る
- 人の気持ちがわからなくなる
- 被害者をさらに苦しめたくなる（極端に）
- サディズムに走って性的満足を得る

隠れた感情を表わすサイン
- 笑みをこらえようとするが、こらえきれない
- 被害者と目が合うと、笑って肩をすくめる
- 目をそらす
- ちらちらと他人の顔色をうかがってから、反応する
- 加害者に姿を見られないよう、陰から誰かが不当な扱いや虐待を受けている現場を見る
- 何も知らないとしらを切る
- 受動攻撃的、または曖昧な物言いをする：「あら、気の毒に」
- 無表情で被害者を見ているだけ

この感情を想起させる動詞

へこませる、浸る、けなす、甲高い声を出す、こきおろす、はやしたてる、手を叩く、歓声を上げる、虐待する、ふっかける、歓喜する、楽しむ、誇示する、ほくそ笑む、恥をかかせる、やじる、誹謗する、威圧する、嘲る、すまし顔をする、装う、（他人の不幸を）噛みしめる、（他人の不幸の蜜の味を）味わう、嘲笑する、叫ぶ、にたにた笑う、にやにや笑う、冷笑する、含み笑いをする、なじる、薄笑いを浮かべる、苦しめる

書き手のためのヒント

キャラクターが感情的なときは、キャラクターの中核をなす性格、過去の経験、心の奥に潜む恐怖に導かれ、特定の反応を示す。これを忘れずにそういう場面を描くこと。

た

後退形

葛藤→p. 110、疑念→p. 130、罪悪感→p. 190、恥→p. 262

短気

〔英 Impatience〕

【たんき】
落ち着きがなく、気が短いこと。
瞬時の変化、安心、満足感を求めること

た

外的なシグナル

- 眉を上げる
- 両手を腰に当てる
- しかめ面をする
- 頭を後ろに傾けて、空を見上げる
- 腕組みをする
- 体をこわばらせて立つ、もしくは座る
- 片足でコツコツ音を立てる
- 両手の指を握り合わせる
- 唇をぎゅっと結ぶ
- 袖口やアクセサリーをもてあそぶ
- 何度も時計を見る
- あたりを行ったり来たりする
- 顎がこわばっている（歯を食いしばっているため）
- 顎を突きだす
- 爪でテーブルをトントン叩く
- じっとしていられずにモゾモゾ動く
- 目を細めてじっと集中する
- 人の話に割って入る
- 人が話しているとき唇を固く結ぶ
- 荒い呼吸やペンをカチカチ鳴らす音が気に障り、落ち着かない
- 眉をひそめる
- 鋭い口調
- うんざりしているかのように、こめかみをマッサージする
- 鼻筋をつまんで目をぎゅっと瞑る
- 音や動きにすばやく注意を向ける
- ドアを見つめる（または時計を見つめる、メールの着信を待って画面を見つめるなど）
- 小声で不満を漏らす：「あいつはどこだ？」「時間がかかりすぎだろ！」
- めそめそ泣く、むずかる、口をとがらせる（小さな子どもの場合）
- 大きく息を吐きだす
- あちこち動く（一度座るも立ち上がり、やっぱり別の椅子に座るなど）
- ものをもてあそぶ（カップを回す、ペーパークリップを押しつぶすなど）
- 首を横に振りながら、ブツブツ呟く
- 天井に頭を傾け、深いため息をつく
- 組んでいた足をほどき、また組み直す
- 顔、肩、首がこわばる
- 体で相手を軽く突く、押す、ブロックする（パーソナルスペースへの侵入）
- 何度も髪をかき上げる
- 怒りを隠す、あるいは軽い皮肉を言う

発展形
怒り→p. 74、フラストレーション→p. 286、立腹→p. 312、冷笑→p. 316

内的な感覚
- 呼吸が徐々に深く、大きくなっていく
- 体温の上昇
- 疲労を感じる、限界に達する
- 頭痛

精神的な反応
- 時間の無駄になることや人について、心の中でガミガミ言う
- 時間が早く過ぎてくれることを願う
- もっとスピーディーに効率よくやれる方法を探す
- ほかのことに注意がそれる
- 切れないように心の中で自分に言い聞かせる

一時的に強く、または長期的に表われる反応
- テーブルをバシッと叩く
- 怒鳴る、大声で命令する
- 人の話を遮る
- プロジェクトや任務を横取りする
- さっさと要点を述べるよう、相手に言う
- ことがよりよく運ぶように、別の方向に焦点を当てる
- 期限を設定する
- 要求する
- 体で攻撃する（突く、押すなど）

隠れた感情を表わすサイン
- 凍りついた笑顔
- 少し散歩に出る
- 雑用を済ませたり、作業を終えるのに時間をかける
- 我慢しようとしてほかのことで気を紛らせようとする
- 気をそらせるために、財布やポケットの中をいじる
- メールが届いていないか、携帯電話を何度もチェックする
- 見た目をあれこれ構う（糸くずをブラシで取る、指の爪をチェックするなど）

この感情を想起させる動詞

嘆く、文句を言う、気を紛らす、時間を無駄にする、いじくる、やきもきする、愚痴をこぼす、不平をこぼす、そばを離れない、割り込む、貧乏ゆすりをする、ごまかす、口ごもる、うろうろする、ため息をつく、事を起こす、力ずくで奪う、顔が引きつる

書き手のためのヒント

決して読者に文章の書き方を意識させてはならない。隠喩、直喩、説明的な言い回しを使いすぎたり、同じボディランゲージを繰り返し用いてしまうと、読者が話に入り込めなくなってしまうのだ。

後退形

屈服→p. 152、受容→p. 214、満足→p. 294

つながり

〔英 Connectedness〕

【つながり】
人や社会、万物と有意義な形で結ばれている状態を経験すること

外的なシグナル

- 心の底から微笑む（すぐに消えるような作り笑いではなく、温かい眼差しを向ける）
- 瞳を輝かせる
- 緊張が消え、表情が和らぐ
- 絆を感じる相手の手をとる、強く握る
- 抱きしめる
- 相手の顔に触れる（頬をなでる、額をくっつけるなど）
- 本当に好奇心や関心があるから質問をする
- オープンな姿勢や歓迎の態度を示す（面と向かう、リラックスして立つ、手を差し伸べるなど）
- 気持ちを入れ替えるため深呼吸する
- 親しみを感じる相手に近づく（距離を縮める）
- あぐらをかき、腕を支えにのけ反る
- 上を向く
- 自然に感謝し、自然を肌で感じながら時間を過ごすことが増える
- 目を閉じ、深呼吸する
- 鼻歌や歌を歌う（歌好きな場合）
- 体の動きや足取りが軽やか（感謝の気持ちに溢れる）
- 身を乗りだす
- つながりを感じる相手に軽い冗談を言う、軽くからかう
- 会話の中でより個人的なことを話し合う
- 自分の考え、心配ごと、恐れなど、心の内を自然に安心して人に打ち明ける
- 正直で表裏のない会話をする
- 心が弾む、陽気になる
- よく笑うようになる
- ためらったり自意識過剰になったりせずに質問を受け入れ、答える
- 絆を強めるため相手に触れる（相手の腕や肩に手を置く）
- 身近にあるものを楽しむ（ソファの上の手刺繍のクッションを指でなぞる、芳香を吸い込むなど）
- 人を助けようとする（さっと手を貸す、機転を利かせるなど）
- 義務感に駆られてではなく、親切心から行動を起こす（思いやる、プレゼントを持参するなど）
- 安心感に包まれているため、体を投げ出すような行動をとる（芝生の上に寝転ぶ、野生動物に近づく、両腕を広げて立つなど）

つ

発展形
畏敬→p. 78、幸福→p. 180、満足→p. 294、旅行熱→p. 314

内的な感覚

- 鳥肌が立つ（触覚が敏感になっているため）
- 皮膚が心地よくしびれる（温かさや人に触られると敏感になっている）
- 上半身が弛緩し、しなだれる
- 深く満ち足りた呼吸をして、鼻孔がヒクヒクする
- 胸が広がるような感覚

精神的な反応

- 他人を決めつけようと思わない
- 万物に深い感謝の気持ちを抱く
- 物欲が薄れる
- 他人に感謝し、悠然と構える
- 世界平和を願って祈る、世界やその中にいる自分について深く考える
- 自分の欠点やその克服方法を考える（人間として成長したい）
- 自意識に欠ける

一時的に強く、または長期的に表われる反応

- ありのままでいさせてくれる人と一緒にいたい
- 自分のアイデンティティの中核をなす深い内面を人と分かち合う
- 自信が高まり、いろいろなことができるような気がする
- 世の中の役に立てるよう、新しいことや大きな仕事に挑戦する
- 物事を深く考えるようになる
- 自然の中で過ごす時間や人と過ごす時間が多くなる（何とつながっているかによる）

隠れた感情を表わすサイン

- 手を後ろに隠したりポケットに突っ込んだりして、人に手を差し伸べない
- 親しみを感じている相手と目を合わせない
- ほかのことに気を取られているかのように、わざと忙しくする
- 会話を避ける（自分をさらけ出すようなことを言いたくない）
- 他人行儀
- 仲間との大切な場所を自分が去ってしまうと、残された仲間にはその場所の重要性が薄れてしまうが、それでも去る
- 誰かと一緒に時間を過ごすより、独りでいたい

この感情を想起させる動詞

受け入れる、影響を及ぼす、真価を認める、慕う、属す、束縛する、触れ合う、気づかう、慈しむ、閉ざす、抱きしめる、ハグする、参加する、つなぐ、閉じ込める、意気投合する、さらす、かみ合う、刺激する、必要とする、育む、覆す、封印する、感じる、奉仕する、一致する、触れる、超越する、釘付けになる、巻きつく、欲しい、結び合わせる、歓迎する

書き手のためのヒント

キャラクターの感情を読者にわかりやすくするには、誰もが経験する事象につなげて、その感情を描くこともできる。たとえば、キャラクターが大事な用件で電話をかけなければならないのに、必ず間違った番号を回してしまう夢を繰り返し見ているとする。その夢とキャラクターのフラストレーションを対比させるのもひとつの手段だ。

後退形
価値がある→p. 106、感傷→p. 116、幸福→p. 180、自信→p. 196、平穏→p. 288

同情

〔英 Sympathy〕

【どうじょう】

人の境遇を思いやり、助けたいと思うこと

※同情と共感は似て非なるもの。同情は共感よりも表層的で、慰めの言葉をかけたりするが、相手の立場に立ってそうしているわけではない。一方、共感はもっと深く相手の気持ちを思いやる感情で、非常に個人的で有意義な体験である。詳しくは「共感」の項目（p. 136）を参照のこと。

外的なシグナル

- 優しい言葉
- なだめるような口調
- きっと大丈夫ですよと言って人を慰める
- 相手の背中を軽く叩く
- 唾を飲み込んでから話しだす
- 相手のパーソナルスペースに入り、近づく（相手がオープンな場合）
- 相手の手を握りしめるが、すぐ離す
- 深くため息をついて、思いやりのある表情をする
- いつもより長めに別れのハグをする
- 同情するように頷く
- 目を細める、集中するように顔をしかめる
- 相手に何か必要なものはあるか、どんな助けが必要かと尋ねる
- よい方向に考えて言葉をかける：「とにかく、これでわかったわけだ」「これくらいで済んでよかったじゃない」
- 相手を自分の肩に引き寄せる（親しい関係の場合）
- 相手の髪をすく、なでる
- 不器用な慰め（弱々しい笑み、ぎこちないハグなど）
- 言葉がうまく出てこない
- 安心させるように足を軽く叩く
- 寄り添う、サッと距離を縮める
- 話ならいつでも聞くからと相手に伝える
- どんな言葉をかければよいのかわからないので、黙って一緒に座る
- 相手の気持ちが楽になるように、ポジティブに質問を言い換える
- 相手をなだめられるような話題を持ちだす：「息子さんが今週来るじゃないの、ね？」
- 相手と膝が触れる距離で座る
- 頼まれてもいないのに、ティッシュの箱や紅茶を入れたカップを持ってくる
- 手をあちこちに動かす
- 気が散ること（電話に出るなど）に相手が対応しなくて済むように、代わりに対処する
- 義務感からではなく、不公平な状況に同情するように、謝りの言葉をかける
- 親類もしくは友人のアドバイスを口にする：「叔父が言ってたんだが……」
- 励ますような口調で話しながら、相手の見た目についてちやほやする
- 不快な状況（寒さ、雨、暑さなど）を無視して、熱心に話に耳を傾ける
- 胸の前で腕組みして話を聞く

と

発展形

愛情→p. 62、悲しみ→p. 112、感謝→p. 114、気がかり→p. 120、共感→p. 136

- ポケットに手を突っ込んだまま、ぎこちなく近寄り、大丈夫かと尋ねる
- 話を聞きながら、相手の気持ちを傷つけない程度に目をそらす
- 気分転換に、散歩やドライブ、ブラブラするなど、どこかへ一緒に出かけようかと誘う
- 相手をかばう（相手に代わって言いわけする、ほかの人たちにこの人が今困っているからちょっと待ってほしいと言うなど）
- 相手が理不尽なことを言っていると思っても同意する

内的な感覚
- 感情的に消耗した感じ
- 体中が重苦しい感覚
- 鼓動がやや遅くなる
- 喉の痛み

精神的な反応
- 相手の心の痛みを和らげてあげたいと思う
- どう言葉をかけたらよいかわからない
- 本心よりも外面を優先する
- 決めつけないで相手の話を聞くよう、自分を律する
- 自分や愛する人たちにも同じことが起こるのではないかと心配する
- 人の不幸を目の当たりにして、自分の幸運を急にありがたく思う
- 相手の代わりに祈る
- 視野が狭くなり、相手のことにのみ集中する
- つらい思いを経験しているのが自分でないことにホッとする

一時的に強く、または長期的に表われる反応
- 状況をどう調整したらよいか、そのことばかりに固執する
- 相手のことばかり考えがちになる

- 決まり文句を言う：「いつかは終わるさ」「元気出して」
- 贈り物で慰める、食べ物を勧める、常に注意を向ける
- 相手がこの境遇から這い上がれるよう、自分の時間やお金、エネルギーを注ぐ

隠れた感情を表わすサイン
- 相手に向けて片手を上げかけるも、それを下ろす
- 相手のことや、その人が陥っている状況についてよく口にする
- 表立っては何も言わないが、こっそりと相手のために祈る
- 微笑みかけたり、気の毒そうな顔を相手に向けたりはするが、言葉はかけない
- 遠くから見つめながら、状況が変わることを願う

この感情を想起させる動詞
助言する、元気づける、慰める、不憫に思う、相談に乗る、甘やかす、励ます、おせっかいを焼く、ハグする、耳を傾ける、やる気を起こさせる、観察する、さする、守る、微笑む、なだめる、ぎゅっと握る

と

書き手のためのヒント
普通、感情が短時間のうちに弱いものから極端なものへと急激に変わることはない。読者の信頼を勝ち取るためにもしっかりと道筋を作り、感情がストレス要因によって、どのように非常に激しいものへと移り変わっていくかを書き起こそう。

後退形
拒絶→p. 142、無関心→p. 296

動揺

〔英 Agitation〕

【どうよう】
うろたえたり動転したりする気持ち、不安な状態

外的なシグナル

- 顔が赤くなってくる
- 頬や顎、額に汗が光る
- 手の指を何度も丸めたり伸ばしたりする
- 首の後ろを擦る
- なくしたものを探してポケットを叩いてみる、財布の中を丹念に調べる
- 急いでいるため動作がおぼつかない（ものをひっくり返す、テーブルにぶつかるなど）
- 視線が彷徨う
- じっとしていられない
- ろくに注意を払わずものを押し込む、詰め込む
- 急に動く（急に立ち上がって椅子が倒れる、キィーッと床を擦る音を立てるなど）
- 手を振り回すなど、慌てふためいた動きをする
- ついていない状況が続くようになる（机の角で腰を強打するなど）
- 繰り返し手で髪をかき上げる
- 言いたいことを忘れる、思考がまとまらない
- 急いでいる最中に言ってしまったことを撤回する
- 着ているものを整える
- アイコンタクトを避ける
- 震える声で話す、または支離滅裂に話す
- どこを見たらよいのか、どこへ行けばよいのかわからなくなる
- 自分のパーソナルスペースを守る（体の接触を避けて腕組みするなど）
- 質問に答えたり反応したりするのに時間がかかる
- 咳払いをする
- 「ええと」「うーん」といった、ためらいの言葉を多用する
- 人に背を向ける
- 喉仏が上下する
- あたりを行ったり来たりして歩き回る
- 喉から変な音が出る
- 口を急速に動かしながら、言いたい言葉を探す
- 触れられてギクリとする
- 立っているとき、または座っているときに足を落ち着きなく動かす
- 人から褒められても聞く耳を持たない
- 自分を扇ぐ、シャツの一番上のボタンを開ける
- 息苦しくて、ネクタイやスカーフ、また

発展形
怒り→p. 74、不安→p. 276、フラストレーション→p. 286、狼狽→p. 320

はシャツの襟を引っ張る
- 相手が見ていない隙に、あきれ顔をする

内的な感覚
- 唾液が過剰に出る
- 極度の興奮を感じる
- うなじの毛がこわばる
- 頭がクラクラする
- 胸が締めつけられ、短く速い呼吸になる
- 汗をかく
- 汗のせいで肌がヒリヒリする
- 胃がソワソワする

精神的な反応
- イライラが高まって、何も考えられなくなる
- 慌てているせいでミスが重なる
- 動揺して大げさな反応をしたのをごまかそうとしたり、言いわけをしたりする傾向がある
- 動揺して固まってしまった自分に腹が立つ（ネガティブな独り言を呟く）
- 不快感の原因を突き止めようとする
- 落ち着いてリラックスしようと自分に言い聞かせる

一時的に強く、または長期的に表われる反応
- 逃避反応（逃げ道を探す、または部屋を逃げ出す）
- 人にかみつく
- 自己防衛に走る
- ものを壊しても平気（半狂乱でものを探し、紙やファイルを散乱させるなど）
- 常に気持ちがかき乱れていて、ピリピリしている

隠れた感情を表わすサイン
- 話題を変える
- 言いわけをする
- 雰囲気を明るくするためにジョークを飛ばす
- 感情の原因と向き合うのを避けるため、常に忙しくしている
- 自分から関心をそらせて、周りの注目が別の人に向くよう仕向ける
- 嫌な話題が出たり、苦手な人が現われたりしても、あまり反応を示さない

この感情を想起させる動詞

いらだつ、叱りつける、うるさがる、憤然とする、いらつく、無理に詰め込む、罵る、動じる、すり減る、慌てる、悩ます、紅潮する、あたふたする、挫折する、息巻く、不快に思う、駆り立てられる、イライラする、窮地に立つ、ぐいっと引く、感情を害す、怒りを引きずる、かき乱される、むかつく、心を乱す、ガタガタ震える、やきもきする、コツコツ叩く、放り投げる、顔をゆがめる、自分を安く売る、困惑する、顔が引きつる

書き手のためのヒント

どんな場面でも時間に追われれば気が動転する。キャラクターが何かしよう、要求に応えようと慌てると、焦りからミスが生じ、そこから話が広がっていくことも考えられるのではないか。

後退形
屈服→p. 152、後悔→p. 174、称賛→p. 218、心配→p. 224、防衛→p. 290

憎しみ

〔英 Hatred〕

【にくしみ】
ひどく嫌う、忌み嫌うこと。恨みを抱くこと

外的なシグナル

- 拳が震える
- 激しく興奮した目つき
- 口を一文字に結ぶ、歯ぎしりする
- 腕の筋肉がこわばる
- 挑発する目的で、悪意に満ちた、人を傷つける言葉を発する
- 体がこわばる、怒り肩、よろめくような歩調
- 突き飛ばす、押す、つまずかせる
- 歯をむき出しにする
- かぎ爪のように指を引っ込める
- 大きな声を上げる、叫ぶ、悪態をつく
- 敵に突進する
- 唾を飛ばしながら怒鳴り散らす
- 顔や首が赤くなる
- 汗をかく
- 血管が浮き出る
- 首の筋肉がぎゅっと引き締まる
- 憎い相手と同じ場に居合わせるのは嫌だから、その場を去る
- 敵と顔を合わせるのを嫌がり、シフトやスケジュールを変更する
- 一瞬顔がこわばったかと思うと、不快感丸出しの顔になる
- 喉から動物的なうなり声が出る
- 鼻の穴を膨らませる
- 力を入れすぎてものを押しつぶす、壊す（ペンを折るなど）
- 体が張りつめて、今にも爆発しそうな状態
- いじめ（ネットでのいじめも含める）
- 相手を毛嫌いして口元がゆがむ。あざ笑う
- 相手もしくは相手のいる方向に唾を飛ばす
- 相手の喉を絞める、相手を叩く、痛めつける
- 敵に近づくために人々を押しのける
- 怒りの涙
- 罵る、口汚い言葉を使う
- 痛烈な口調
- 声が震える
- 友人を巻き込んで敵を仲間はずれにする、もしくは低い地位まで落とす
- 不愉快な陰口をたたく、敵をはめる、噂を流す
- 敵の腕をねじり、逃げさせまいとする
- 暴力的な衝動で行動に出る（椅子を投げる、ものを壊すなど）
- 胸を上下させる

発展形
疑心暗鬼→p. 124、激怒→p. 160、執拗→p. 208、復讐→p. 278

内的な感覚
- 鼓動が耳にまで届く
- 歯を噛みしめたり、歯ぎしりしたりしているせいで、顎や頭が痛い
- 心臓がドキドキする
- 体温の上昇
- 緊張から筋肉痛になる
- 耳鳴りがする（高血圧が原因）

精神的な反応
- 誰も近づけない、拭えないほどの暗いオーラをまとう
- 結論を急ぐ、判断力の低下
- 相手と貸し借りの関係がなくなるなら、危険を冒してもいいと理不尽な考え方をする
- 復讐したいという欲望（破壊行為、窃盗など）
- 人をどうやって打ち負かすかということだけに思考を集中させる
- 敵を辱める空想に耽る
- 何かを割ったり、潰したり、壊したりしたい

一時的に強く、または長期的に表われる反応
- 楽しいことや幸せを満喫することができない
- 食欲不振、不眠
- 孤立
- 憎い相手にこだわり、ストーカー行為などの犯罪に及ぶ
- 憎い相手や組織について、自分と同じ感情を抱いている人々に惹きつけられる
- 憎い相手を妨害する、または相手の悪事を暴露する計画を練る
- 敵に関わる暴力的な空想をして、喜びを感じる
- 暴行、殺人

隠れた感情を表わすサイン
- きつい言葉が出てこないように歯を食いしばる
- 落ち着こうと深呼吸をする
- 注意をそらすもの、あるいは気晴らしを探す
- 状況から離れる、もしくは敵がいるところから離れる
- 支えてくれる仲間に囲まれる

この感情を想起させる動詞

攻撃する、へこませる、かみつく、汚点をつける、怒りに燃える、燃やす、消耗する、嫌悪する、空想に耽る、火に油を注ぐ、睨みつける、（悪意を）抱く、駆り立てられる、憎悪する、つきまとう、暴言を吐く、荒れる、妨害する、罵倒する、絶叫する、煮えくりかえる、ぶち壊す、叫ぶ、（気持ちが）収まらない、中傷する、叩き潰す、悪態をつく、引き裂く、脅かす、ぶちまける

書き手のためのヒント

感情的な緊張感を作り上げるには、キャラクターがある行動に出ようという矢先に、その危険の度合いを本人に思い出させてみよう。すると、結果を心配しはじめて絶望の感情も生まれてきて、読んでいる方にとっても説得力のある展開となるのだ。

後退形

嫉妬→p. 204、根に持つ→p. 258、反感→p. 266、冷笑→p. 316

ネグレクト

〔英 Neglected〕

【ねぐれくと】

無視されている、見過ごされている、愛されていないと感じること

※この項目では、誰かに無視されている、社会から取り残されている、冷遇されている、大切な人に振り向いてもらえないなど、感情面でのネグレクトに焦点を当てる。

外的なシグナル

- 心を傷つけられたり、かき乱されたりしたことを示す表情
- 眉間に皺を寄せる
- 顔をしかめる
- 表情を曇らせる
- 自分を傷つける相手から遠ざかる
- 考え込んでいるような眼差し
- 伏し目になる
- 肩をすくめる
- 小さくなる（椅子に丸くなって座る、足を揃えて立つ、胸の前で指を組むなど）
- 自分を顧みない相手から離れ、距離を置く
- 自己弁護しない
- 引きこもる
- 泣く
- 人の後ろに隠れるように立つ
- 鼻をすする
- 心を傷つけられたことを隠すため、背を向ける
- 自分を抱きしめる
- 慰めを求める（人に慰めてもらう、食べることに走る、安心できる場所に逃げるなど）
- 愛情や注意を注いでくれない相手に不満を言う
- 大声を出す、声が裏返る
- 人にしつこくつきまとい、おだてて金を巻き上げるなどして、自分の都合のいいように相手を利用する
- 相手を味方に引き入れるため、なだめすかす
- 落ち着かない目で相手をちらちら見る
- 初めて振り向いてもらえた瞬間、大喜びする
- 自分には与えられていない愛情や注意を注がれている人を羨ましそうに眺める
- 愛情を示してくれない相手を横目で見ている（振り向いてほしいが、拒絶されるのを恐れている）
- 自分を顧みない人の周りでは、波風を立てないように慎重にふるまう
- 振り向いてほしくて大声で嬉しそうに話す（無意識にやっている場合もある）
- 振り向いてもらえるなら、気に入ってもらえるなら、なんでもする
- 自分を顧みない人のことを弁護する
- 自分と同じつらい思いをさせたくないから、人にとても気を配る

発展形
怒り→p. 74、意気消沈→p. 76、怖気づく→p. 90、苦痛→p. 148、混乱→p. 188、切望→p. 232
反感→p. 266、反抗→p. 268、評価されない→p. 274、不安→p. 276、落胆→p. 310、冷笑→p. 316

内的な感覚
- 胃が重い
- 自分には与えてもらえないものを強く切望する
- 心の中に隙間風が吹く
- 心にぽっかりと穴が空く
- 相手に振り向いてもらえると、アドレナリンが出る

精神的な反応
- 混乱
- 無視されているのは自分のせいだと思い込む
- こうなったのも自分のせいではないかと思い悩む
- チャンスが訪れたら言おう、しようと思っていることを練習する
- 自分を顧みない人を避けたいが、心の隙間を埋めたくて避けきれない

一時的に強く、または長期的に表われる反応
- 自分を顧みない相手に向かって、しかめ面をする
- べったりになる
- 振り向いてほしくて、目立つことをしたり、ネガティブな行動に走ったりする（ある人の愛情が欲しいのに別の人に頼る、危険行為に走るなど）
- 自分の欲求を満たそうと、危険な悪い人間と付き合う
- 相手に拒絶される前に、自分から拒絶する
- 常にお騒がせな行動をとる
- 独立心旺盛で、自分のことは自分で面倒を見ると決めている
- 愛情が、侮蔑やわだかまり、怒りに変わる
- 相手に対して頑なになる

隠れた感情を表わすサイン
- 顎を上げる
- 落ち着いた声を保つ
- 無視されるぐらい大したことはないかのようにふるまう
- 相手とは顔を合わせないが、友人に近況を尋ねたり、ソーシャルメディアの投稿をいつもチェックしたりして、相手の様子を気にしている

この感情を想起させる動詞

青白くなる、すがりつく、縮まる、萎縮する、ぼろぼろになる、泣く、疑う、たじろぐ、躊躇する、操作する、しつこくつきまとう、気を落とす、反抗する、ひるむ、縮み上がる、意気消沈する、おののく、顔が引きつる、しぼむ、目を奪われる

書き手のためのヒント

キャラクターがどんな心の傷を持っているのか知っておこう。過去につらいトラウマを経験したことがある場合、それがなんであれ、その経験に紐付けられている感情がトリガーとなって、過去の苦しみを呼び覚まし、キャラクターは過剰反応を示す。

後退形

無関心→p. 296

熱心
〔英 Eagerness〕

【ねっしん】
これから起こることに対する熱烈な興味

外的なシグナル	
・身を乗りだす ・目を輝かせる ・急いで喋る ・はしゃいだ口調、あるいは大声で話す ・熱心に注意を向ける ・激しく頷く ・興奮していることを示す言葉を使う ・提案されたことになんでも喜んで同意する ・せわしなく手を動かすために、何かものをいじる ・体の両脇で、手をぎゅっと握る ・しっかりとアイコンタクトをとる ・人にかぶせて話す、あるいは人の会話に言葉を差し挟む ・イベントがうまくいくよう、もしくは滞りなく進むよう、さまざまな提案をする ・呼ばれてすぐに手を挙げる ・情報を得ようと質問する ・両手を擦り合わせる ・膝に片手を置いて身を乗りだす ・椅子の端に座る ・人がパーソナルスペースに侵入するのを許す ・唇を舐める、微笑む	・足を前方へ向ける ・肩を引いて姿勢を正す ・生き生きとしたジェスチャーをする ・つま先を上下に弾ませる ・じっとしていない、ソワソワする、あたりを行ったり来たりする ・息を長く吐きだして微笑む ・ほとんどまばたきせず、目を見開いている ・両手をぎゅっと握りしめる ・頭をサッと上げる ・早歩き、ゆっくり走る、あるいは完全に走る ・人と目配せする、もしくは人にウインクする ・ある集団や出来事にジリジリとにじり寄る ・ひそひそと嬉しそうな口調でささやく ・テーブルのそばまで椅子を引きずって近づく ・早めに到着する ・イベントを成功させるため、自発的に手伝う ・片眉を上げて微笑む ・自分の仲間ではない人に対しても、気さくにふるまう ・急ぐように相手を引っ張る、急かす

発展形
興奮→p. 182、他人の不幸を喜ぶ→p. 242、短気→p. 244

- 自分と似た考えの持ち主に近づく（考えの異なる人々からは離れる）
- 手順や指示に入念に従う

内的な感覚
- ソワソワする
- 心拍数が上がる
- 胸が上下するのを感じる
- 息切れ
- アドレナリンが出て、意識が冴えわたっている

精神的な反応
- 熱心に耳を傾ける
- 徹底的な計画、準備
- ほかのことに集中できなくなる
- 人と分かち合いたい、人を巻き込みたいと熱望する
- 抑制がきかない
- ポジティブなものの見方や考え方をする
- 責任を負う、助ける、先導するという意志を持つ
- 自分の選んだ道に迷いがなく、判断がすばやい

一時的に強く、または長期的に表われる反応
- 期日の何時間も前、もしくは何日も前から準備をはじめる
- 細部にわたるまで計画を練る、こだわる
- 完璧を追求する
- 早くことを起こそうとして急ぐ、焦る
- 自分は将来どんな経験をするのだろうと夢見て想像する

隠れた感情を表わすサイン
- 両手を膝の上にしっかりと置き、じっとして動かないようにする
- 筋肉がこわばる
- 一言一言をはっきり発音し、ゆっくり話す
- 深呼吸を繰り返す
- 時間をつぶすために、課題や雑用にとりかかる
- ゆったりとリラックスした姿勢を見せて、興味のないふりをする
- わざと少し遠回りをする

この感情を想起させる動詞

前へ進む、賛同する、活発に動く、近寄る、べらべら口走る、群がる、急ぐ、助ける、参加する、飛び上がる、すがる、飛びつく、追求する、運営する、突進する、手に入れる、自発的に行動する、せき立てる、望む

書き手のためのヒント

会話の中で衝突を引き起こしたい場合は、互いに対立するような目標をキャラクターたちに持たせよう。そうやって、自分が求めるものが手に入らないとなると、感情的反応も自然と大きくなっていくものだ。

後退形
失望→p. 206、満足→p. 294

根に持つ

〔英 Bitterness〕

【ねにもつ】
不当な扱いを受けた結果、深い敵意を抱き、不幸を感じること

外的なシグナル

- 嫌なことを言って、人のいい気分をわざと壊す
- 顎を引き、人を「見下す」態度をとる
- 口をとがらせ、不機嫌そうな顔をする
- 冷たい視線を投げかける
- 淡々とした口調で話す
- 鋭い目つき
- 顔を上に向け、ばかにしたように首を振る
- すぐにカッとなる
- 腕組みをする、人と距離を置くなど、頑なな姿勢をとる
- 他人が成功しても持ち上げない：「父親のコネがあるからさ」
- いつも文句を言う
- 鼻であしらう
- 顎を引く
- 「許すべきことなんてない」などと言うが、本心ではない
- 何かにつけ強い意見を持っている
- 誰かがポジティブな話をしていると話の腰を折る
- 怒りを抑えていることをほのめかすような、とげとげしく硬い動きをする
- 根に持っている相手に近づくと、リラックスできない
- ある人が不正に関与したと思い込む（たとえば、裏切った相手をソーシャルメディア上でストーキングする）
- 他人の非や欠点を指摘する
- 人にやるべきことや改善方法を指図する
- 人が朗報を受け取ると、作り笑いをしたり、わざとらしく喜んだりする
- 声や言葉にとげがある
- 議論をふっかける、論争好き
- 自分の心の痛みを隠そうと、小さなことで人に食ってかかる
- 恨みを忘れず、過去を蒸し返す
- めったに「ありがとう」と言わない、感謝を示さない
- 助けられるのに手を差し伸べない（特に、相手に侮辱されたことがあると感じている場合）
- すぐに誰かを非難する
- 大したことでもないのに大げさに怒りだす
- 誰かを支配するため秘密を握る
- 表裏がある
- 抱擁するときなど、他人に触れると体がこわばる
- 病気にかかりやすい

ね

発展形
怒り→p. 74、激怒→p. 160、復讐→p. 278

内的な感覚

- 胸が締めつけられる
- 顎が痛む
- 頭痛、体の痛み
- 人に触られると過敏に反応する

精神的な反応

- 自分がこんな状況に置かれているのは他人のせいだと思い込む
- 人を信用できない
- 第三者が介入していたら、自分は傷つけられずに済んだのにと思い込む
- 悪い結果を招くかもしれないので責任をとりたがらない
- 他人に借りを作りたがらない、自分の痛みを人にも味わわせたい
- 許すことができない
- すぐに決めつける
- どんなささいなことにも嫉妬する
- 感情の起伏が激しい

一時的に強く、または長期的に表われる反応

- 孤立
- 犠牲者気取りで、過去の出来事を水に流して前進することができない
- 人と他愛もないお喋りができない
- 人生のあらゆる局面にネガティブな考え方が滲み出る
- 健康に問題が多い
- 友人を失う（ネガティブな性格やものの見方が原因）

隠れた感情を表わすサイン

- 受動攻撃的な物言いをする
- 薄ら笑いを浮かべる
- 言葉は前向きでも行動が否定的（「おめでとう」と言いながら荒々しくお皿を洗う、メモを書きなぐるなど）
- 嫌味な褒め方をする：「よくやった。君にそういう力があるとは思わなかった」
- 人が朗報に湧いているときは姿を消す

この感情を想起させる動詞

叱りつける、裏切る、非難する、かっかする、憤然とする、文句を言う、不信感が募る、蒸し返す、悩ます、カッとする、急に怒りだす、癪に障る、顔をしかめる、激昂する、侮辱する、イライラする、突き刺す、決めつける、ブツブツ言う、尖る、つつく、挑発する、口論する、恨む、煮えくりかえる、ショックを受ける、くすぶる、小競り合いをする、唾を吐く、唾を飛ばす、もがく、ふくれる

書き手のためのヒント

子どもの行方不明事件など、悲しいニュースがテレビで流れると誰もが心を痛める。仮に、キャラクターがその子どもを個人的に知っていたり、キャラクターにとってその子が特別な存在であったりした場合、ニュースを知ったときのキャラクターのショックは比較にならないほど大きい。

後退形

自己憐憫→p. 194、失望→p. 206、反感→p. 266、立腹→p. 312

敗北

〔英 Defeat〕

【はいぼく】
征服、制圧、打ち負かされたという感覚

外的なシグナル

- 胸に顎をつける
- 手に力が入らない
- 両手を上げて降参する
- ゆっくり首を横に振る
- 目を合わせない
- 両手や両足をじっと見下ろす
- 黙り込む、口ごもる、または反応しなくなる
- まっすぐ立っていられなくなり、ふらふらする
- 敗北の苦痛を早く終わらせたくて慌てて同意する
- 両腕をだらりと横に下ろす
- 長く、低いため息
- 感情が高ぶり聞き取れない声になる
- つまずく
- 赤い目または涙を見られないように、目を擦る
- 後退りしてパーソナルスペースを広げ、人を近寄らせない
- 頬が火照る
- 喉仏が上下する（ゴクリと唾を飲み込む）
- 猫背になる、肩を丸める
- 背中を丸め、がっくりとうなだれた姿勢
- 手を体の後ろにやる、ポケットに突っ込む
- かすかに顎が震える
- 崩れ落ちないように、両腕で自分の体をぎゅっと掴む
- やる気を失い、覇気のない動作になる
- 気持ちのこもっていない返事
- 虚ろな目
- 椅子に沈み込む
- 両手で頭を抱える
- 手で口と鼻を覆う

内的な感覚

- 喉元で鼓動を感じる
- 心臓が鈍い音を立てて動く
- 苦しげな息づかい
- 頭がクラクラするような感覚
- 胸の痛み、しびれ
- 口の中に酸っぱい味が広がる
- 無気力
- 目の奥が熱くなる、涙が溢れてくる
- 胸に熱いものが込み上げてくる
- 手足が重くて持ち上げられない、動かせないような感覚

は

発展形
屈辱→p. 150、屈服→p. 152、脆弱→p. 228、恥→p. 262、無力感→p. 300

精神的な反応

- 逃げたい、独りになりたいという欲求
- 恥ずかしいという思い
- 周囲の期待を裏切った、失望させたという懸念
- 心的疲労
- 時間が早く過ぎてほしいのに、時間が止まっているような気がする

一時的に強く、または長期的に表われる反応

- 体が震える、または揺れる
- 涙が止まらない
- 懇願する、せがむ
- 膝から崩れ落ちる
- 自己嫌悪

隠れた感情を表わすサイン

- 首を横に振る
- 虚勢を張る
- アイコンタクトを保とうとする
- 再試合を要求する
- 「だめだ」「嫌だ」という言葉を繰り返す
- 叫ぶ、悪態をつく
- 人に責任をなすりつける
- ごまかしや不正を非難する
- 顎を鋭く突きだす
- 口を一文字に結ぶ
- 冷酷な眼差し
- 怒りを原動力にして行動する

この感情を想起させる動詞

心を痛める、打ち負かされる、血を流す、不意を突かれる、へこむ、失神する、叩きのめす、立ち退かせる、引きずる、ボコボコにする、征服する、失脚する、出し抜く、打ち勝つ、圧倒する、打倒する、拳を叩きつける、蝕む、叩き潰す、押し通す、押し殺す、言葉を失う、鎮める、苦悩する、降参する、転倒する、むち打つ、譲る

書き手のためのヒント

目立たない感情を表面化させるには、対比を使ってみよう。キャラクターがのんびり屋なら、すぐにかっかする人と対比させると、キャラクターの鷹揚な仕草がくっきりと浮き上がる。

後退形
安堵→p. 72、感謝→p. 114、希望→p. 132、衝撃→p. 216

恥

〔英 Shame〕

【はじ】

不名誉もしくは不適切な行動から湧き上がる感情。恥ずかしさ

※人は必ずしも恥ずべきことをしたから恥じるわけではない。実際、暴力や虐待の被害者には、彼らに罪がないのに恥を感じている人が多い。なんの根拠もないのに恥を感じている場合も、根拠があって恥じている場合と同じように、その感情が表出する。

外的なシグナル

- 頬が燃えるように赤くなる
- 椅子やソファになだれ込む
- 手足を体の中心に引き寄せる
- 「俺は何をしちまったんだ」「なんでこんなことに？」などとブツブツ言う
- 髪で顔を隠す
- 野球帽を引っ張って深くかぶる
- 両手を頬に押し当てる
- 顎を胸の方に下げる
- 涙に潤んだ目
- 人と視線を合わせられない
- 注目されて縮こまる
- 震える、揺れる、ゾクッとする
- 肩を丸める
- しょっちゅう猫背になる
- 閉じた姿勢（腕組みをする、自分を小さく見せる、顔を背けるなど）
- 泣くのをこらえようとして、唇に手のひらを押しつける
- 首を横に振る
- コントロールできないうめき声を上げる
- 不満を解消するために、拳で太ももをパンチする
- 怒りや非難の気持ちから、人に八つ当たりする
- 腕を両脇にだらんと下ろす
- 呼吸が苦しくなる
- 顎が震える
- 腕を体に巻きつけるなど、自分の体をかばう仕草
- 自分の恥を証言する人々から体を背ける
- 自分が目立たなくなるよう、着ている服を引っ張って伸ばす
- 自分のものを壊す（自己処罰）
- 自分の見た目がどうでもよくなる
- 自尊心を回復させるために、もう一度チャンスを求める（こびへつらう、せがむ、人のあとを追うなど）
- 恥ずべき秘密を隠し通すために嘘をつく、あるいは手段を選ばずなんでもする

内的な感覚

- 音、人ごみ、人の動きに敏感になる
- 風邪のような症状（吐き気、汗、胸がチクチク痛むなど）
- 膝がガクガクする
- 喉が苦しくなる
- 顔が火照る、うずく
- 体が震える

は

発展形
意気消沈→p. 76、屈辱→p. 150、自己嫌悪→p. 192、自責→p. 200

精神的な反応

- 逃避反応
- 友人や愛する人たちと距離を置く
- 馴染みの場所や活動を避ける
- 自己嫌悪、自分を非難する、怒り、不快
- 何かが起きれば恥が帳消しになるのではと期待して危険な行動をとる
- 完全に自信をなくす
- 背景に埋もれて誰にも気づかれたくないと切望する
- 人に見られ、決めつけられていると思い込む（恥ずべき出来事を秘密にしている場合）

一時的に強く、または長期的に表われる反応

- 自分に暴力をふるう（引っかく、切る、髪を引っ張るなど）
- 鬱
- 薬物乱用
- 摂食障害
- 性行為の増加
- パニック発作
- 不安障害
- 恥をかいたこととバランスをとるために、今度は完璧主義の傾向が出てくる
- 自己確認の意味として、権力を求める
- 否認
- 責任を人に押しつける
- 自殺
- 虐待関係
- 自分の見た目を変えようとする
- 自分は苦しんで当然だと信じ込む
- 自分を罰するために、人から差し伸べられた手を断る

隠れた感情を表わすサイン

- 人と交流していても戸惑いを見せる（人の目を見ない、何かをいじるなど）
- 堅苦しそうに背筋を伸ばしたままの姿勢を保つ
- 気持ちを落ち着かせようと深呼吸をする
- やたらと明るく微笑む
- むやみに攻撃的または挑戦的になる
- 過補償

この感情を想起させる動詞

回避する、しがみつく、縮こまる、萎縮する、偽装する、ひょいとかわす、たじろぐ、隠す、覆い隠す、わななく、退く、自傷する、ガタガタ震える、縮み上がる、すすり泣く、おののく、引きこもる

書き手のためのヒント

ひとつの感情を伝えるにあたり、身体的、内面的、精神的な反応はとにかく無数に存在する。そこで、自分のキャラクターの性格を考えて、その人物の反応を予想して絞り込もう。ブレが生じないように、「私のキャラクターは、こういう反応を見せるだろうか？」と自問自答してみるのがよいだろう。

後退形
愕然→p. 104、罪悪感→p. 190、防衛→p. 290

パニック

〔英 Panic〕

【ぱにっく】
突然身動きできなくなるほどの恐怖を感じ、
神経質で非論理的な行動を起こす

外的なシグナル

- 呼吸が浅く、速くなる
- 目を見開く（瞳孔が開いている）
- 息が荒くなる
- 目をぎゅっと閉じる
- 拳を開いたり握りしめたり繰り返す
- 体を折り曲げ、自分を小さくする
- 首筋の静脈が浮く
- 無意識にうめき声、泣き声を出す
- 気が立っている（物音に飛び上がる、集中できないなど）
- 背筋を伸ばして座る
- 頭を抱え、落ち着こうとする
- 手が震える、手をばたつかせる
- 筋肉がこわばる
- 体が震える
- 汗が出る
- 紅潮する
- 呼吸を整えようと息をのむ
- 痛くなるほど胸に手を押しつける
- 声が高く、大きくなる
- 息せき切って、とぎれとぎれに話す
- 壁や隅に後退りする
- 泣く
- 体の震えを抑えようと自分の肩をぎゅっと抱く
- 同じことを何度も繰り返し言う：「うそ、うそ、うそ、そんなわけがない！」
- 助けを求める
- じっとしていられない（急に動き出す、うろうろ歩き回る、立ったり座ったりを繰り返す、何か知らせはないかと人にせっつくなど）
- 自分を落ち着かせてくれる人や大切なものに必死にすがる
- 落ち着かない目で周りをきょろきょろ見る
- 気絶する
- 逃げる

内的な感覚

- アドレナリンが放出する
- 動悸が激しく、胸がキリキリと痛む
- 血圧が上がる
- 喉を締めつけられているようで息苦しい
- 胸を締めつけられ、酸欠状態になっているような感覚
- 手足がしびれ、手足の指の感覚がなくなる
- 吐き気
- 周囲がぐるぐる回っているような感覚
- 目がチカチカする

は

発展形
疑心暗鬼→p. 124、恐怖→p. 140、ヒステリー→p. 270

- 気が遠くなる、ふらふらする
- 体温が上がる（汗が吹き出る）、または下がる（震えが止まらない）

精神的な反応

- 突然恐怖感に襲われる
- 死ぬのではないかと恐れる
- 自分が狂っているのではないかと思い込む
- 現状を理解しようとするが、まともに考えられない
- パニック状態を抑えようとする（落ち着こうとする）
- 大丈夫だと自分に何度も言い聞かせる
- パニックを引き起こした原因を探す
- 自分がどこにいるのかわからなくなる
- なんとかしようと躍起になるが、興奮しすぎて有意義なことは何もできない
- 最悪の事態ばかり考えてしまう
- 物音や動き、人に触られたりすると過敏に反応する

一時的に強く、または長期的に表われる反応

- パニック障害や不安障害を発症する
- 鬱
- 処方薬に頼る
- ドラッグやアルコールを乱用する
- 恐怖症
- 家にこもりきりになる
- パニックになりそうな状況を避ける
- パニック発作が起きたとき、逃げ場がないような場所を避ける
- またパニック発作が起きるのではと心配がつきまとう
- 睡眠時間が長くなる

隠れた感情を表わすサイン

- 目を閉じる
- 深呼吸して息を整える
- 平静を取り戻そうと、中座したり横を向いたりする
- リラックスするためのコツを練習する
- 人と目を合わせるのを避ける
- 筋道を立てて自分に言い聞かせる

この感情を想起させる動詞

息を詰まらせる、すがりつく、失神する、気絶する、逃げる、たじろぐ、パニックになる、息が止まる、掴む、隠す、大きく呼吸する、ぐいっと引く、さする、ガタガタ震える、身震いする、すすり泣く、汗をかく、おののく、めそめそ泣く

書き手のためのヒント

キャラクターを深く掘り下げるには、そのキャラクターが何を恥じているのかを考えてみる。恥の原因を知るには、過去の重要な出来事にまで遡り、キャラクターに過去の恥と向き合わせよう。

後退形
怯え→p. 96、悲しみ→p. 112、気がかり→p. 120、危惧→p. 122、心配→p. 224、不安→p. 276

反感

〔英 Resentment〕

【はんかん】
見下されたり、不当な扱いを受けたり、不公平を経験したりして、道徳的に憤ること

外的なシグナル

- 口をすぼめる
- 胸の前で腕組みをする
- 無表情、目を細める
- しかめ面
- 自分と相手との距離をさらに大きくとる
- 不平を言う
- 無礼で辛辣な態度
- 口をとがらす
- 意地悪にふるまう
- 中傷する
- 声が徐々に大きくなる、もしくは声を荒らげる
- 口論になる
- 相手のことは無視して、その後ろに視線を向ける
- 険しい表情
- 両腕をまっすぐ下ろし、両手で拳を握る
- 親切や思いやりをかけられても、自分の考えを変えようとはしない
- 対象を遠ざける
- ぎこちなく構える
- 和解しようとする相手の努力をわざと無視する
- 小声で呟く、もしくは悪態をつく
- 唇をゆがめて、不快そうな表情をする
- 相手の地位や成果をけなす
- 首や肩が張る
- よく言い聞かせるために、宙を指差して鋭く突く
- 唇をゆがめて歯を見せる
- 歯を食いしばる
- 声が尖る
- 人に切れる
- 不当な扱いを受けたと思い、腹いせに相手のプロジェクトや行動を妨害する
- 陰口を言う、噂話をする
- 冷酷な笑み
- 賛成しないというように首を横に振りつつ、何も言わない
- 両手を丸めて拳を握る
- 部屋を出て行く
- ムッとしてきびすを返す、階段をドスドス駆け上がる
- 必要以上に力を込めてドアをバタンと閉める

内的な感覚

- 緊張性頭痛
- 顎の痛み

発展形
怒り→p. 74、軽蔑→p. 158、嫉妬→p. 204、憎しみ→p. 252、根に持つ→p. 258、反抗→p. 268、復讐→p. 278

- 胸が締めつけられる
- 喉が苦しくなる
- 高血圧
- 胃痛、潰瘍

精神的な反応

- 対象について意地悪な考えを抱く
- 不公平、あるいは不公正に対して不満を抱く
- 相手を傷つけること、もしくは相手の失脚を空想する
- 怒りっぽい
- 独りになりたいと願う
- ほかの人間関係を台無しにするほど、ある人物や状況に執着する
- ほかの人を巻き込み、皆で一緒に反感の気持ちを盛り上げたいと思う
- 公平さにこだわる（不均衡に気づき、常に人を平等に扱うなど）

一時的に強く、または長期的に表われる反応

- 体重の増加
- 病気
- 不眠症
- 反感の対象を避けるため、遅刻する、病気で休む、シフト通りに働かない
- 高血圧
- 復讐をたくらむ

隠れた感情を表わすサイン

- その場から立ち去る
- 押し黙る
- 安全な話題に切り替える
- 作り笑い
- 前進したふりをしつつ、実は、相手が法の裁きを受けるよう計画を練る

この感情を想起させる動詞

非難する、攻撃する、擁護する、悩まされる、眉をひそめる、息巻く、噂する、愚痴をこぼす、（恨みを）抱く、侮辱する、口をとがらす、妨害する、不快な表情をする、煮えくりかえる、ぶち切れる、やきもきする、ふくれる、弱らせる、発散する

書き手のためのヒント

新しい場面、人物、ものなどが登場する場合、それを脇役の視点から描くのも効果的だ。彼らが何に気づきどう反応したかを描けば、初登場した対象について自然と明らかにすることができる。

後退形
苦痛→p. 148、決意→p. 162、受容→p. 214

反抗
〔英 Defiant〕

【はんこう】
負けるとわかっていても臆せず抵抗する

外的なシグナル
- 仁王立ちになる（背筋を伸ばす、筋肉がこわばる）
- 顎を突きだす
- 腕を組む
- 挑戦的な目で睨みつける
- 口の端をつり上げ、せせら笑う
- 人に従わない（または期待に逆らう）
- 背筋を伸ばし、胸を突きだす
- 先に目をそらさない
- プイッと顔を背ける
- 呼吸が荒くなり、鼻孔が開く
- 顎をぐっと引き、首を動かさない
- 指を折り曲げ、拳を作る
- 他人のパーソナルスペースに入り込む
- 腰に手を当てる
- 足を広げて立つなど、場所をとって自分を大きく見せようとする
- 相手の秘密をちらつかせ、ライバルの立場や発言を攻撃する
- 怒りを吐きだすため力任せに行動する（ドアを乱暴に閉める、椅子を強く押す、ものを投げるなど）
- 故意に敵を煽る行動に出る（贈り物の受け取りを拒む、指示を無視するなど）
- 居ても立ってもいられない
- 生意気な言葉や暴言を吐いて喧嘩する
- 辛辣な言動をとる（皮肉な言葉や言い方、嘲笑など）
- 口論が激化し、怒鳴ったり罵ったりする
- 謝ろうとしない
- 人の言葉を聞き入れない、怒りを鎮めようとしない
- 自分の立場や信念、見解に固執する：「俺は絶対に引き下がらない」
- 背筋をピンと伸ばして場を去る

内的な感覚
- 血圧が上がり、動悸が激しくなり、息切れがする
- 胸が締めつけられ、苦しくなる
- 顔や首筋が火照る
- 筋肉がこわばる
- 視界が狭まる

精神的な反応
- いらだちや怒りで思考が曇る
- 考えないで反応し、状況を悪化させ、後戻りできなくなる
- 集中できなくなり、気が散ってしまう

発展形
怒り→p. 74、恐れ知らず→p. 92、激怒→p. 160、他人の不幸を喜ぶ→p. 242

- 別の視点から物事を見られないし、見ようとしない
- 逆手に取って自分の立場を強化できるような相手の弱点を分析する
- 譲れない部分がある限り交渉を拒む
- ルール破りの行動や悪影響を招く行動を心の中で正当化する
- 怒りにとらわれ、許せない
- 捨て台詞を言わないと気がすまない
- 恐れや不安を隠すために怒る

一時的に強く、または長期的に表われる反応

- とげとげしい口調で話す
- 脅す
- 意見の相違を棚上げするのを拒む（相手を見下して打ち負かし、確執や報復にこだわる）
- 結果を顧みず、あからさまに反抗する
- 怒りを超え、暴力に出る
- 自分に同意しない人と縁を切る：「俺の敵か、味方か、二つにひとつだ」
- 人に飛びかかる
- 侮辱の言葉を投げつける、そういう仕草をする（人に向かって中指を立てる、お尻を出す）

隠れた感情を表わすサイン

- 体がこわばる（筋肉がこわばる、姿勢を崩さないなど）
- 食いしばる
- 唇を固く結び、冷血で無感情な表情
- 抑揚の激しい話し方をし、言葉が自然に出てこない
- 密かに破壊行為に出る（さ さいなことで相手にダメージを与え、弱体化させる）

この感情を想起させる動詞

反り返る、口論する、へこませる、けなす、振り回す、気色ばむ、大声で呼ぶ、挑戦する、対立する、批判する、思い切る、物ともしない、要求する、異議を唱える、困らせる、闘う、見せびらかす、かなぐり捨てる、睨みつける、叩く、浴びせる、無視する、ぐいっと引く、突きだす、押し出す、嘲る、感情を害する、反対する、挑発する、罰する、押す、反抗する、拒絶する、抵抗する、煮えくりかえる、叫ぶ、金切り声を上げる、（ドアを）ぴしゃりと閉める、いがみ合う、唾を吐く、凝視する、ひっくり返す、試す、脅かす、弱体化させる

書き手のためのヒント

草稿中、キャラクターの感情をどう表現すればよいのか判断しかねる場合は、とりあえず「恐怖におののいた」などと書いておき、推敲中に新鮮で具体的な表現方法が見つかったら書き直す。こうすれば、創作の流れを止めずに執筆を続けられる。

後退形
葛藤→p. 110、後悔→p. 174、混乱→p. 188、評価されない→p. 274

ヒステリー

〔英 **Hysteria**〕

【ひすてりー】

感情が高ぶって極端な反応を示し、自制できない状態

※この項目の「ヒステリー」は、精神疾患に結びつけられている神経症とは別です。

外的なシグナル

- 叫ぶ、怒鳴る
- こらえきれずに泣く
- 息が荒い
- 鼻孔が開く
- 紅潮する
- 汗が吹き出す
- 目をカッと見開く
- 外からの刺激を遮断しようと目を閉じ、耳を塞ぐ
- 頭を激しく振る
- 拳を握りしめる
- 地団駄を踏む
- 太ももを拳で叩く
- 髪を引っ張る
- 同じ言葉を何度も呟いたり叫んだりする：「これは何かの間違いだ」「こんなはずはない」「あいつは大丈夫だ」
- 声がかれるまで叫ぶ
- 手当り次第ものを激しく叩きつける
- 顔や首筋の静脈が浮き出る
- 手を振り回す
- 倒れる
- ソファ、ベッド、地面などに倒れ込む
- 身を守るかのように体を折り曲げる
- 周囲の人から急に離れる、テーブルの上などから手をさっと引く
- 人にしがみつく
- 気絶する
- 悪い知らせを自分に告げた人を攻撃する（悪い知らせがトリガーになった場合）
- 「信じない」などと言って否定する
- 胎児のように体を丸める
- 膝を抱いて体を前後に揺する
- 息が荒くなり、支離滅裂に話す

内的な感覚

- 動悸が激しくなる
- 筋肉が弛緩する
- 目がチカチカする
- 酸欠状態になったように息切れする
- 視界が狭まる、耳が聞こえなくなるなど、感覚が鈍る
- 体に圧迫感を覚える

精神的な反応

- 理由を聞く耳を持たない
- 他人の目をまったく気にしなくなる（自制心を失う）
- 周辺のことに意識が及ばない（自分の名

ひ

発展形

圧倒→p. 66、拒絶→p. 142、激怒→p. 160

前が呼ばれても聞こえない、腕を触られても気づかないなど）
- 自制心を失ったのはわかっていても、それを取り戻す方法がわからない
- 考えがコロコロと変わる
- 幽体離脱して自分を俯瞰しているような気持ちになる

一時的に強く、または長期的に表われる反応
- 疲労困憊して倒れそうになる
- 精神的に打ちのめされる
- 声が出なくなる
- 長時間眠り続ける
- 筋肉痛
- 人に取り押さえられたせいであざができ、体が痛む
- 目が血走る
- 心臓発作が起きる

隠れた感情を表わすサイン
ヒステリーは自制できるものではないため、抑えることはできない。

この感情を想起させる動詞
非難する、叩く、打ちつける、引っかく、すがりつく、しがみつく、失神する、ゲラゲラ笑う、ぼろぼろになる、泣く、うずくまる、落ちる、気絶する、バタバタする、たじろぐ、息が止まる、自制心を失う、掴む、固く握る、すり寄る、ぐいっと引く、卒倒する、キレる、押し出す、落ち込む、絶叫する、叫ぶ、金切り声を上げる、すすり泣く、唾を吐く、ぎょっとする、打ちのめす、泣き叫ぶ、わめく

書き手のためのヒント
キャラクターの感情が高ぶっていると神経が過敏になる。冷静なときには気づかないかもしれない物音や匂い、味などにキャラクターが気づく様子を描写するとよいだろう。

後退形
悲しみ→p. 112、危惧→p. 122、混乱→p. 188、心配→p. 224、動揺→p. 250、不安→p. 276

悲嘆

〔英 Grief〕

【ひたん】
大切なもの（愛する人であることが多い）を失って感じる
深くつらい悲しみ

外的なシグナル

- 手が震える
- 弱々しい動き
- 虚ろな目、よどんだ表情
- 突然息ができなくなる、息苦しくなる
- 胸をさする
- 人に食ってかかる
- 食欲不振
- 拒食
- 震える唇を閉じ、震えを抑える
- 故人が大切にしていたものを手に取ったり身につけたりする
- 服を着替えるのを忘れ、不潔になる
- 独りになりたがる
- めったに話さない、かすれ声や弱々しい声で話す
- ものに当たり散らす
- なんの会話をしているのかわからなくなる
- 背中を丸めるなど、小さく弱々しく見える姿勢
- 重い気持ちになり、肩を落として腕をだらりとさせ、動く気力がなくなったりする
- こらえきれず泣き叫ぶ
- 力を与えてくださいと祈る（信仰心がある場合）
- 故人に話しかけるように日記を綴る
- カウンセリングを受ける
- 時間の感覚を失う
- 部屋の中をうろうろし、ものを触ったり、思い出のものに手を触れたりする
- 眠りたがらない、あるいは眠りに逃げる
- アルコールやドラッグに走る
- 愛する人たちにしがみつき、そばから離れない
- 体の痛みをほぐそうと手首や肩、膝などをさする
- 愛する人を亡くした経緯を何度も人に話す
- 物音に敏感になる（ビクッとする、耳を擦るなど）
- 人や人の集まるところを避ける
- 目が赤く腫れる

内的な感覚

- どことなく弱々しく感じる、無感覚
- 元気がない
- 不整脈やめまい
- 胸が締めつけられたままの状態が続く
- 心が重い
- 突き刺すような胃の痛み、吐き気、消化不良

ひ

発展形
怒り→p. 74、意気消沈→p. 76、罪悪感→p. 190、絶望→p. 234、根に持つ→p. 258、復讐→p. 278

- 体の痛みや頭痛
- 喉にしこりのようなものを感じ、しきりと唾を飲み込む
- 泣きはらしたせいで目が乾き、充血し腫れる
- 寒気がする

精神的な反応

- 心が晴れず、忘れっぽくなり、時間の感覚がなくなる
- 人の日々の悩みごとが表面的で無意味に思える
- 大切なものを失い、後悔し続ける
- 失ったものの夢を頻繁に見る
- 理不尽な思いや不安
- 生きていることへの罪悪感
- 悲しい思いが胸をよぎる
- 故人または失ったものに手を触れ、抱きしめたくてたまらない
- さっさと前進していった人に怒りを覚える
- スピリチュアルなものに関心を持ちはじめる
- 神に怒りを覚え、自分の信仰心を疑う
- 深い孤独感
- やる気が湧かない
- 人や人の要求に無関心になる（他愛もない会話にいらだつなど）
- この悲しみが永遠に続くのではと恐れ、気が狂いそうになる

一時的に強く、または長期的に表われる反応

- 鬱になり、自殺を図ろうとする
- 実年齢より老けて見える
- 体重が激減あるいは激増する
- 愛する人の健康に偏執的にこだわる
- 自制心を失い、深酒したり、薬物を過剰摂取したりする

隠れた感情を表わすサイン

- 故人のことを話したがらない
- 故人の持ち物を処分する（箱に詰める、寄付するなど）
- 毎日規則正しく生活し、多忙なことが多い
- 心の痛みに向き合うことを避け、仕事やプロジェクトに専念する
- 失ったものを思い起こさせる人々から離れる
- 新しい家や町に引っ越す
- 行動が極端に変わる（一人の人を愛するのを避け、不特定多数の人とセックスするなど）

この感情を想起させる動詞

崩れる、へこむ、しがみつく、失神する、泣く、望みを失う、喪に服す、苦しむ、皺を寄せる、ガタガタ震える、身震いする、よろよろ歩く、崩れ落ちる、すすり泣く、おののく、くぐり抜ける、涙を流す、ささやく、しおれる

書き手のためのヒント

感情を表現するときは、視点となるキャラクターが何よりも意識しているものを、じっくり時間をかけて描写すること。キャラクターが気にしていることは、読者も気になっているからだ。

後退形
圧倒→p. 66、打ちのめされる→p. 84、孤独→p. 186、受容→p. 214

評価されない

〔英 Unappreciated〕

【ひょうかされない】
自分の価値や貢献を他人に理解されていない、
または認められていないと感じること

外的なシグナル

- 裏方に徹する
- 隅っこに立ったり、壁を背にして立ったりする
- グループのみんなの後についていく
- 認められると思っていたら見当違いだったことが判明し、期待の表情が消える
- 自分のアイデアや意見を他人と共有しない
- 直接話しかけられない限り、自分からは話しかけない
- 肩をすくめて立つ
- 神経質そうに、またはぼんやりと髪の毛や袖口、ファスナーをいじる
- 静かに歩く
- 腕を体にぴったり寄せ、足も揃えたままの姿勢を保つ
- 座っているとき自分を小さく見せる（足を組む、手を膝の上に置くなど）
- 注目されたり感謝されたりすると、はりきって反応する
- 小さな声で話す
- 人から注目されると、落ち着かない
- 褒められると困ってしまう
- 伏し目がちに、顎を引いて歩く
- 人に承認されたくて一生懸命に努力する（頼まれるとなんでも引き受ける）
- 自分がどんなに一生懸命働いたか、どれほど貢献したかを当てつけがましく何度も言う
- 注目を浴びるため、外見に気をつかう
- 自分の能力を見せるため、難しい仕事を引き受ける
- 協力することを拒む（人の期待に応えなければならないため）
- わざと仕事ができないふりをし、仕事をさぼる
- 自分の仕事を評価してくれなかった人々に密かに復讐をたくらむ
- 自分というものがわからなくなり、卑屈になる
- 軽視されると、自分を軽んじた人を陰で悪く言う
- 被害妄想が起きる
- 小声でボソボソ話す
- 口をとがらせ、不機嫌になる
- カッとなって人につらく当たるが、後で悔やむ
- 怒りに唇を噛みしめ、顎が震える
- 褒め言葉や感謝の言葉をかけてもらいたい
- 人に罪悪感を与える：「いつだってみん

ひ

発展形
怒り→p. 74、裏切られる→p. 88、価値がない→p. 108、自信喪失→p. 198、根に持つ→p. 258、反抗→p. 268

なの後始末をやっているのは僕ですよ。それなのに、あなたはそれが当然みたいに座っているだけじゃないですか」
- 自分の限界に達し、助けてほしいと言われても、これ以上は助けられないと拒む
- 誰かが感謝の言葉を言うまで、うろうろしながら待つ
- 人に感謝の気持ちを示すときは、特に気をつかう

内的な感覚
- 胃が重く感じる
- 認められなかったと思うたびに萎縮する
- 自分は取り残されていると思わせる人が目の前にいると、胃がソワソワする
- 指が引きつる
- 吐き気

精神的な反応
- 自分は何をやっても人に肯定されないと思い込む
- 自己嫌悪に陥る（ネガティブな独り言を呟く）
- 上下関係において、自分は人より下だと思う
- 被害者意識を持つ

一時的に強く、または長期的に表われる反応
- 腹を立て、わだかまりを持つ
- 職場や家庭、学校で非協力的になる
- いじめの対象になる
- 仕事やプロジェクトに自主的に協力しない
- 評価されず、見過ごされることに慣れる
- 上司や伴侶など自分を評価しない人に隠しごとをし、それを当然だと思っている
- 誰にも気づかれずにいられるから、誰もやりたがらない仕事をやる
- 期待に応えられず、成績がふるわない
- 他人の言いなりになる
- 壁の花や仲間はずれになる
- 人に気づいてもらおうと必死になる（目立つ行動をとる、目立つ服を着るなど）
- 人に感謝の気持ちを伝えない

隠れた感情を表わすサイン
- 人から感謝されなくても肩をすくめるだけで、気にしていないふりをする
- 人から感謝されない自分に直面しなくて済むように、人のために何かをすることがない
- 感謝してくれる人にしがみつく
- 自分に感謝を示さない人のそばでは本心を押し殺しているが、本当はそのことを根に持ち、傷ついていることが仕草でわかる（口を固く結ぶ、鼻から荒々しく息を吐く、あきれ顔をするなど）

この感情を想起させる動詞

復讐する、回避する、妬む、時間を無駄にする、いじくる、噂する、不平をこぼす、隠しごとをする、人に食ってかかる、塞ぎ込む、口ごもる、ブツブツ言う、口をとがらす、恨む、退く、不快な表情をする、どもる、ふくれる

書き手のためのヒント

人は感情が揺さぶられると、反射的に自制心を働かせて平静を保とうとする。キャラクターをどこまで追い詰められるのかを考えてみよう。ストーリーに重要なのであれば、さらに追い詰め、平静を失わせてみるのもいい。

後退形

あやふや→p. 68、安堵→p. 72、感謝→p. 114

不安

〔英 Anxiety〕

【ふあん】
何かが非常に気にかかり、ときには理由もなく
精神が不安定になることもある

外的なシグナル

- 首の後ろを擦る
- 腕組みをして、人との間に壁を作る
- 片手でもう一方の腕を肘のところで掴んで立つ
- 財布、コートといったものをぎゅっと掴む
- 自分を慰めるように、両手を揉み合わせたり、すり合わせたりする
- 腕時計や指輪を回す
- 体をひっかく
- ひっきりなしに両手で顔を触る
- ネックレスをいじる（触ると安心できるものなら特に）
- 肩を回す
- 床を叩くように足を上げ下げする
- 時計、電話、ドアをチラッと見る
- お腹を抱え込んで、少し体を前に曲げる
- 両手をぎゅっと握りしめる
- その場で体を揺らす
- そこが痛むかのように首を曲げる
- 唇や爪を噛む
- 首を横に振る
- 居心地が悪くなりモゾモゾと体を動かす
- 短く何度か呼吸を繰り返し、平静を保とうとする
- せわしなく手を動かさないと気が済まず、財布やポケットに手を突っ込む
- 気が散りやすくなる
- 服が擦れて不快であるかのように、身なりを整える
- 食べ物が喉を通らなくなる
- 肩を擦りながらあたりを見回す
- 丸めた指の関節が唇をかすめる
- ソワソワした目つき
- 自分の周りにいっそう注意を払う
- 物音がしたり、何かが突然動いたりすると驚く
- 過剰に唾を飲み込む
- メールが届いていないか繰り返し携帯電話をチェックする
- 焦り
- 祈り
- 小声でささやく

内的な感覚

- 暑すぎる、もしくは寒すぎると感じる
- 足がじっとしていられない
- めまい
- 胃がむかつく
- 異常に喉が渇く

ふ

発展形
危惧→p. 122、疑心暗鬼→p. 124、自暴自棄→p. 210、パニック→p. 264、ヒステリー→p. 270

- 手足がゾクゾクする
- 胸が締めつけられる、呼吸が速くなる
- 体の中がけいれんを起こしているような感じ

精神的な反応

- 最悪の事態を考える
- 自分を責める
- 人に元気づけてもらいたくなる
- 時間の経過が遅く感じられる
- 閉所にいると不安を感じる
- わけもなく不安になる
- 不安を抑えられない自分を精神的に責める
- 不安を引き起こす原因となった出来事を、頭の中で再現する

一時的に強く、または長期的に表われる反応

- 激しく汗をかく
- 疲れ果てた様子
- 小声で独り言を言う
- 椅子に座って体を揺らす
- 動悸や呼吸困難、ひどい場合はパニック発作が起きる
- 危惧や恐怖、強迫神経症などの症状

隠れた感情を表わすサイン

- 作り笑い
- こわばった視線
- 会話を避ける
- 独りになれる場所を探す
- 普段通りに見えるよう物事をこなす（注文はするが食べ物に口をつけないなど）
- 近くにあるものに関心を持っているふりをする
- 落ち着こうと目を閉じる
- 心を落ち着かせようと髪をなでたりすいたりする

この感情を想起させる動詞

うるさがる、くよくよ考える、刻みつける、押しやる、息が詰まる、追いやる、気を紛らす、植え付ける、うろたえる、すり減らす、不快に思う、しつこく要求する、神経に障る、ぐいっと引く、飛び上がる、ぶつくさ文句を言う、うろうろする、しつこくする、激しく鼓動する、押しつける、質問する、かき乱される、さする、ガタガタ震える、推測する、ぎゅっと握る、ぎょっとする、緊張する、もがく、汗をかく、顔をゆがめる、平静を失う、気が動転する、ぎゅっとひねる

書き手のためのヒント

各場面で、表現しなくてはならない感情を特定し、キャラクターが口にする言葉や仕草などを使って、その表現方法を三つ考えてみよう。

後退形
安堵→p. 72、感謝→p. 114、脆弱→p. 228、用心→p. 304

復讐

〔英 Vengeful〕

【ふくしゅう】
汚名をそそぐため、過去の過ちを誰かに償わせようとする

外的なシグナル

- 硬い姿勢（筋肉が見るからにこわばっている）
- まばたきひとつせず、一点をじっと見つめる
- 顎がこわばる
- 顎を上げる
- 胸いっぱいに息を吸い、胸を広げる
- 指をぽきぽき鳴らす、拳を作る
- 相手を観察し、機が熟すのを待つ
- 汚名を着せられた経緯を仲間内にいつも愚痴る
- 愛想のいいふりをして人に近づき、人の弱みにつけ込む
- 相手を貶めるために使えるような情報を探し、盗み聞きする
- 味方たちと復讐計画について話し合う
- 相手にとってもっとも大切な人やものを知っておく
- 相手の周辺にいる人々に近づき、情報を探る
- 相手がいないところで、相手を非難する
- 偽善的になる
- すぐにもっともらしい嘘をつく
- 人の言動を深読みする
- せせら笑う
- 自分のしたことを当然だと思い、間違っていても謝らない
- 質問に遠回しに答える：「行くかもしれない」「いい質問だね」「後で返事するよ」
- わざと情報を隠し、自分の支配力を楽しむ
- 復讐の相手に向かって、しっかりと大股で歩く
- 相手のパーソナルスペースに侵入する
- 相手の目の前に立ちはだかり、怖気づかせる（足を広げて立つ、腰に手を当てるなど手強そうな態度をとる）
- 相手に向かって話すとき、やや歯をむき出す
- 作り笑いを浮かべ、わざとらしい話し方をする
- 相手をストーキングする（実際につきまとう、またはネット上で）
- 人の自信を失わせるようなことを言う：「明日の会議が不安か？　俺だったら不安だな」
- 相手を言葉で攻撃する
- 相手の味方の間に不安の種をまく：「彼女、あなたにパーティーのこと言わなかったの？　おかしいわね」

発展形
激怒→p. 160、憎しみ→p. 252

- 脅す
- 相手の噂を流す
- 怒りを感じると目を細め、閃光が走ったような眼差しを向ける

内的な感覚
- 相手の姿を見かけると体が火照る
- 耳が熱い
- 相手に近づくと、鼓動が速くなる
- 胸が締めつけられる、うずく
- 筋肉がこわばる
- 歯を噛みしめているせいで顎が圧迫される
- 復讐を成し遂げるとアドレナリンが出る

精神的な反応
- 相手のことを執拗に考える
- 汚名を着せられたときのことを思い出す
- おあいこに持ち込む方法を思い浮かべる
- 相手が貶められるときのことを想像する

一時的に強く、または長期的に表われる反応
- 暴力
- 相手を怖気づかせ、恐怖に陥れるため、尾行したりつきまとったりする
- 相手の家や車、大切にしているものを破壊する
- 警察沙汰にする（濡れ衣を着せる、真偽に関係なく告訴するなど、相手の人生を台無しにする）
- 相手に近い存在の罪もない人たちを巻き込んで復讐する

隠れた感情を表わすサイン
- 愛想がいいふりをする（微笑む、お世辞を言う､取るに足りないミスをもったいぶって許すなど）
- 何も異常がないかのように、日課を繰り返す
- これまでと変わりなく、メッセージを送り合ったりして、相手とともに時間を過ごす
- 相手と自分のつながりがわからないような復讐計画を練る
- 機が熟すまで我慢して待つ

この感情を想起させる動詞

忍び寄る、損なう、破壊する、盗み聞きする、羨む、あとを追う、（情報を）集める、胸を激しく上下させる、傷つける、執拗に絡みつく、じりじりと入り込む、そしる、計画する、練る、用意する、準備する、押す、憤る、報復する、破壊活動をする、えぐり取る、ぴしゃりと打つ、叩き潰す、こそこそする、ぎゅっと握る、たくらむ、しつこく追い回す、恐れさせる、顔をゆがめる、待つ、欲する

書き手のためのヒント

読者に緊張感を与えるには、読者自身も体験したことがあるような恐怖を描くこと。たとえば、愛する人から連絡があるはずなのにない、玄関のドアが開いていて鍵が外れている、これから旅に出るというときに飛行機墜落事故のニュースを聞くといった場面を描写すると、読者にインパクトを与えることができる。

後退形
あやふや→p. 68､疑念→p. 130､きまり悪さ→p. 134､防衛→p. 290

不信

〔英 Disbelief〕

【ふしん】

信用しないこと。真実を受け入れようとしないこと

外的なシグナル

- 口角が下がる
- 目を見開く
- 下を向く、目をそらす、二度見する
- まぶたや眉を擦る
- 言葉が見つからない
- 顔を背けて口元を覆う
- 血の気が引いて、顔が青白くなる
- 「それは確かなのか？」といった質問を投げかける
- 顎をかく
- 首を横に振る
- ぼんやりと腕を擦る
- ショックを口にする：「冗談だろ？」「あり得ない！」
- 後退りして、相手との距離を空ける
- 両方の手のひらを上に向ける
- 片眉を上げる、首を傾げる
- 焦点の定まらない視線
- すばやくまばたきをする
- 髪をかき上げる
- 口をぽかんと開ける
- 口ごもる、口を開けてまた閉じる
- 両手をだらりと横に下ろす
- ややうなだれた姿勢
- うつむくが、次に顔を上げたときには顔がこわばっている
- 髪をかき上げ後ろに引っ張るが、その手を離し、髪がはらりと落ちる
- メガネを外して縁を調べる
- あからさまにジロジロと見つめる
- 両耳を塞ぐ
- 「嫌だ」「本当なもんか！」といった否定的な言葉を繰り返す
- お腹を腕で抱え込んで、体を少し前に曲げる
- まるでそこに答えが書いてあるかのように、両方の手のひらをじっと見つめる
- 耳を揺する、引っ張る、叩く
- 手を振って払いのける
- 人を責める：「嘘だろ」
- 悪い知らせを伝えに来た人の話を聞こうとしない

内的な感覚

- 胸がチクチク痛む
- 胃が張る、キリキリする
- ハッと息をのむ
- 立ちくらみ
- 息が苦しくなる

発展形
圧倒→p. 66、怒り→p. 74、拒絶→p. 142、屈服→p. 152

精神的な反応

- 瞬時に道徳的判断を下す（よいか悪いか、正しいか間違いか）
- 理解するために思考を寄せ集める
- 論理的に考えようとする、あるいは情報をもっと集めようとする
- 聞き間違えたふりをする
- 怒りがこみ上げるが、その怒りをどこに向けたらいいのかわからない
- 自分を騙した相手と最後に会ったときのことを思い返す

一時的に強く、または長期的に表われる反応

- ソワソワと落ち着かない
- 知らされた内容に難癖をつけ、言い争う
- 人に耳を傾けようとせず、またはそれ以上話し合いに応じようとせず、その場を去る
- 気持ちを何度も声に出す：「まったく信じられないよ」
- しどろもどろにしか返事できず、うまく話せない
- そんなことは信じられないと言わんばかりに両手を高く上げる
- 結果を変えてほしい、と影響力のある人に要求する
- 閉じた姿勢（胸の前で腕組みをして壁を作る）

隠れた感情を表わすサイン

- 話題を変える
- 自分のとった行動を弁解する：「ごめん、よく眠れていないんだよ」
- 自分はずっと「わかっていた」かのようにふるまい、結果を支持する
- 自分の信念、責任について人に安心感を与える
- 不信感を隠しつつ、情報を集めるために質問を投げかける
- 咳払いをする、喉仏をつまむ、またはぎこちなく笑う
- 咳き込んで、飲み物が変なところに入ってしまったふりをする
- 口先だけの言葉を並べる：「面白そうだね」「そりゃいいね」

この感情を想起させる動詞

膨らむ、否定する、立ちすくむ、眉をひそめる、まごつく、ぽかんと口を開ける、息が止まる、不満を漏らす、質問する、ひるむ、よろよろする、拒む、退く、ガタガタ震える、ショックを受ける、緩慢になる、まくし立てる、唾を飛ばす、言葉に詰まる、凝視する

書き手のためのヒント

たいていの場合、メロドラマ的な表現はおすすめしないが、やりすぎなまでに度を超えたキャラクターを描くためには効果的なこともある。

後退形
あやふや→p. 68、疑念→p. 130、屈服→p. 152、受容→p. 214

不本意

〔英 Reluctance〕

【ふほんい】

渋ること、強く嫌がること

外的なシグナル

- しばらく考えたり、背を向けたりして、お茶を濁す仕草を見せる
- 見た目にもわかるほどゴクリと唾を飲み込む
- 唇を舐める
- 腕や肩、表情がこわばる
- ためらうような足取り
- 肩を前に押し出して、頭は後ろに引く
- ゆっくりと応対する
- 唇をぎゅっと結ぶ
- 不安げにあたりを見回す
- 手が震える、けいれんする
- 拳を握りそうになる手を緩める
- しかめ面、苦々しい表情
- 両眉をぎゅっと寄せる
- 口ごもる、つっかえる
- 言いわけをする
- 嘘をつく
- ためらいがちに、相手に手を差し伸べたり触れたりする
- 片手を上げて、人やものを追い払う
- 別の人に助けてもらう、もしくはやってもらうことを提案する
- 首を横に振る
- 唇や首にせわしなく触れる
- 緊張した様子（手で髪をかき上げる、あたりを行ったり来たりする、同じ動作を繰り返すなど）
- すばやく微笑む
- 時計をチラッと見る
- イライラする
- ハァーッと嫌そうなため息をついてから、返答または行動する
- 出口の方に向かう
- 頼みごとをしてきた相手との間に、一定の距離をとる
- 唇または爪を噛む
- 鼻筋をつまみ、目をぎゅっと閉じる
- 話題を変える、もしくは注意をそらす
- 心を開いていないことを示すボディランゲージ（両手を上げる、腕組みをするなど）
- 頼みごとをしてきた相手から体をそらす、背を向ける
- 決めるのに時間が欲しいと頼む
- 疑念を口にする
- はっきりさせるために、いろいろと質問を投げかける
- 頼みごとをしてきた相手の目を見ようとしない

発展形

怒り→p. 74、怯え→p. 96、懐疑→p. 98、危惧→p. 122、嫌悪→p. 166、反感→p. 266、防衛→p. 290

- 会話を切り上げる
- 別の良案を勧める：「ティムの方が客あしらいがうまいんですけどね。彼に頼んだらどうですか」
- 「たぶん」という言葉で返事をする
- 拒否の言葉を呟く：「嫌だ」「やりたくない」
- わざと謙遜する：「僕はさっぱりだめですね。こういうことはほかの誰かにやってもらった方がいいですよ、本当です」

内的な感覚

- 胸が締めつけられる
- 筋肉がややこわばる
- 胃が重くなる

精神的な反応

- 頼みごとをしてきた相手から逃れたいと切望する
- 優柔不断
- 気持ちが明らかに他所を向いている
- 罪悪感
- 頼まれたことから逃れる手段を探す
- これから決められること以外に集中できない
- 自分の気が進まないのを正当化したい

一時的に強く、または長期的に表われる反応

- 恨み
- 胃が苦しくなる、腹の中がかき乱される
- 相手を避ける
- 緊迫した関係になる

隠れた感情を表わすサイン

- 一度賛成しておいて、最後までは従わない
- 多忙であることあるいはストレスを抱えていることをほのめかす
- 不本意な状況を招いた責任者に対する反感が湧いてくる
- 受動攻撃的な物言いをする
- 話をそらす（冗談を言って話をすり替えるなど）
- ばかげたことを頼まれたかのごとくふるまう
- 第三者が説得してくれることに期待して、その人に本心を打ち明ける

この感情を想起させる動詞

避ける、尻込みする、のろのろする、引き延ばす、かわす、そぶりをする、息を詰める、言葉を濁す、ぐずぐずと先延ばしにする、抗議する、遅らせる、拒む、抵抗する、くよくよする、よろよろ歩く、身をよじる、お茶を濁す、言葉に詰まる

書き手のためのヒント

キャラクターの性格描写に、ブランド名を使うのは避けよう。ブランドとは移ろいゆくものだし、後々自分の書いたものが古く見える原因になってしまう。キャラクターの性格、長所、短所を伝えるには、ほかの表現を使うのがよいだろう。

後退形
安堵→p. 72、屈服→p. 152、満足→p. 294

不満

〔英 Dissatisfaction〕

【ふまん】

もの足りず、不服に思っている

外的なシグナル

- 眉間に皺を寄せる
- 顔をしかめ、首を振る
- 心とは裏腹なことばかり言う
- 腕を組んでうつむく
- 首の後ろをさする
- いらだちを鎮めようと空のペットボトルをひねりつぶす
- 座りながら足をさする
- 人から目をそらす
- しかめ面で、不幸せな表情
- 小声で意地悪なことをささやく
- あきれた表情でため息をついたり、ばかにしたように鼻を鳴らしたりする
- 不満の原因（人や仕事など）に近づくときは、のそのそ歩く
- 会話をしても人の意見を聞かず、語気を荒らげる
- 他人には、正しくできるまで「もう一度やれ」と要求する
- 完璧主義の傾向
- 不平不満を言う
- 体勢を変える（体をひねったり、腕を頻繁に動かしたりする）
- 足先を話している相手に向けない
- 帰宅したがらず遅くまで外をうろつく（原因が家庭生活にある場合）
- 眠りが浅い
- ネガティブなことばかり思い出して一日の出来事を振り返る
- アラームが鳴るのを恐れ、目覚まし時計が鳴る前に目覚める
- リラックスできない
- じっとしていないで動き回る
- 自分の本心を表わしている質問を人に投げる：「リセットボタンを押して、もう一度やり直せたらいいなと思ったことはある?」
- 積極的にではなく、だらだらと続けている（仕事、恋愛関係、礼拝など）
- 世間話を嫌がる
- 独りになりたがる
- 恨む
- ささいなことでもムシャクシャし、すぐにカッとなる
- 足るを知ることがない
- 昔のよかったときのことを話す
- 嫌なことを忘れるため、アルコール、ギャンブル、大麻やドラッグなどに走る
- 責任や義務から逃れたくて学校や仕事をさぼったくせに、さぼっていないと嘘をつく

ふ

発展形

怒り→p. 74、意気消沈→p. 76、軽蔑→p. 158、根に持つ→p. 258、反感→p. 266

- どうでもよいことに意固地になり、人を支配しようとする（いい場所に車を止めたくて、同乗者の迷惑も考えず駐車場を回り続ける）

内的な感覚
- 頭痛（血圧が上がる）
- 胃が締めつけられる
- 慢性的な睡眠不足で疲れ、イライラする

精神的な反応
- 自分を見失ったような気持ち
- 身動きができないと感じる（壊れた夫婦関係、退屈で虚しい仕事、病気など）
- 人生は不公平だ、ほかの人たちが悪い、と頻繁に思う
- 悲観的に考え、ネガティブなことに意識を向ける
- 幸せそうな人を見ると腹が立つ
- 他人と自分を心の中で比べる
- 悩みが解決することを夢想する（宝くじに当たる、嫌な上司が転勤になるなど）
- 現状から抜け出すいい方法はないかと思い詰める

一時的に強く、または長期的に表われる反応
- 常に心配する
- リスクをとる（現状を改善し、喜びや意欲を取り戻すため）
- ミッドライフ・クライシスを経験する
- 一攫千金の話に飛びつくなど、本来の問題に向き合わずに間違ったことを追求する
- 浮気をする
- 不眠症
- 鬱
- ストレスが原因の疾患（潰瘍、高血圧など）にかかる
- 感謝の気持ちを持てない
- 他人や世の中に対し恨みを持ち、うんざりする
- 逃避（仕事を辞める、家族を置いて出て行くなど）
- 実年齢よりも老けて見える（眉間に皺がある、鼻や頬の血管が浮き出ている）

隠れた感情を表わすサイン
- 自分に必要なことを考えたくないので、仕事や家庭に専念する
- やってみたいことがあるのに先送りする：「いつか姉みたいに旅をしたいわ」「来年は絵を習いたいな」
- 他人の成功に自分を重ねられるよう、他人を励ます
- 犠牲者ぶる：「私は夢に裏切られたけど、あなたにはそうなってほしくない」
- 自分の人生を変えてくれる「魔法」が見つかることを期待して、次から次へと新しいことに手を染める
- 一瞬の幸せを感じたくてものを買う（買い物で発散）

この感情を想起させる動詞

苦悶する、長々と話す、食いしばる、しがみつく、文句を言う、自分のものにしたがる、欲求する、気に障る、中断する、くどくど話す、期待する、失敗する、挫折する、不快感を与える、愚痴をこぼす、不満を言う、阻止する、激怒する、割り込む、うんざりする、イライラする、むっとする、うめく、ブツブツ言う、恨む、覚める、つっぱねる、ふくれる、邪魔する、心配する、切望する

書き手のためのヒント

キャラクターの心の成長や成熟ぶりを見せるには、ストーリーの早期段階でキャラクターが過剰反応してしまう状況を作り出そう。そして、後でまた同様の状況に直面したとき、以前よりもうまくその状況をさばけるようになったキャラクターの姿を見せること。

後退形

屈服→p. 152、受容→p. 214
切なさ→p. 230、フラストレーション→p. 286

フラストレーション

〔英 Frustration〕

【ふらすとれーしょん】
問題が解決していないことや、不足が満たされていないことで感じるいらだち。妨げられたという気持ち

外的なシグナル

- 唇をつまむ
- 両手を後ろにやり、片手でもう一方の手首を掴む
- 早口で喋る
- エネルギーを発散するために、指先を合わせてトントンと叩く
- 人差し指を向ける
- 首の後ろをかく、擦る
- 首を横に振る
- 急な動き（手のジェスチャーを交えて話す、歩いている途中で方向転換するなど）
- その場を行ったり来たりするなど、落ち着きのない動作をする
- 硬い姿勢、こわばった筋肉
- 歯を食いしばる
- 自分を無理矢理抑えて、歯を食いしばりながら話す
- イライラと鼻を鳴らす、あざ笑う
- 小声で罵る
- 深呼吸してから話しはじめる
- 手のひらを広げ、また力を抜く
- 歯をむき出しにする
- 「降参」というように両手を上げる
- ムッとして人前からつかつかと立ち去る
- 人に食ってかかる（名指しで攻撃し、相手を傷つけようとするなど）
- 考えずにものを言い、後で悔やむこともある
- ドアをバタンと閉める
- 髪を鷲掴みにし、空を見上げる
- 深いため息をつく
- テーブルに頭を横たえる
- 堅苦しい話し方
- 声にとげがある
- 髪をかき上げる
- 爪が手のひらに食い込むほど拳をぎゅっと握る
- ゆがんで張りつめた表情
- テーブルに拳を打ちつける
- 一瞬顔をしかめるが、顔の筋肉を緩め、落ち着こうとする
- 両手で頭を抱える
- 顎を上げる（首をむき出しにすることを恐れない）
- 胸の前で腕組みをする
- 急いでいるため動作がおぼつかない（コーヒーをこぼす、ものをひっくり返すなど）
- 大げさに不満の声を漏らす

ふ

発展形
怒り→p. 74、軽蔑→p. 158、短気→p. 244

内的な感覚
- 喉が塞がるような感覚
- 胃が張る
- 胸が締めつけられる
- 高血圧の兆候（頭痛、あるいは鼓動が耳にまで届く）
- 歯を噛みしめているせいで顎が痛む

精神的な反応
- 問題を解決することに極端に集中する
- 頭の中で何度もある場面や出来事を再生し、固執する
- 落ち着いてちゃんと頭を働かせなくてはと、自分に言い聞かせる
- 情報を再確認したくて、あれこれ質問する
- 人間関係を損ねるぐらいならと思い、自分の感情を押さえつけようとする

一時的に強く、または長期的に表われる反応
- 叫ぶ、大声を上げる、わめく、悲鳴を上げる、もしくは非難する
- 懇願する、せがむ：「もうやめてくれ！」
- 部屋を飛びだす
- 眠れない、リラックスできない
- 多量の汗をかく
- 必要以上に体に力を入れる（足を踏み鳴らして歩く、ものを手渡しせずに投げて渡すなど）
- 暴力行為（蹴る、引っ掴む、揺さぶる、持っていたものから手を離して壊す）
- かんしゃくを起こす（本人が子どもじみている場合は、叫ぶ、床に体を投げ出す、泣くなど）

隠れた感情を表わすサイン
- 涙を拭って隠そうとする
- 沈黙、もしくは必要最低限の返事
- 一瞬目を閉じ、深呼吸をする
- 感情を洗い流すかのように、手で顔を擦る
- 一言詫びて退出する
- 肩を動かして、緊張をふるい落とそうとする

この感情を想起させる動詞
溜め込む、かんしゃくを起こす、押しつぶされる、固く握る、歯ぎしりする、ガミガミ文句を言う、駆り立てられる、激怒する、衝動を抑える、ブツブツ言う、うろうろする、押す、ガタガタ震える、（気持ちが）収まらない、カンカンになる、やきもきする、息苦しくなる、苦しめられる、引きつる、（感情を）爆発させる、発散する

書き手のためのヒント
読者を場面にぐっと引き込むには、キャラクターの直感を利用すること。キャラクターが何に焚きつけられて直感的行動をとったのかをはっきりと示せば、読者は腑に落ちるだろうし、その場面に釘付けになるはずだ。ただし、キャラクターの直感のひらめきは、あくまでもストーリーの流れに即したものでないと効果を生まないので注意が必要。

後退形
いらだち→p. 80、葛藤→p. 110、後悔→p. 174、無関心→p. 296

平穏

〔英 Peacefulness〕

【へいおん】
対立、興奮、混乱などのない落ち着いた状態

外的なシグナル

- リラックスした姿勢（筋肉の緊張がほぐれる、手足の力が緩むなど）
- 微笑む、ニッコリ笑う
- 膝の上で緩く指を握る
- 頭を後ろにそらせて目を閉じる
- 落ち着きを示す柔らかい表情
- 挨拶として人に向かって頷く
- 椅子の背もたれに片方の腕をかけて、後ろにもたれる
- 深く、満足げな呼吸
- 友人の肩に肘を置いてもたれかかる
- 無理矢理ではない自然な笑い声
- 口笛を吹く、鼻歌を歌う
- 正直で表裏がなく、その場で正しいと感じたことをする
- 光輝く目、柔らかな眼差し
- 行事を楽しむ（映画、野外コンサート、ピクニックなど）
- 芝生に寝転んで太陽を浴びる
- ネコのように伸びをする
- 思いやりのある温かい声
- ゆっくり、落ち着いた呼吸
- 充実感を示すように目を半分閉じる
- 頭の後ろで指を絡ませる
- 大きく構える、オープンな姿勢
- 緩慢な動作
- 首を前後に回す
- 立ちながら、前ポケットに親指を引っかける
- 慌てずゆったり歩く
- 目をきょろきょろさせて、ランダムにいろんなものを見つめる
- ささいなことに気づき、それを楽しむ（バラの香りに気づいて立ち止まるなど）
- 満足げにため息をつく
- 慌てることなくゆっくり話す
- 作業を終えるのにたっぷり時間をかける
- 人の負担を少しでも軽減してやりたいと、人助けをする
- 人の幸せに深く興味を示す
- 人と実りある会話をする

内的な感覚

- 眠気
- 緊張感やストレスがなく、無の感情に近い状態
- ゆったりと落ち着いた脈、鼓動

発展形
幸福→p. 180、つながり→p. 246、満足→p. 294

精神的な反応

- 一緒にいる人たちとの沈黙すら心地よい
- 世界全体に満足感を覚える
- 自分自身を生きているという感覚
- 万物の美しさに気づく
- 自分が今いる場所に満足している
- 人の話に耳を傾けるのが楽しい
- 過去や未来は関係なく、今この瞬間を生きる
- 雰囲気を壊すような話題を避ける
- 日常の平凡な作業にすら喜びを感じる
- みんなに同じような平穏を体験してほしいと望む

一時的に強く、または長期的に表われる反応

- 財産を欲しいと思わなくなる
- 前向きな人々、もしくは同じようなマインドを持つ人々と時間を過ごす方を選ぶ
- スピリチュアル、もしくは宗教的な哲学に傾倒するようになる
- ポジティブな状態を保ちたいと思う
- リサイクルや田舎暮らしなど、新たな信念を実践するため自分のライフスタイルを変える
- 企業による搾取や資本主義にうんざりする
- 自然志向な生き方を望む
- 自分の体、及び体に取り込むものについて敏感になる
- 新たに充実感を与えてくれる趣味や興味を見つける

隠れた感情を表わすサイン

- 自分が落ち着いているのは、たんに疲れているからだと主張する
- 少し緊張感を持つことを自分に強いる
- 退屈だからその場を離れるふりをする
- 人にこの人は同類だなと思ってもらえるような質問をする

この感情を想起させる動詞

のんびり歩く、味わう、お喋りする、話し合う、包み込む、経験する、鼻歌を歌う、もたれかかる、長居する、ブラブラする、くつろぐ、そぞろ歩く、リラックスする、保養する、共有する、微笑む、伸びをする、散策する、口笛を吹く

書き手のためのヒント

文章に用いる動詞を慎重に選ぶこと。行動を表わす言葉次第で、文章の意味が変わってくるからだ。たとえば、そのキャラクターが階段を「のろのろ上る」のか、「二段ずつ駆け上る」のかによって、それぞれ異なる感情状態にあることが読者にも伝わるだろう。

後退形
好奇心→p. 176、切なさ→p. 230

防衛

〔英 Defensiveness〕

【ぼうえい】

攻撃に抵抗する。危険、脅威とみなされるものから身を守る

外的なシグナル

- 危険視しているものとの距離を広げるため、後退りする
- 対象とは逆の方向に体を傾ける
- 胸の前で腕組みをする
- 頑なな姿勢
- 目を細める、しかめ面
- 頬を内側から吸い寄せる
- 心の迷いを振り払うかのように、頭を振る
- 唾を飛ばしながら早口で喋る、呆然とする、または叫ぶ
- ものを盾にする（本、畳んである上着など）
- ソワソワとした目つき（出口までの距離を計算する、武器になりそうなものを探すなど）
- 唇を舐める
- まばたきをして、目を大きく見開く
- 攻撃者の方に手のひらを向けて、両手を上げる
- しっかりとした低い声で話しながら、相手をじっと見つめる
- 虚勢を張る（髪をかき上げる、鼻で笑うなど）
- 相手を引き下がらせようとして、声を張り上げる
- 足を組む（座っているときに危険を感じた場合）
- 体をかばう（別の角度に向ける）
- 優位に立とうとして、相手を妨害したり、相手にかぶせて話したりする
- 周囲に応援を求める
- 荒く息を吐きだす
- 攻勢に出て、相手を言葉で攻撃する
- 非難をそらす
- ギクッとする、またはさっと飛び退く
- しどろもどろになりながら早口で話す
- 胸の上の方に手を当て、自分の無実を表明する
- 首がこわばって筋が立ち、喉仏がゴクリと動く
- 顎を下げて首の方に引く
- 人差し指を相手の方へ突きだし、非難の言葉を浴びせる
- 頬の赤みが増す
- 見た目にもわかるほど汗をかく
- 援護を求めてほかの人々を連れてくる
- 失意や拒絶を口にする
- 口論の最中に声が冷ややかになってくる
- いつもと異なる、ぎくしゃくした動き
- 過剰に唾を飲み込む

発展形

怒り→p. 74、危惧→p. 122、疑惑→p. 144、自己憐憫→p. 194、脆弱→p. 228、反感→p. 266

内的な感覚
- 血圧が上がって、心臓がドキドキしているのを感じる
- 口が渇く、喉が異常に渇く
- 体が火照る
- 胃がキリキリする、胃が張る

精神的な反応
- 状況をなんとか鎮静化させようと、慌てて頭を回転させる
- 怒り、衝撃、裏切られた気持ち
- 証拠を求めて記憶をふるいにかける（無実を証明するため、あるいは非難の声に異議を申し立てるため）

一時的に強く、または長期的に表われる反応
- 出口の方をチラッと見る、逃げる（逃避反応）
- 叫ぶ
- 自分を非難してきた相手に、かつて援助したり、ピンチを救ってあげたりしたときの話を持ちだす
- 相手の弱点をつく
- パーソナルスペースを大きくとる
- 荒々しく飛び出していく

隠れた感情を表わすサイン
- 落ち着いた口調で話す
- 作り笑いをする
- 無理矢理平静を装う
- 話題を変える
- 拒絶（肩をすくめる、わざとらしい笑い声を上げるなど）
- 自分は何も証明する必要はない、と落ち着いた様子で宣言する
- 居心地が悪くても、その場から動かずに留まる
- 感情的にならず、事実を突きつけて説得を試みる

この感情を想起させる動詞
避ける、尻込みする、気色ばむ、対立する、反撃する、覆う、批判する、そらす、否定する、賛成しない、却下する、異議を唱える、身をかわす、軽視する、警戒する、しつこく追求する、嘘をつく、反対する、嘆願する、宣言する、押す、反応する、拒絶する、抵抗する、遮蔽する、体をかばう、一歩避ける、行き詰まる、言葉に詰まる、脅かす、わめく

書き手のためのヒント
キャラクターの感情的な反応を書くときは、その場面でキャラクターがどの程度の安心感を持っているかを考えてみる。安心できる人と一緒にいるなら、自分を失わないだろうが、ピンチに立たされていたり、状況がよく読めなかったりすると、反応は変わるはずだ。

後退形
安堵→p. 72、懐疑→p. 98、混乱→p. 188、評価されない→p. 274

ホームシック

〔英 Homesick〕

【ほーむしっく】
自分が帰属し、安らぎを与えてくれる人や場所から離れた悲しみ

外的なシグナル

- 落ち込み、気力をなくしてだらだらする
- 寝てばかりいる
- 目的もなくブラブラしている
- 背中を丸めて椅子に座る（前かがみ）
- 涙もろくなる
- 目が赤く腫れる
- 泣きはらして鼻が赤い
- 精彩を欠いた曇った眼差し
- 締まりのない表情
- 自信満々に上を向くことがなく、いつもうつむき加減
- ため息が多い
- 胸がしきりと痛むので手のひらで胸をさする
- 安らぎを求めて自分を抱きしめる
- 無表情
- ソファに寝転び何時間もテレビを見る
- 空想から現実に引き戻され、愕然とすることが多い
- 物思いに耽っているような表情
- 昔の写真やビデオ、思い出の品を見て自分を慰める
- 聞いてくれる人に思い出話をする
- 故郷について話すとき声が震えたり途切れたりする
- 会いたくてたまらない人に電話をかける
- 家族を質問攻めにし、家の様子を聞きたがる
- 帰省する日を指折り数えて待つ
- いろいろなことをして気を紛らす
- 自分の過去を思い起こさせてくれる本や映画、音楽に触れる
- 新環境を前の環境と比べ、何かが足りないと感じる
- ソーシャルメディアで愛する人たちの投稿をいつも見ていて、故郷の最新情報に精通している
- 寂しさを紛らわすため、飲食、運動、買い物、ビデオゲームなどに走る
- 独りでいることが多い、あるいはいつも誰かと一緒にいる
- 新環境に必死で適応しようとする（ホームシックを克服するため）
- 故郷の家族から連絡が来ていないか、郵便受けや電話を常にチェックする

内的な感覚

- 涙が目に沁みる
- 心にぽっかり穴が空いたような感覚

ほ

発展形
意気消沈→p. 76、懐古→p. 100、悲しみ→p. 112、不安→p. 276

- 喉にしこりができ、それがいつまでも消えないような感覚
- 空っぽな、あるいは沈むような感覚
- 胸が締めつけられ、息苦しい
- 腹痛や頭痛、あるいは体全体が痛む
- 故郷での出来事を耳にし、懐かしくてたまらなくなり胸がキリキリと痛む
- 電話が鳴ったり故郷から小包が届いたりするとドキドキする

精神的な反応

- 故郷のいいところを思い出し、悪いところは忘れてしまう
- 故郷のことは考えないようにする
- 新環境のポジティブな点を探そうと努力する
- 新環境に慣れてくると、故郷を裏切っている気がして葛藤する
- 時間が非常にゆっくりと流れている気がする
- みんな今どうしているのだろうと、愛する人たちの近況が常に気になって仕方がない
- 故郷での重要な出来事（家族集まっての夕食、誕生日、子どもの寝かしつけなど）に参加できず、望郷の念や悲しさを覚える
- 「前進」していったように見える友人や家族に怒りを覚える

一時的に強く、または長期的に表われる反応

- 鬱
- 体重が激減あるいは激増する
- 今までの生き方に固執してしまい、前進できない
- 休みのたびに帰省するので、常に移動している
- いつまでたっても新環境に馴染めない
- また別れに傷つくのが嫌で、新環境で誰かと親しくなるのは気が進まない

隠れた感情を表わすサイン

- 幸せそうなふりをする
- 密かに酒浸りあるいは過食になっている
- 本心とは裏腹に、故郷をばかにしたようなことを言う
- 愛する人たちとは、やたら明るい声で話す
- 目につく場所に思い出の品が置かれている、あるいはそれが使い込まれて擦り切れている

この感情を想起させる動詞

痛む、文句を言う、自分のものにしたがる、熱望する、泣く、悲嘆に暮れる、元気がなくなる、待ちわびる、寂しく思う、塞ぎ込む、嘆き悲しむ、眠りすぎる、やつれる、ため息をつく、苦悩する、住み慣れた土地を離れる、涙を流す、切望する

書き手のためのヒント

キャラクターの感情は、その世界観を知ることで最大限に表現できる。キャラクターの今の気持ちは、どういう態度、観察、判断につながっているのかを考えよう。

後退形
屈服→p. 152、満足→p. 294、無関心→p. 296

満足

〔英 Satisfaction〕

【まんぞく】
不満がなく、満たされている状態

外的なシグナル

- 顎を高く上げて首を見せる
- はっきりと頷く
- シャツの皺をのばす、あるいは袖を引いて下げる
- 親指を上げる
- 乾杯する、もしくは称賛の言葉をかける
- 人の背中を叩く
- 両手の拳を腰に当て、肘を広げるなど、大きく構える
- 満足げな表情で完成作品を眺める
- 片方の眉を上げて「ほらね？」という表情をする
- 人の目を引く優雅な歩き方（ネコのようにすまして、ゆったり歩く）
- 恥ずかしそうに笑う、自信満々の笑み、晴れやかな笑み、生意気そうに笑う
- 状況を完璧にまとめてうまく話す
- 「言った通りだろ！」と言う
- 胸を張る
- 肩をそらせてまっすぐ立つ
- ガッツポーズをする
- 拍手をする
- 大声で歓声や叫び声を上げる
- 両手の指を尖塔の形に合わせる
- 満足な状況に、ほかの人たちも巻き込む
- 自慢する
- 片手を何気なく腰に置く
- 両腕を大きく広げる
- 楽な様子で、落ち着いて後ろにもたれる
- 深く、満足げなため息を漏らす
- 口笛を吹く、鼻歌を歌う
- 心ここにあらずな、遠くを見ているような笑顔
- この瞬間を味わいながら、深呼吸をする
- 焦らずリラックスした動作
- しっかりしたふるまい（アイコンタクトをとる、力強い声など）
- 祝福すべきところで祝福の言葉をかける
- 自分に褒美を与える
- 達成感に浸っていたくて、その場に仲間と留まったり、トロフィーなどの賞品をいつまでも握っていたりする

内的な感覚

- 周りの人、及び彼らの反応に敏感になる
- 胸が軽くなる
- 体中が温もりに包まれる
- 力を使い果たしたというより、満たされた疲労感

ま

発展形
うぬぼれ→p. 86、感謝→p. 114、幸福→p. 180、自尊心→p. 202

精神的な反応

- ある仕事が終わったことに喜びを感じる
- 陶酔感、ウキウキした気分
- 充足感
- 満足感
- さらに自信がつく
- もらって当然の休暇を心待ちにする
- 最近成功したことをいつも思い返している
- 周囲に注意を払わない
- 自分で自分を褒める
- 満足感から、周りの人々にも寛大になる
- 自分の成功をみんなに伝えたいと思う

一時的に強く、または長期的に表われる反応

- 独占欲を正当化する
- この上ない自信
- 顔つきが輝いている
- うぬぼれ

隠れた感情を表わすサイン

- 唇がけいれんする
- 片手で笑顔を隠す
- つま先で軽く飛び跳ねる
- 人によい知らせを伝えたくて、できるだけ早くその場を去る
- 解放感を味わいながら、椅子にゆったりともたれる

この感情を想起させる動詞

拍手する、浸る、自慢する、大切にする、手を叩く、祝福する、歓喜する、にっこり笑う、長居する、磨きをかける、楽しむ、味わう、微笑む、にやにや笑う、丸くなる、もったいぶって歩く、胸がいっぱいになる、体を揺らす、乾杯する

書き手のためのヒント

人と社会的な交流を持たない孤独なキャラクターを描くことは、なかなかやり甲斐がある課題だ。延々と心の声を描く手法から卒業するには、いくらかキャラクター同士の関係性を保つのが効果的だろう。大勢の人々に囲まれていたって、人は孤独になるもの。そこで、そうした関係性の中で起こる会話や混乱、ドラマを利用すれば、ストーリーも前進させることができる。

後退形

心配→p. 224、無関心→p. 296

無関心

〔英 Indifference〕

【むかんしん】

関心がない、あるいは興味を持たない状態

外的なシグナル

- 肩をゆったりと下げた姿勢
- ゆっくりと落ち着いた足取り
- 両脇に腕をだらんと下ろす
- 気乗りしない様子で肩をすくめる
- 反応するまでに長い間がある
- ぼんやりと、あるいは無表情で見つめる
- 片方の手のひらを上に向けながら、「だから？」というように持ち上げる
- 両手をポケットに入れる
- 後ろに寄りかかる、あるいは体を後ろにそらす
- 眠たそう、あるいは生気のない顔
- 単調な声で話す
- 心からではなく、礼儀として笑顔を向ける
- 緊張感なく、だらんと椅子にもたれる
- 視線が彷徨う
- 服の糸くずをいじる、爪の甘皮を引っかくなど、関心がない様子が表われる
- すべてをシャットアウトしたくて目を閉じる
- 行事の最中、もしくは誰かが話しているときにメールを打つ
- 面倒がって人の質問に答えようとしない
- グループディスカッションやディベートの最中に、何も反応を見せない
- 渡されたものを無視する（ファイル、名刺など）
- 体を背ける
- どうでもよさそうな態度
- 必要なときしか話さない
- ジョーク、もしくは自分だけに向けられた言葉に反応を示さない
- あからさまに人を無視する、もしくは周囲が関心を向けている状況を無視する
- リラックスした姿勢
- ゆっくり退場する
- 自分の足元を見つめながら地面を足で擦るなど、状況にしっかり注意を向けていない
- 「だから？」「それで？」と返す
- ふと話題を変える
- あくびをする
- 退屈さが態度に出る（椅子に崩れるように座る、鉛筆で机をトントンと叩くなど）
- 半分閉じた目
- 必要と思われるときだけ「うん」「そうだね」と相づちを入れる
- ほかのことにすぐ気がそがれてしまう（テレビ、すれ違ったかわいい子など）

こ

発展形
いらだち→p. 80、気づかい→p. 128、屈服→p. 152、軽蔑→p. 158、好奇心→p. 176、落胆→p. 310、立腹→p. 312

- 頭を使わないで余暇を過ごす（テレビやソーシャルメディアの投稿を延々と見るなど）

内的な感覚

- 元気がない
- ゆっくりと落ち着いた呼吸

精神的な反応

- 一点に集中する、もしくはほかのことに集中するため周囲の状況を締めだす
- 思考が彷徨う
- 人の感情が理解できない
- 時間、あるいはこの先の予定について考える

一時的に強く、または長期的に表われる反応

- 日常生活や社会とのつながりを切る
- 人の気持ちがだんだん理解できなくなる
- 行動が習慣的になっていく
- 人と無意味に関わる
- 日々の喜びがほとんど見出せない
- 人の心の痛みや苦しみを無視する

隠れた感情を表わすサイン

- 微笑みながら注意を払っているふりをする
- 人が話していると頷くが、熱心には聞いていない
- 形だけの質問をいくつか投げかける
- 言いわけをして退席する

この感情を想起させる動詞

切り離す、却下する、顧みない、成り行きに任せる、寝返る、忘れる、ぼんやりする、身をかがめる、無視する、だらだらする、ほったらかす、とぼとぼ歩く、落ち込む、肩をすくめる、たるむ、前かがみになる、崩れ落ちる、退ける、じっと見る、歩き回る

書き手のためのヒント

なめらかな感情のアーチを作り上げるには、物語が進むにつれて、キャラクターの気持ちが徐々に強く、複雑なものになっていくような描写を心がけよう。

後退形
肯定→p. 178

むら気

〔英 Moody〕

【むらき】

急に機嫌がコロコロと変わり、
繊細になったり不機嫌になったりする状態

※機嫌が変わるといっても、突然怒りだすこともあれば塞ぎ込むこともあるので、
キャラクターの性格や気性に合った感情を選ぶこと。

外的なシグナル

- 胸の前で腕を組む
- 体がこわばる（バックパックのストラップや車の鍵をぎゅっと握りしめるなど）
- こめかみをさする
- ソワソワした動き（足を組み替える、爪を噛む、髪をいじるなど）
- 行きつ戻りつする、歩き回る
- 組んだ足で貧乏ゆすりする
- 片唇を噛む
- 非常にネガティブになる
- 人を睨みつける、睨み倒す
- 早とちりして、人に当たり散らす
- 声を上げる
- 人の邪魔をする
- あきれた表情をする
- わざとらしく大きなため息をつく
- 喉を鳴らして不快な音を出す
- 小声でささやく
- 怒鳴ったり悪態をついたりして怒りを爆発させる
- 議論や喧嘩をふっかける
- 軽率な発言で人を傷つける
- 部屋から飛び出す
- 平静を取り戻そうと、まぶたをぎゅっと閉じる
- ちょっとしたことで泣く、涙をこらえて目をしばたく
- 声が裏返る、かすれる
- しなだれた姿勢で、物思いに耽ったような表情をする
- 会話に参加するのを拒む
- 気分転換をはかる（ジョギングする、浜辺に向かうなど）
- 大きく呼吸する
- ため息をつく
- 気を紛らす（携帯電話をチェックする、本を読む、ドライブに出かけるなど）
- 顔を合わせればイライラしたり腹が立ったりする人を避ける
- 引きこもる

内的な感覚

- 涙で目がチクチクする
- 胸が締めつけられる
- 喉が締めつけられる
- 歯を噛みしめているせいで顎が痛む

精神的な反応

- ちょっとしたことでギクリとして飛び上

む

発展形

怒り→p. 74、悲しみ→p. 112、苦痛→p. 148、自己憐憫→p. 194、立腹→p. 312

がる、神経質になる
- 人はうっとうしいものだと思い込む：「どうせこんなことを言うだろう」「不愉快な仕草を見せるに違いない」など
- いつもなら問題にならない、ちょっとしたことで腹を立て、いらだつ
- すぐに失望する
- やりたいことがなかなか見つからない
- 人にからかわれると真に受け、すぐに傷つく（攻撃されたと感じる）
- 頭がぼうっとして働かない、状況をあるがままに見ることができない
- 過ちを認められず、ほかの誰かのせいだと思い込む
- 自制心を失い、まずい反応をするが、どうやって止めればよいのかわからない
- 自分自身を否定的に考える：「自分はなんてひどい人間なんだ！」「誰も自分に近づこうとしないのも当然だ」

一時的に強く、または長期的に表われる反応

- 頭痛や偏頭痛
- 腹痛や潰瘍
- 不眠症
- 愛する人を追いやって、孤立する
- 医療の世話になる、ドラッグやアルコールに走る
- 学校の成績が落ちる、仕事に身が入らない
- 思考がどんどんネガティブになる
- ネガティブな人たちと付き合うようになる

隠れた感情を表わすサイン

- 受動攻撃的になる
- 幸せそうな表情を装う
- 泣きわめいてしまうかもしれないから、その場を去る
- 黙り込む
- 主役は人に任せ、自分は裏方に回る

この感情を想起させる動詞

議論をふっかける、けなす、対立する、泣く、無礼な態度をとる、崩す、爆発する、逃げる、たじろぐ、うなる、隠す、侮辱する、ブツブツ言う、挑発する、ため息をつく、ふくれる、目に涙をためる、おののく、わめく

書き手のためのヒント

キャラクターが他人や社会の常識に合わせるふりをしている、あるいは期待されて仕方なくそうしているなら、キャラクターのためらいぶりやぎこちない反応など内面の動きを描き、無理をしている姿を強調して表現すること。

後退形
葛藤→p. 110、動揺→p. 250、無関心→p. 296

無力感

〔英 Powerlessness〕

【むりょくかん】

自分に権限や能力、リソースがなく、何もできないと感じること

外的なシグナル

- 縮こまる（足を閉じる、前かがみになる、背中を丸めるなど）
- 人の注意を引かない服装をする
- 虚ろな目でじっと宙を見つめている
- 手を後ろに隠す、ポケットに手を突っ込む
- ものにぶつかる、ものを不器用に扱う、落とすなど、迂闊なことをする
- だらだらとした動き
- 姿勢が悪い
- うつむく
- アイコンタクトを避ける
- 何か言いかけても、最後まで言いきらない
- 「はい」「いいえ」などの短い返答をする
- 感情がこもっていない、無関心で抑揚のない声で話す
- 自分を責めるようなことを言う：「彼女を止めるべきだった」「これも自分が招いたことだし」
- 肯定の言葉を返さず、こくりと頷くだけ
- 支えが必要であるかのごとく、椅子にもたれかかって座る
- 腕がだらっとしている
- 誰かに指示を仰がないと、または承認がないと、行動しない
- 弱々しい握手
- 人を避ける、あるいは人との体の接触を避ける
- 表情がよどんでいる
- 床を見つめながら頭を振る
- 弱々しく肩をすくめる
- 唇に拳を当てて、目を閉じる
- 座って足をさする、膝を閉じる
- 頭を支えるように、額に手を当てる
- 会話の相手につま先を向けない（つま先出口や逃げ込める場所の方に向いている）
- うつむいて自分の手を見つめる
- 必要なものや欲しいものがあっても人に頼まない
- 自分一人でなかなか選択できない
- 対立やリスクを避け、安全でわかりきった選択をする
- 自己卑下：「僕は役立たずだな」「私よりこの仕事にもっと適した人が必要なんじゃないですか」
- 質問をしない
- やみくもに指示に従う
- ソワソワ歩き回る（イライラしているとき）
- 手をひねる
- プレッシャーをかけられると感情的になっ

発展形
屈服→p. 152、自己嫌悪→p. 192、敗北→p. 260、恥→p. 262、劣等感→p. 318

て声がかすれる

内的な感覚

- 胃が重い
- 胸が締めつけられているような感じ
- 体が疲れる
- 虚ろな気持ち

精神的な反応

- 時間がゆっくりと過ぎていく気がする
- 独りになりたがる
- 現実と関わらず、自分の世界に逃げ込む
- 自分にイライラする
- 自己嫌悪に陥り、自分の欠点ばかり考えてしまう

一時的に強く、または長期的に表われる反応

- ほんのささいなことでも人に誘導してもらいたい
- 人に言われたことをやみくもにやる
- 自己嫌悪がひどくなる（自傷行為に発展する場合も）
- 人に弱みを握られ、利用される
- 自分のことを後回しにし、個人的に意味のある目標を追求しない

隠れた感情を表わすサイン

- 幸せそうなふりをする
- 自分が強く栄光に輝いていた頃の昔話をする
- 口先だけの脅しをする：「俺に向かってそんなことは言わせない！」
- 小さな反抗を試みるが失敗に終わる
- （仕事などを）さぼる、あるいは誰かに天罰が下るのを空想する

この感情を想起させる動詞

避ける、下を向く、腰をかがめる、壊す、へこむ、縮こまる、萎縮する、引き延ばす、くじく、精根尽きる、成り行きに任せる、うなだれる、落ちる、言いなりになる、追従する、卑屈にふるまう、隠す、口ごもる、従う、麻痺する、報告する、辞職する、落ち込む、足を引きずる、奉仕する、縮み上がる、肩をすくめる、よろよろ歩く、崩れ落ちる、服従する、降参する、気弱になる、譲る

書き手のためのヒント

視点となるキャラクターの気持ちが読者に届くようにするには、そのキャラクターにかわいげを持たせたり、脆さを見せる場面を作ったりして、読者が共感を持てるようにする。そうすることで読者はキャラクターに感情移入できる。

後退形
あやふや→p. 68、希望→p. 132、決意→p. 162、平穏→p. 288、満足→p. 294

愉快

〔英 Amusement〕

【ゆかい】
ユーモア精神を大事にして、面白く楽しいことをする

外的なシグナル

- 艶やかな顔、あるいは紅潮した顔
- 両眉を上げる、ピクピク動かす
- 鼻で笑う、笑い声を上げる
- クスクス笑う、甲高い声で笑う
- にっこりと笑う
- 人とわけ知り顔で目配せする
- ウィットに富んだ物言いやものの見方
- 顔を背けて爆笑する
- からかうようにつねる、肘でつっつく、押す
- 目を細める、いたずらっぽく目の奥が光る
- 作り笑い、もしくは困惑した笑み
- 支えを求めて人にしがみつく
- 息を弾ませる
- 自分の両膝や太ももを叩く
- 足で床にリズムを刻む
- 人の肩に倒れ込む
- 「酔っ払った」動き（よろめきながら歩く、ふらつくなど）
- 決め台詞や落ちを再現し、さらなる笑いを誘う
- 甲高い声
- 脇腹を抱える
- 泣き声のような笑い
- 飲食中、笑いに襲われて口に入れていたものを噴きだしてしまう
- 床に倒れ込んで笑い転げる
- 鼻水が出て、鼻をすする
- ものにぶつかる、足元がおぼつかないが気にしない
- 目を丸くしてみせ、再び周囲の笑いを誘う
- 体を折り曲げ、膝を掴む
- さらに笑わせようとおかしな仕草や表情をする
- 支えを求めて椅子や壁に寄りかかる
- クスクス笑う、面白い表情をしてみせる、ウインクする
- 火照りを冷まそうと服をパタパタさせる

内的な感覚

- あばらや腹の痛み
- ぜえぜえと言う
- 体温が急上昇する
- 手足、特に膝に力が入らなくなる

精神的な反応

- その場に座らずにはいられない
- 面白かった出来事を再現する
- 頭の中で話に尾ひれをつけて、もうひと

ゆ

発展形
感動→p. 118、幸福→p. 180、高揚感→p. 184、満足→p. 294

笑いする
- この状況を人と共有して、愉快な感情を長続きさせたいと思う
- 心配ごとが一瞬吹き飛んで、心が軽くなる

一時的に強く、または長期的に表われる反応
- コントロールできないほど笑い転げる
- 笑いすぎて声が出なくなる
- 体が震える
- 首を激しく左右に振る
- 体のコントロールがきかなくなる（力が入らず、まっすぐ立っていられないなど）
- もうやめるよう周囲に懇願する
- 話すことができない
- 息切れ
- 目に涙が溢れる
- 汗をかき、取り乱した様子
- 膀胱のコントロールがきかなくなる
- 部屋を退出しなければならないほどになる

隠れた感情を表わすサイン
- 唇をぎゅっと結ぶ
- 「もうそれ以上言うな！」というように手を上げる
- 首を横に振る
- 笑いたいのをこらえる
- 口を拭う
- アイコンタクトを避ける
- 口元を覆う、唇を噛んで笑みを隠す
- 顔が赤くなる
- いったん落ち着こうと後ろを向く
- 笑いたいのを押し込めて鼻を鳴らす
- 口元に拳を押しつける

この感情を想起させる動詞
冗談を言い合う、目を輝かせる、甲高い声を出す、口笛を吹く、クスクス笑う、手を叩く、踊る、楽しむ、忍び笑いをする、にっこり笑う、やじを飛ばす、大声でわめく、ブーイングする、どんちゃん騒ぎをする、感銘を受ける、ひやかす、かつぐ、笑う、物真似する、口真似する、肘で軽く突く、つつく、悪ふざけをする、叫ぶ、微笑む、にやにや笑う、せせら笑う、鼻先で笑う、からかう、くすぐる、性的に興奮する、薄笑いを浮かべる、ぜいぜい息をする

書き手のためのヒント
場面に緊張感を加えるには、キャラクターに心理的負担を与える人物を含めること。キャラクターを恐れさせ、不安にさせ、心をざわつかせるのは誰なのかを考えよう。

後退形
称賛→p. 218、つながり→p. 246

用心

〔英 Wariness〕

【ようじん】
注意や警戒を特徴とする不信感。考えられる危険性に慎重になること

外的なシグナル
- 首を傾げる
- 困惑して目を細める
- 唇をぎゅっと結ぶ
- 怪訝そうな表情
- 警戒の対象に目を走らせる
- 防御するように両手を上げる
- 落ち着いて、なだめるような声で話す
- 後退りする
- 危険が迫っていることがわかり、姿勢を起こす
- 警戒の対象とは距離をとりつつ、目は離さない
- 聞き耳をたてる
- 顎を上げる
- 両手を空けておく
- 使える出口を頭に入れておく
- 自分の背後に気をつける
- さまざまな質問を投げかける
- 周回して様子見しながら警戒の対象に近づいていく
- ゆっくり、注意深い動き
- 攻撃されないように、慌ててなだめすかす
- 行動に出る前に、客観的に状況を把握する
- 体がこわばり、動けなくなる
- 不自然な声、張りつめた声
- 触れられてギクッとする
- ためらう
- 唇を噛む、もしくは唇を一文字に結ぶ
- 探るような目つき
- 慎重な物言い
- 眉間に皺を寄せる
- リラックスできない、あるいは笑みを浮かべることができない
- 額やこめかみを擦る
- 歯ぎしりをする
- 険しい、あるいは深刻な表情
- 顎を突きだす
- 様子見で、「帰った方がいいかも」などと言ったり、出口の方に一歩足を進めたりする
- 突然の動きに警戒する

内的な感覚
- アドレナリンの増加
- 鼓動や脈が速くなる
- 筋肉がこわばる
- 胃が締めつけられる
- 息をのむ、または一瞬息を止める
- 何かがおかしいと直感的に悟る（ゾッと

よ

発展形
危惧→p. 122、疑惑→p. 144、心配→p. 224、不安→p. 276

する、肌がチクチクするなど）

精神的な反応

- 頭の中で、考えられる危険性を特定しようとする
- 自分の勘を信じる
- 五感が鋭くなる
- 守りに入る
- 状況を理解しようとして、頭の中でさまざまな考えが駆け巡る
- 混乱する
- どんな行動にも全力投球することができない
- 研ぎ澄まされた観察力
- 知ってしまったことを他の人にも知らせるべきか、自分の心にしまっておくべきか天秤にかける
- 状況把握のため目と耳をフル回転させる
- この先起こりうることをあらかじめ考えておく

一時的に強く、または長期的に表われる反応

- 自分のパーソナルスペースを広くとる
- バリアを作るためにテーブルの後ろに回ったりする
- 攻撃されないよう、諭すように話しかける
- 武器となり得るものはないか見回す
- 人のボディランゲージや声音に細かく注意を払う
- 相手の目的を知るために、わざと答えがわかっている質問をする

隠れた感情を表わすサイン

- よそよそしくなる
- 伏し目がちに見る
- ジョークを言って、場の雰囲気を明るくしようとする
- 不快感をほのめかす姿勢（一人離れて立っている、腰の周りに両手をぎゅっとするなど）
- 体をそらす
- ためらう

この感情を想起させる動詞

分析する、はぐらかす、ふらつく、たじろぐ、躊躇する、本当のことを言わない、息を吸い込む、尋問する、まごつく、促される、ひるむ、こそこそと歩く、硬直する、張り詰める、様子見する、傾く、見守る、おどおどする

書き手のためのヒント

感情を描くときは、自分の過去を引き出してみるのもよいだろう。視点となるキャラクターとまったく同じ体験をしたことはなくても、ほかの場面で同じ感情を味わったことはあるかもしれない。その場合は、自分の実体験を掘り起こし、物語を活気づけよう。

後退形

安堵→p. 72、屈服→p. 152

欲望

〔英 Desire〕

【よくぼう】

誰かと親密になりたい、もっと深い関係になりたいと切望する

※欲望は激しい感情で、特にそれが人に向けられると激しさを増す。欲望は恋愛関係に絡むことが多いが、キャラクターが自分の子どもや親、兄弟姉妹、あるいは友人ともっと満足のいく関係を築きたいと思っている場合にも、欲望は出る。ものや無形のものへの欲望については、「切望」の項目（p. 232）を参照のこと。

外的なシグナル

- しっかりと、真剣な眼差しでアイコンタクトをとる
- 手汗をかく
- 相手に触れる代わりに、自分の腕をなでる
- 相手の動作を真似る
- 身震いする
- 話し声を低くする
- 前のめりになる、または身を乗りだす
- 相手との距離をなくすために近づく
- 姿勢を楽にする、筋肉の緊張がほぐれる
- 相手を真正面から見る
- 目が輝き艶めいて、柔らかくなる
- 顔や唇に頻繁に触れる
- 少しの間両手を握り、それから離す
- しどろもどろで言葉が出ない
- 顔や首筋がほんのり赤らむ
- 膝の力がなくなる、ガクガクする
- 呼ばれるとすぐに返事をする
- 相手をちらちらと盗み見る
- 求める相手の近くに身を置く
- 相手の体に触れる、または近くに引き寄せる
- 息を止める
- ゆっくりと顔に笑みが広がる
- 相手を安心させ、怖がらせて逃げられないように、慎重に動く
- 無意識に胸を突きだす
- 首を見せるために顎を上げる
- 相手にいつまでも触れている、軽くかすめる
- 喉元に触れる、なでる
- 唇を開く
- 足をわずかに開く
- 舌で唇に触れたり舐めたりする

内的な感覚

- 自分の心臓の音がはっきりと聞こえる
- 体が温かさに包まれるような感覚
- 口の中が湿ってきて、唾液が増える
- 腕やうなじに鳥肌が立つ
- 触れたくて指がうずうずする
- 呼吸が速まる、息切れ
- 感触や質感に敏感になる
- ソワソワする、胸に軽い痛みを覚える
- 頭がクラクラする
- 喜びに震える、神経が興奮してうずうずする
- 相手に触ってほしいと体が欲する

よ

発展形

愛情→p. 62、決意→p. 162、情欲→p. 220、崇拝→p. 226

精神的な反応

- 相手との距離をなくしたくて、相手に近づく方法を懸命に探す
- 我慢できない
- 自分の価値を証明するためにチャンスを利用する、挑戦を受けて立つ
- 相手を大切にし、向こうの要求を最優先させたい
- これまで抑えていた自分を解放し、もっと好きなように行動する
- 触れてみたい、余すところなく調べてみたいと思う
- 相手の匂いに心を奪われる
- 相手のいいところばかり考える

一時的に強く、または長期的に表われる反応

- 相手に近づけるなら、苦しみや困難に耐えるつもりでいる
- 強迫観念
- 相手と一緒にいられる時間を中心に自分の生活が回る
- 友人、家族、仕事などをおろそかにする
- 自分の欲望を満たすため、自己改善や勉強に励む
- 相手の気持ちを軟化させるため、または相手を喜ばせるため、悪習慣や欠点を直す

隠れた感情を表わすサイン

- 少しの間目をそらす、ほかのものに興味があるふりをする
- 他の人と楽しそうに会話しているところ見せつける
- 相手に駆け寄らず、わざとゆっくりした足取りで近づく
- 相手の体に触れない、または二人だけにならない
- 人前では元気いっぱいだが、独りになるとぼろぼろになる

この感情を想起させる動詞

心が痛む、憧れる、燃える、愛撫する、追いかける、自分のものにしたがる、熱望する、熱中する、自分の気持ちを表わす、集中する、あとを追う、刺激する、必要とする、取り憑かれる、追求する、探求する、手を伸ばす、探し求める、急に襲われる、触れる、求める

書き手のためのヒント

感情が、常になんらかの意思決定へとつながるようにしよう。意思決定の内容がよくても悪くても、おかげで物語が前進することができるのだ。

後退形
打ちのめされる→p. 84、失望→p. 206、劣等感→p. 318

喜び

〔英 Pleased〕

【よろこび】

嬉しい気持ちでいっぱいになる

外的なシグナル

- 満面に微笑みが浮かぶ
- 表情が全体的に明るくなる
- 頭を少し横に傾ける
- 喜びに頬がほんのり赤くなる
- 照れくさそうに髪をなでる
- 顎を上げる
- 胸を張る
- 椅子に背をもたせかける
- オープンな姿勢を保つ（緊張していない、防御の姿勢をとらない）
- 満足のため息をつく
- 手のひらを胸に当てる
- 優しい小声になる
- 親指を立てる
- 手で顔を覆い、照れ笑いをする
- ウインク、ハイタッチ、握手など関係者にいわくありげな仕草をする
- 頷く
- 届いた朗報に信じられないといわんばかりに軽く頭を振りながら微笑む
- 独り笑いをする
- 手を叩く
- ほかの人たちと目を合わせる
- 体が動く（立ち上がる、歩き出すなど）
- そばにいる人たちとハグしたり、肩を抱き合ったりする
- 誰かと嬉しそうに見つめ合う
- 人の目をじっと見る
- その場で軽く弾むようなポーズをとる（感激して飛び上がりたいところを抑えて）
- 喜びを言葉で表わす:「最高に誇りに思っています」「これって最高だよね？」
- 喜びを人に伝えたくて、激励や思いやりの言葉をかける
- 喜びの出来事について熱く語り合う
- 特別なごちそうを用意する、友人と出かけるなどして祝福する

内的な感覚

- 胸の中に温かいものが広がる
- 笑みが止まらない
- 筋肉が弛緩する
- 頬が温かい
- やり遂げた誇らしさで胸がいっぱいになる

精神的な反応

- 充足感が広がり、ストレスや心配が消える
- 喜びがいつまでも続いてほしい
- より寛容になり、人に対し我慢強くなる

よ

発展形

肯定→p. 178、幸福→p. 180、高揚感→p. 184、自信→p. 196、自尊心→p. 202、触発→p. 222、満足→p. 294

- 自分に喜びをもたらしてくれた物事を継続し、波に乗る（チャンスを最大限に活かす）
- 人をもっと大切にし、善意の気持ちを伝える（助けてくれた人にしかるべきお礼をする、褒め言葉をかけるなど）

一時的に強く、または長期的に表われる反応

- 自負や自信を高める（何かが成功して喜んだ場合）
- 生産性が高まる
- おおらかな気持ちになり、その気持ちを維持したいと思っているため、人間関係が改善する
- 「問題」だと思っていたことがそれほど重要でなくなり、物事の優先順位がポジティブに入れ替わる
- 喜びで気が散ってしまい、ほかのことが手につかなくなる
- 大切な人の前で別の人と大喜びしているうちに、大切な人に寂しい思いをさせてしまう
- いつまでも喜びに浸っていたくて、自分が抱えている問題を無視する

隠れた感情を表わすサイン

- 口の端が引きつる
- 口を固く結ぶ、唇を噛みしめる
- 手で口を覆う
- 目が生き生きと輝く
- 大きく息をついて、はやる心を落ち着かせる
- 喜びの元から注意をそらす
- 不自然なほどじっとして動かない
- 背筋をピンと伸ばし、姿勢が硬い
- 関心がないかのように、のけ反る、あるいは背を向ける
- 喜ばせてくれるものにちらちらと目をやるが、関心がないかのような行動をとる
- 何に喜んでいるのかは語らないが、それを思い出させてくれるものを身近に置く

この感情を想起させる動詞

目を輝かせる、クスクス笑う、にっこり笑う、ハイタッチする、ハグする、笑う、頷く、リラックスする、微笑む、からかう、ウインクする

書き手のためのヒント

自己防衛したがるキャラクターにとって、感謝は心の壁を低くするパワフルな感情である。キャラクターが感謝の気持ちを持ち、世の中の人が全員敵だとは限らないと思える出来事をストーリーに組み込むことを考えてみよう。感謝の経験を通じてキャラクターは成長し、自分が抱えている不安を断ち切れるようになるだろう。

後退形
驚き→p. 94、愉快→p. 302

落胆

〔英 Discouraged〕

【らくたん】
勇気や気力、自信が奪われること

外的なシグナル

- 周囲にあまり関心を示さない
- 肩を落とす
- 膝に手をだらりと置く
- ゆっくり重い足取りで歩く
- うつむく
- 頭を抱え込む
- 手や肘を膝について前かがみに座る
- 両手で顔を擦る、覆う
- 虚ろな目、よどんだ表情
- いつもより低い小声
- だらりと座る（頭を壁にもたせかける、両腕をだらりとさせる、足をだらりと広げるなど）
- 何かに寄りかかって立つ
- 会話に参加しない
- 疲れたような眼差し
- 笑いたくないが、つい仕方なく、うっすらと笑みを浮かべる
- 抑揚のない話し方
- 気がつくと背中を丸めている
- 酔っ払う、ハイになる
- 長い間沈黙する
- 長時間眠り続ける
- 励まそうとする人を黙らせる：「何が言いたいんだ？　受け入れるしかないだろう」
- 涙もろくなる
- 気分の浮き沈みが激しい（食ってかかる、すぐにカッとなるなど）
- 頻繁にため息をつく
- うつむいたまま下を見つめる
- じっとして動かない
- 全体的に元気がなくなる
- 反論するのが面倒で、またはどうでもよくなってしまって同意する
- 落胆の原因に触れるような会話を避ける
- ある程度の権力を挽回しようと、ほかのことで対立的になる

内的な感覚

- 精神力や体力がない
- 手足が重く感じる
- 喉が締めつけられる

精神的な反応

- 落胆した自分をよく思わない
- 夢や目標を諦める
- 無感情になる
- 現状に甘んじず、上を目指そうとした自分を責める

発展形
怒り→p. 74、幻滅→p. 172、自己嫌悪→p. 192、敗北→p. 260、無関心→p. 296

- 頭がどんよりする、ぼんやりと考える
- 重要なことなどないかのように、何事にも切迫感に欠ける
- 悲観的になり、将来の計画が立てられなくなる

一時的に強く、または長期的に表われる反応

- 鬱
- リスクを避ける
- 今まで頼りにしていた人や組織、信念を信じなくなる
- ネガティブで懐疑的で辛辣な、ひねくれた人になる
- 他人が成功や幸福を追求するのを奨励しない
- 趣味など好きなことに興味がなくなる
- 外見が一変する（体重の増減、老け込むなど）
- すぐに気をくじかれたり、カッとなったりする
- 無関心、無気力になる
- 無謀になる
- 何かを変えたり挑戦したりするモチベーションがなくなる

隠れた感情を表わすサイン

- 本心を隠すため元気いっぱいにふるまう
- 無理にポジティブな感情を見せる（幸せ、喜び、満足など）
- 涙を隠す、泣いていないと否定する
- 落胆した経験に関する話題を密かに避ける（その話題が出そうな場を避ける、会話がそこへ及ばないようにするなど）
- 元々目標を達成するつもりがなかったかのように装う
- 人前では幸せそうな顔を見せ、陰で落ち込む
- 密かにアルコールやドラッグに走る

この感情を想起させる動詞

見捨てられる、疎外される、へこむ、息が詰まる、気力がくじかれる、否定される、離脱する、気を紛らす、うなだれる、眠気がさす、疲れ果てる、寝返る、喪失する、眉をひそめる、諦める、隠す、怠ける、途方に暮れる、重々しく動く、口ごもる、追放される、やり過ごす、罰せられる、落ち込む、忌避する、緩慢になる、前かがみになる、崩れ落ちる、重い足取りで歩く、気弱になる、しぼむ

書き手のためのヒント

ストーリーの中のキャラクターたちは落ち込んでも、それぞれに違った行動をとる。書き手にとって、そこは腕の見せどころだ。各キャラクターは思い通りに事が運ばないとき、どのような行動に出るのだろうか──徹底的に話し合うのか、怒るのか、自分を憐れに思うのか、それとも……。各キャラクターの性格から行動を引き出し、さまざまな場面を描いてみよう！

後退形

希望→p. 132、幻滅→p. 172、自己憐憫→p. 194、受容→p. 214、根に持つ→p. 258

立腹

〔英 Irritation〕

【りっぷく】
いらだって不満な状態。邪魔されたという感覚

外的なシグナル

- 唇を閉じる、ぎゅっと結ぶ、一文字に結ぶ
- 表情がこわばる
- 相手の目を見ながら目を細める、または横目で見る
- 首の後ろを擦る
- 相手をこっそり見つめる
- 顔をしかめる
- 腕組みをする
- 服が体にまとわりつくのを直すかのように、服をぐいっと引っ張る
- ソワソワ動く（髪をなで上げる、指を丸めるなど）
- 挑発的な口調になる
- 硬い笑顔
- 頬の内側を舌で軽く突いて、深く息を吸い込む
- 鋭い質問を投げかける
- 話題を変える
- 無理矢理笑い声を上げる
- 声を荒らげる
- 何か言おうと口を開くが、やっぱりやめる
- 頬の内側を噛む
- 落ち着きのない足（足を組んだりほどいたり、じっと立っていられないなど）
- 押し黙り、会話に参加しない
- 時間を稼いで落ち着きを取り戻すために、ほかのものに興味があるふりをする
- 落ち着かない様子で指を小刻みに動かす
- 鼻で呼吸をする（人に聞こえるような呼吸音）
- つま先を丸める
- 関節が白くなるほど両手をしっかり握る
- 人の邪魔をする
- 癖の動作を繰り返す（眉をかく、メガネの位置を調節するなど）
- 頬が赤みを帯びてくる
- 歯を食いしばる

内的な感覚

- 胸が締めつけられる
- 筋肉がこわばる
- 皮膚が過敏になる
- 心拍が速まる
- 極端にイライラする
- 体温の上昇
- 顎や顔の筋肉がこわばり、不快になる

発展形
怒り→p. 74、反感→p. 266、フラストレーション→p. 286

精神的な反応
- 相手を価値がないとはねつける
- 自分をいらだたせる情報を頭から追いだそうとする
- 誰かにこの状況について相談したい
- 人にやめてほしい、黙ってほしいと願う
- 理屈に合わなくても、自分の信念を頑固に突き通す
- 鈍い判断力
- 相手自身やその人の能力、貢献度を批判する

一時的に強く、または長期的に表われる反応
- 相手の論理や見解に、あからさまに食ってかかる
- 悪態をつく
- 否定的な物言い：「お前は自分で何を言ってるかわかってるのか！」
- 皮肉
- 中傷したり、横槍を入れたりする：「それ、やめてくれませんか？　これじゃ二歳児と仕事してるみたいじゃないですか！」
- 顔がけいれんする
- 血圧の上昇
- カチンときて、人を怒らせるようなことや人間関係を損ねるようなことを言う

隠れた感情を表わすサイン
- 相手を避ける
- 表裏のあるふるまい
- あら探しをする
- 受動攻撃的な物言い
- 相手を見ないように、もしくは受け入れないようにする
- 思考を整理するために、部屋やその状況から外に出る
- 相手のことを信じなくてもいいように、その人の評判を落とそうとする

この感情を想起させる動詞
怒号を飛ばす、指をさす、イライラする、食いしばる、息を吐きだす、眉をひそめる、睨みつける、愚痴をこぼす、歯ぎしりする、不平をこぼす、不機嫌になる、決めつける、ブツブツ言う、ぶち切れる、ぎゅっと握る、身をよじる、硬直する、悪態をつく、張り詰める、引きつる

書き手のためのヒント
キャラクター特有のボディランゲージをこしらえよう。たとえばその人物は、列に並んで待っているとき背伸びしたりするだろうか？　深く考え込んでいるとき、ジーンズの縫い目に指を走らせたりするだろうか？　感情を表現するような癖を生みだせば、キャラクターがより身近な存在になる。

後退形
安堵→p. 72、いらだち→p. 80、無関心→p. 296

旅行熱

〔英 Wanderlust〕

【りょこうねつ】
探検や旅をしたい、未知のことを経験したい

外的なシグナル

- 好奇心に満ちた明るく輝く瞳
- きょろきょろとあたりを見回す
- 姿勢がいい（背筋を伸ばす、胸を張るなど）
- 足取りが軽い
- 陽気な表情で心から微笑む
- 頭を高くもたげる
- 気長に行動する（立ち止まってバラの花の香りを嗅ぐなど）
- ルールなどの決まりごとを守れない
- 内にこもるより外に出たい
- 自発的
- 愛想がいい
- 生まれつきのんきな性格
- 自分から自己紹介する
- お金を上手に使う（倹約家）
- リスクを厭わない
- 優先順位を上手に決められる
- 偏見をあまり持たない
- 機会があればいつでも車で遠出したり旅に出たりする
- 計画を練りすぎるのを避ける
- 小うるさい人に我慢ができない
- 人目を気にせずに新しいことに挑戦する
- 一カ所にじっとしていないで常に動き回る
- 自然の中で時間を過ごす（ハイキング、探検、写真撮影など）
- 興味があれば質問する：「これはなんですか？」「あの道はどこへ続いているんですか？」
- ほかの文化や町、生活様式について読み、自己啓発に励む
- 好奇心が強い：「山頂付近ではどんな植物が育つんだろう？」
- 旅行情報をよく会話に出す
- 冒険について話すと生き生きとしてくる（手を動かす、微笑むなど）
- 人の旅行先や旅のみやげ話を聞きたがる
- ものを欲しがらず、わずかなものだけで幸せに生きていける
- ものよりも経験を大切にする
- 自分と同じような考えを持った人々を探す
- 真っ先に物事を試す
- 自分が心地よくいられる範囲をどんどんと拡大する
- 自分が試験台になって新しい経験ができるなら、喜んでやる
- 愛する人が心配しないように、旅の危険を大したことがないかのように話す
- 独立心が強い（自分の問題は自分で解決

発展形
畏敬→p. 78、感謝→p. 114、期待→p. 126、高揚感→p. 184、つながり→p. 246、満足→p. 294

する、人がどう思おうと気にしないなど）
- 絶対にくよくよしない（間違った決断なんてない、やってみるしかないと思っている）
- 旅をしながら深く長く続く人間関係を築く
- 隠しごとをするより、率直にものを言う
- 愛する人に未知の世界に飛び込むよう奨励する
- 自分の旅行体験を人に話す（会話を独占することもある）
- 明日のことを考えるより、今日を生きる
- ここは自分の場所だと主張せず、その場所を楽しむ（立ち去ることができる）
- 食べたことのない食べ物に喜んで挑戦する
- 性的な冒険心がある

内的な感覚
- 胸が膨らむような感覚（深呼吸）

精神的な反応
- 次はどこへ行って何をしようかと常に考える
- 常に何かを学んで成長したいと願う
- 同じところにずっといると落ち着かない（職場や住んでいるところなど）
- 感覚が敏感になる
- 想像力がたくましい
- 想像力を駆使して問題を解決する

一時的に強く、または長期的に表われる反応
- 非常に共感力が強い
- 地球を大事にし、環境問題などの支援団体に関与する
- 旅をするたび、自信を重ねる
- 自分は世界の一部でしかなく、自分を超えた大きな存在に包まれていると思う
- さまざまな文化に触れて経験を重ね、知恵をつける
- 世界のあちこちを旅する
- 複数の言語を話せる
- 他文化の慣習や伝統を自分の生活に取り込む

隠れた感情を表わすサイン
- いろいろな旅行ブログやウェブサイトを読み漁る
- 将来訪ねたい場所の写真を集める
- 外国や外国文化を勉強し、学んだことを人と共有する
- 旅行に行けないときは、旅行記や冒険物語を書く
- いつでも使えるように旅行に使うバックパックを買っておく

この感情を想起させる動詞
憧れる、期待して待つ、面白く味わう、眺める、浮かれる、熱望する、思い切る、歓喜する、発見する、夢見る、飛び立つ、興奮する、探検する、魂を奪われる、成長する、楽しむ、参加する、乗りだす、思い焦がれる、愛する、感嘆する、飛び込む、きらめく、じっとしていられない、言葉を失う、味わってみる、ワクワクする、山歩きする、発掘する、開く、歩き回る

書き手のためのヒント
繊細な感情を表現する場合は、キャラクターが周囲になじまず、場違いな思いをしている様子を「ナレーション」すると効果的かもしれない。ストーリーがはじまったときにちょっとした説明を加えておくと、読者にその重要性が伝わる。

後退形
失望→p. 206、不満→p. 284、ホームシック→p. 292

冷笑

〔英 Scorn〕

【れいしょう】
強く侮辱する、もしくはばかにすること。
自分より劣っているとみなすこと

外的なシグナル

- 痛烈な言葉
- どちらが優位に立っているか知らしめるように、相手をけなす
- にやにや笑う
- うんざりしているように、短く鼻で笑う
- 相手のそばをうろうろする
- 腕組みをして大きく構える
- 皮肉
- 口をぎゅっと結ぶ
- 鋭い視線を向ける
- わざと眉を上げて首を傾げる
- メガネを外して、無表情でメガネの縁をチェックする
- どっか行け、というように手をひらひらさせる
- 脅し方を考える
- 大げさにあきれた表情をしてみせる、あるいはチラッと見上げる
- 唇でブルブル音を立てながら思いっきり息を吐きだす
- 人前で相手を侮辱する
- 胸を突きだす
- 不快そうに口をゆがめる
- 他の人にも相手の悪口を言わせるように仕向ける
- 話す価値もないと思っているかのように、相手に対して必要最低限の返事しかしない
- 人をだしにして笑う
- 顔をしかめる
- 悪臭を振り払うかのように、自分の鼻の前で手を振る
- 何か不味いものでも食べたかのように、口をつぐむ
- 目を細める
- 相手を睨み倒す
- 見せかけだとわかるような態度で拍手を送る
- 相手を傷つけるような見解を口にする:「俺がお前の立場だったら恥ずかしいけどな!」
- 人が信じていることをあざ笑う
- 相手に触れられたり声をかけられたりして怒りを示す
- 相手の弱点に人の関心を向けさせる
- 相手を無視する
- 中傷的な言葉を強調するために、わざとゆっくり話す
- 自分の時間を費やす価値のない相手だと示すために、その場を離れる
- 「あいつのせいで皆さんの時間を無駄に

発展形
怒り→p. 74、高揚感→p. 184、憎しみ→p. 252

してしまった」と周りに謝る

内的な感覚

- 得意満面な気持ち
- 相手の力を奪ったことで、してやったりの気分になる
- 体が火照る
- 鼓動が激しくなる

精神的な反応

- 言葉や行動で相手に一撃を加えて上機嫌になる
- 怒り
- 身の程を思い知らせてやりたくてたまらない
- 優越感
- 横柄

一時的に強く、または長期的に表われる反応

- 相手をさらに貶めるために質問を投げかける
- 相手をけしかける
- 喧嘩をふっかける
- 失敗必至の状況に相手を陥れる
- 相手のことを同じように嫌っている人々を集め、彼らにも冷笑するように仕向ける
- 卑劣な言葉を浴びせて苦痛を与えたいと思う

隠れた感情を表わすサイン

- 虚ろな表情、無表情
- 訊かれたこと、されたことに対して反応しなくなる
- その場に背を向ける
- 首を横に振る
- 頬の筋肉が少しピクッとする
- 顎を引き締める
- 何も言わないように、唇をぎゅっと結ぶ
- その場を離れるために言いわけをする
- 詰め寄られると、自分の意見は人の賛同を得られないだろうから黙っていた方がいいと言ってはぐらかす

この感情を想起させる動詞

怒号を飛ばす、けなす、いじめる、追い詰める、貶める、却下する、糾弾する、暴露する、睨みつける、そそのかす、屈辱を与える、当て擦る、侮辱する、割り込む、不当に扱う、嘲る、けちな考えをする、感情を害す、なすりつける、押しつける、あざ笑う、嘲笑する、恥をかかせる、にやにや笑う、ぶち切れる、冷笑する、含み笑いをする、鼻先で笑う、横目で見る、なじる、策略にかける

書き手のためのヒント

キャラクターの心情を描くときは、声にも注意してみよう。キャラクターの声は高くなるのか、低くなるのか？　大声なのか、柔らかな口調なのか？　荒くなるのか、絹のようになめらかになるのか？　キャラクターが自分の気持ちを隠そうとしているときも、声の高さや口調の変化をサインとして使うことができる。

後退形

憐れみ→p. 70、反感→p. 266

劣等感

〔英 Inadequate〕

【れっとうかん】
人より劣っていると思い込み、常に自分を恥じて自信喪失に苦しむ

外的なシグナル

- 人の目を見ず、話しかけられても下や横を向くことが多い
- ポケットに手を突っ込む
- 人から注目されるのを避ける（いつも隅っこにいる、脇役に徹するなど）
- 会話に貢献しない（自分が劣っていることがばれるのを恐れて）
- 話す前にためらう
- 言葉に詰まる
- 紅潮する
- 猫背で、全体的に姿勢が悪い
- 他人に自分を印象づけ、褒めてもらおうとする
- 何事にも準備に余念がない（スピーチを何度も練習する、あらゆる質問に答えを用意しておく、代替策を常に用意する、あらゆる角度から研究する、荷物を詰め込みすぎるなど）
- 自分の考えを信用しないので、人に助言や意見を請う
- 人に反論されると意見を譲る（または降参する）
- 自分の欠点がすべて丸出しになっているのではと落ち着かない（ソワソワする、着ている服を引っ張る、足を組んだり外したりする）
- 謝る必要もないのに謝る
- 会話をしているとき、劣等感を感じて黙り込む
- 人との間に壁を作るかのごとく腕を組む
- 手が小刻みに震える（人に見られていると特に震える）
- 場所を取らないように肩をすぼめ、足を揃えて立つ
- うつむいて首の後ろをさする
- 自分の体を守るかのように前で手を組む
- 両手で膝を覆う
- 握手が短すぎる、あるいは弱々しい
- なんでもない間違いなのに自分をばかだと言う：「信じられない、俺はなんてばかなんだ！」
- 腕や足を組む
- グループ内で自分が劣っていることを隠そうと、衣服に気を配るなど、ささいなことにこだわる
- 人から褒められても、自分はもっとうまくできたはずだと言い張る
- 自分の価値を決めてしまうような物事をぐずぐずと後回しにする

れ

発展形
意気消沈→p. 76、価値がない→p. 108、自己憐憫→p. 194

- 自分が正しいと思っていても引き下がり、人との対立を避ける
- 自分の欠点を隠そうとする（顔のあざを髪で隠すなど）
- ミスを犯してしまったと思ったら自分に罰を与えて傷つける（つねった痕、噛んで短くなった爪、引っかき傷などがある）

内的な感覚

- 吐き気
- 動悸が激しくなる（不安に駆られて）
- 体が火照り、汗をかく
- 口が渇く
- めまい

精神的な反応

- 自分が詐欺師のように思える
- 劣等感に襲われると、ネガティブな考えが頭をよぎる
- 心の中に批判的な声をささやく自分がいて、精神的に自分を追い詰める
- 他人には決して課すことのない達成不可能な高い基準を自分に課す
- 自分の考えを人と共有できない（自分は間違っていると思い込んでいるため）
- 人と自分を常に比べ（財力や成功の度合い、容貌、才能、責任遂行能力など）、劣っている自分を恥じる
- 個人的な成功を喜ばず、反省点ばかり考える
- 「自分のような人間」には無理だと決めつけて、有意義な目標を追求しない
- 褒められたいのに、褒められると自分は高評に値しないと思ってしまう

一時的に強く、または長期的に表われる反応

- 言葉がつっかえる
- 自分の選択、行動や判断にくよくよする
- ちょっとした批判にも狼狽する（神経質になっている）
- 出来が悪いと自分を罰する
- 自分を孤立させる
- ささいなことにこだわって頭が休まらず、不眠症になる
- 潰瘍など、ストレスが引き起こす疾患にかかる
- 自分の能力に不安がつきまとい、社交の場を避ける
- 職場などで能力不足が発覚するのを避けるため、目標を下げる
- 不当な扱いを受けても当然の報いだと思い込んで受け入れる（有害な人間関係）
- どこかへ逃げ隠れしたいと思う一方で、そんな弱い自分を心の中で嘲る

隠れた感情を表わすサイン

- 完璧主義の傾向がある（長時間働く、何事にも秀でようとするなど）
- 同僚に負けじと頑張る
- 次々と優秀な成績を残すものの、成功を喜ばない
- 努力よりも結果だと思っている
- 自分は重要なのだ、高い地位に就いているのだということをいちいち人に言う
- 優位な立場を利用したり、大声を出したりして、空威張りする

この感情を想起させる動詞

比べる、縮こまる、批判する、かがみ込む、放棄する、ゆがめる、くどくど話す、失敗する、固執する、決めつける、欠ける、制限する、口ごもる、拒絶する、肩をすくめる、崩れ落ちる、よろめく、服従する、心配する

書き手のためのヒント

感情が高ぶると、キャラクターはその激情を抑えようとする。キャラクターが自制心を失っていくときの言動を描写すると、読者の興味をそそる文章が書ける。

後退形

葛藤→p. 110、決意→p. 162、受容→p. 214、切望→p. 232

狼狽

〔英 Flustered〕

【ろうばい】
混乱や不安定な状態が続いていらだち、緊張しきって自意識過剰になる

外的なシグナル

- 人から目をそらす
- 激しいまばたき
- 息をハッとのむ
- 顔や首筋が紅潮する
- 会話を続けようとして「ええっと」「あのう」を連発するが、会話が進まない
- 言葉がつっかえて文章にならない
- 興奮して唾を飛ばすが、ちゃんとした言葉が見つからない
- 神経質な笑み
- 髪を耳にかける
- 何か言いかけるが言葉が出ず、口をつぐむ
- 顔を何度も触る
- ごちゃごちゃと、取って付けたような言いわけをする
- 自分で弱点や失態だと思っていることを隠して嘘をつく
- 不器用でぎくしゃくした動き
- 頭をすばやく振る
- 指で額を軽く叩く、あるいは拭う
- 自己卑下：「あら、私ったらばかなことを言っちゃったわね」
- 相手に真正面から向き合わず、自分をかばうように体を横に向ける
- 何度も向きを変える
- じっとしていられない
- くよくよする
- 会話から抜ける
- 間違いを直さないと先へ進めない（演壇や教壇に立って話しているときなど）
- 押し殺した声で笑う
- 咳払いする
- 雰囲気を和らげるためや面目を保つために冗談を言う
- 早口で謝る、話す
- 太ももに拳を押しつける
- 集中しようとして、腕などをつねったり手首をぎゅっと握ったりする
- 忙しく手を動かそうとする（テーブルを拭く、クッションを整えるなど）
- 首の後ろを片手でちょっと覆う
- 声を荒らげる
- 人のせいにする、言い返す、話をそらすなどして、自分のことは棚に上げる
- 平静を取り戻そうとして語気を強める：「大丈夫ですって。やれますから。月曜日までに仕上げて持ってきますよ。本当ですったら」
- 助けを求めて周囲を見回す

ろ

発展形
きまり悪さ→p. 134、動揺→p. 250、フラストレーション→p. 286

- 差し伸べられた助けの手を拒否する
- 注意をそらす：「ここは暑すぎると思いませんか？　窓を開けましょうよ」
- 愛を告白されたときなど、狼狽の原因がポジティブな場合は、相手との距離を縮める
- 同僚の前で批判されたときなど、狼狽の原因がネガティブな場合は、人と距離を置く

内的な感覚

- 体の中が熱くなる
- 顔が熱くなる（紅潮）
- 息をするのを忘れて息苦しくなり、胸がキリキリと締めつけられる
- 首の後ろがチクチクする

精神的な反応

- 不安を感じる、心が傷つきやすくなる
- 心の声が大きく批判的になる（狼狽している自分に対する批判）
- 注目の的になっていることを強く意識する
- 時間が止まっている、あるいはゆっくり流れている気がする
- 克服するには闘わなければならないが、逃げ出したい
- なんとかしなければと必死になる

一時的に強く、または長期的に表われる反応

- 状況悪化を避けるため、口を固く閉じる
- 思わず顔が紅潮し、汗が流れる
- 他人任せになる
- どうにでもなれという気持ちでその場を去る

隠れた感情を表わすサイン

- こんなことなどどうでもいいと無関心を装う
- 周りの関心の的がほかに移るような質問を投げかける
- 狼狽していることを否定する：「いや、ちょっと不意を突かれただけだよ」
- 状況を操作する：「君たち二人は自己紹介でもしててよ。僕は飲み物を買ってくるからさ」

この感情を想起させる動詞

頭が空っぽになる、動揺する、いらだつ、べらべら口走る、口を滑らせる、赤面する、飛んでいく、惑わされる、落とす、いじくる、紅潮する、挫折する、ぽかんと口を開ける、阻止する、躊躇する、妨げられる、ひやかされる、パニックになる、かき乱される、ぎゅっと握る、凝視する、もがく、よろめく、苦しめられる、引きつる、バランスを狂わせる、水の泡になる、気が動転する、曖昧なことを言う、気持ちがぐらつく

書き手のためのヒント

キャラクターは、感情に流されそうになっても、押し返すことがある。その場合、キャラクターの言葉と身振りがずれる可能性がある。それがどのようにずれるかを考え、内面の葛藤を表現すること。

ろ

後退形

あやふや→p. 68、いらだち→p. 80、自己嫌悪→p. 192

あとがき

執筆作業がとても楽になる、ライターの心強い味方がいつも手元にあったらいいのに、とは思いませんか。そんなあなたに是非一度試していただきたいのがOne Stop for Writers®です。ベッカとアンジェラがリー・パウエル（Windows版スクリブナー〔訳注：脚本などの執筆によく使われる文書作成ソフト〕の開発者）とタッグを組んで、まるで図書館のようにライティングツールが豊富に揃ったサイトを作りました。ライターがより力強いストーリーをすらすらと書けるよう、創作のお手伝いをするサイトです。

One Stop for Writersには、ほかにはないすばらしいデータベースを用意しています。「読者が求める新鮮なイメージや深い意味を描写したい」――そんなときにとても便利なデータベースです。キャラクターの感情や言動の動機、性格、心の傷、身体的特徴、才能や能力、何かを象徴する言葉、設定など、アイデアが豊富に詰まっているので、深みのある場面や忘れられないキャラクターを作るときには大活躍するはずです。また、このデータベース以外にも、便利なライティングツールをたくさん揃えています。ストーリーの構造や時系列を練ったり、アイデアをひねったりと、虚構の世界を作り上げ、今までなかった新鮮なストーリーを作るのにとても役立ちます。画面を見つめるばかりで手が動かない……そんな時間をできるだけ減らし、すばらしい小説を紡ぎだせるよう、ライターの皆さんを応援するのがOne Stop for Writersなのです。これまでなかった新しい執筆体験をしてみませんか。是非一度One Stop for Writersを訪ねてみてください。

ハッピーライティング！

● WEBサイト
One Stop For Writers（作家のためのワンストップ）www.onestopforwriters.com
Writers Helping Writers（作家を助ける作家たち）www.writershelpingwriters.net
● フェイスブック
www.facebook.com/DescriptiveThesaurusCollection
● Twitterアカウント
@angelaackerman （アンジェラ・アッカーマン） @beccapuglisi （ベッカ・パグリッシ）

類語辞典シリーズ好評既刊紹介

キャラクターの内面を全体的に理解できれば、物語を通してそのキャラクターを突き動かすものを効果的に見せることができる。キャラクターの動機、心の傷、そしてこれらの要素がキャラクター軸の中でどう作用していくのかをさらに研究するために、私たちのこれまでの類語辞典シリーズをぜひ本書と併せて読んでみてほしい。

『性格類語辞典 ポジティブ編』

滝本杏奈＝訳　定価：1,300円+税

記憶に残る「前向きな」キャラクターの創作のヒントの詰まった類語辞典。キャラクターが持ちうるポジティブな性質と、その性質を代表する行動、態度、思考パターンなどを列挙し、現実味溢れ、読者を魅了するキャラクターの創作に役立ってくれるはずだ。朝井リョウ（小説家）、飯間浩明（国語辞典編纂者）推薦。

『性格類語辞典 ネガティブ編』

滝本杏奈＝訳　定価：1,300円+税

悪役にも心の葛藤や不安はあるし、やりたいことがあっても躊躇し、うまく物事が運ばないことだってある……リアルな悪役はポジティブな部分とネガティブな部分をあわせ持っている。そんな彼らの嫌な部分の理解を深めると、その根底にある不安と恐れが見えてくるだろう。キャラクターの心の闇に光を当てた一冊。藤子不二雄Ⓐ（漫画家）、飯間浩明（国語辞典編纂者）推薦。

『場面設定類語辞典』

滝本杏奈＝訳　定価：3,000円+税

郊外編、都市編合わせて225場面を列挙し、場面ごとに目にするもの、匂い、味、音、感触をまとめた一冊。情景を描写しながら、ストーリーの雰囲気や象徴、そしてキャラクターの葛藤や感情を表現し、ストーリーに幾層もの深みを持たせ、読者を引きつけるための設定のつくり方を学んでほしい。有栖川有栖（小説家）、武田砂鉄（ライター）推薦。

『トラウマ類語辞典』

新田享子＝訳　定価：2,200円+税

誰もが大小さまざまなかたちで持っている「トラウマ」。不意の事故や予期せぬ災害、幼少期の体験、失恋や社会不安……などなど、トラウマを効果的に描ければ、そのリアリティが読者の共感を呼ぶはず。より魅力的で豊かなキャラクターを作りあげるために必要な、あらゆる心の傷／トラウマについて網羅した一冊。綾辻行人（小説家）、武田砂鉄（ライター）推薦。

http://www.filmart.co.jp/ruigojiten/

著者紹介

アンジェラ・アッカーマン Angela Ackerman
ベッカ・パグリッシ Becca Puglisi

アンジェラ・アッカーマンは、主にミドルグレード・ヤングアダルトの読者を対象に、若い世代の抱える闇をテーマとした小説を書いている。SCBWI〔児童書籍作家・イラストレーター協会〕会員である。ベッドの下にモンスターがいると信じ、フライドポテトとアイスクリームを一緒に食し、人から受けた恩をどんな形であれほかの人へ返すことに尽くしている。夫と２人の子ども、愛犬とゾンビに似た魚に囲まれながら、ロッキー山脈の近く、カナダのアルバータ州カルガリーに暮らす。

ベッカ・パグリッシはヤングアダルト向けのファンタジー小説、歴史フィクションの作家であり、雑誌ライター。SCBWI会員である。太陽が輝くフロリダ州南部に暮らし、好きなことは映画鑑賞、カフェイン入りドリンクを飲むこと、体に悪い食べ物を食べること。夫と２人の子どもと暮らす。

アンジェラ、ベッカはともに多くの作家と作家志望者が集まるウェブサイト「Writers Helping Writers（前身は「The Bookshelf Muse」）」を運営している。豊かな文章を書くにあたり参考となる数々の類語表現を紹介するこのウェブサイトは、その功績が認められ賞も獲得している。

http://writershelpingwriters.net

訳者紹介

滝本杏奈

津田塾大学英文学科を卒業後、creativehybridに所属、広告・映像ジャンルを中心に幅広く翻訳を手がけている。欧米のヤングアダルト小説とハワイをこよなく愛する。

新田享子

三重県生まれ、サンフランシスコを経て、現在はトロント在住。テクノロジー系を中心に幅広い分野のノンフィクションの翻訳を手がけている。ウェブサイトはwww.kyokonitta.com

---

感情類語辞典［増補改訂版］

2015年12月28日　初版第1刷発行
2019年 8 月21日　初版第13刷発行
2020年 4 月20日　増補改訂版第1刷発行
2024年 5 月10日　増補改訂版第6刷発行

著者 ―――――― アンジェラ・アッカーマン、ベッカ・パグリッシ
訳者 ―――――― 滝本杏奈（creativehybrid）、新田享子
翻訳協力 ――― 宮武早紀（creativehybrid）、株式会社トランネット
ブックデザイン ―― イシジマデザイン制作室
装画 ―――――― 小山健
日本語版編集 ―― 臼田桃子（フィルムアート社）
発行者 ――――― 上原哲郎
発行所 ――――― 株式会社フィルムアート社
〒150-0022
東京都渋谷区恵比寿南1丁目20番6号 第21荒井ビル
TEL 03-5725-2001
FAX 03-5725-2626
http://www.filmart.co.jp

印刷・製本 ――― シナノ印刷株式会社

Printed in Japan
ISBN978-4-8459-1922-2　C0090